Ces émotions qui guérissent

Sommaire

TROISIÈME PARTIE

QUAND LE CŒUR SOUFFRE, LE CORPS TRINQUE

QUATRIÈME PARTIE

FAUX REMÈDES CONTRE LE MAL DE VIVRE OU COMMENT NOUS NOUS EMPOISONNONS LA VIE

CINQUIÈME PARTIE

LES ÉMOTIONS QUI GUÉRISSENT

SIXIÈME PARTIE

POUR GUÉRIR, SOIGNONS NOS TROIS CORPS

Une lumière au bout du tunnel

J'étais à terre, anéantie.

Convaincue que ma joie et mon honneur s'en étaient allés pour toujours... Mon existence offrait désormais le spectacle désolant d'un champ de ruines après un tremblement de terre.

Nous roulions vers Saint-Sylvain-d'Anjou, où nous devions licencier le personnel et fermer notre établissement de conditionnement de plantes ! Licencier... Fermer... Deux mots terribles pour un univers jeté à bas.

À mesure que la voiture approchait de sa destination, je me recroquevillais sur mon siège et, les yeux fermés, je priais un dieu qui ne répondait pas. Disparue, Rika la battante, l'intrépide. Celle qui avait su autrefois surmonter la paralysie, la trahison et l'adversité. Seule restait une petite fille apeurée.

Les pensées et les émotions se bousculaient dans ma tête. Pour retrouver le calme, j'ai essayé de m'inventer une histoire qui se terminerait bien, mais j'étais en panne d'imagination. Les seules images qui m'assaillaient étaient celles du palais de Justice d'Angers...

Je nous revoyais, mon mari Jean-Pierre et moi, bousculés et poursuivis par les journalistes, puis courant pour disparaître derrière une porte dérobée. Chaque regard, chaque micro ou appareil photo figuraient autant de doigts accusateurs qui nous rappelaient une faute que nous n'avions pas commise !

Après le succès extraordinaire de mon livre *Ma médecine naturelle*[1], portés par l'enthousiasme et la passion, nous avions créé un établissement pour distribuer les plantes et les tisanes que j'avais mises au point. Notre crime ? Nous avions osé indiquer sur l'étiquette de nos sachets les bienfaits procurés par ces plantes – bienfaits connus et attestés depuis des siècles. Pour cela, j'avais dû affronter, dans ce palais de Justice si sombre, les juges, les pharmaciens et la presse.

L'humiliation et l'échec m'étouffaient. Et dans mon cœur pleurait une petite fille effrayée.

Retour d'un vieux démon

Dès l'annonce du procès, un doute s'est insinué dans l'esprit du public, et nos produits sont restés désespérément orphelins sur les rayons de toutes les grandes surfaces. Qu'importe si la qualité biologique était garantie par trois étoiles, si l'argile avait été séchée au soleil ou les miels récoltés sans être chauffés… Aucune main ne se tendait plus pour les acheter. C'est bien connu : dans le doute, on s'abstient…

Jean-Pierre et moi enragions de cette injustice, mais nous étions déterminés à tenir coûte que coûte, à ne pas fermer l'établissement. Cette décision a eu raison de toutes nos économies. Nous nous obstinions, cherchant en vain une solution, jusqu'au jour où il fallut se rendre à l'évidence : les banques refusaient de continuer à nous soutenir. Impuissants, nous allions devoir licencier des dizaines de personnes et mettre la clé sous la porte…

Notre voiture roulait vite, bien trop vite, et j'entendais les roues marteler « pas d'issue, pas d'issue ! » tandis que l'asphalte répondait « c'est fini, c'est fini ! »… Alors le

1. Éditions Carrère-Michel Lafon, Paris, 1985.

courage m'a abandonnée et je me suis réfugiée au *Clafoutis*, notre petit restaurant habillé de couleurs pastel.

Et là, mon vieux démon, cette boulimie à laquelle je croyais avoir tordu le cou, a soudain refait surface. Les attaques supportées depuis de longs mois ont vaincu ma résistance. Ces derniers temps, ma balance affichait déjà un surplus de quinze kilos. Mais au diable la diététique ! À cet instant, une seule chose comptait : anesthésier mon chagrin lancinant.

J'ai commandé un feuilleté aux fruits, puis un deuxième, troisième et quatrième. Impossible de m'arrêter. J'étais comme possédée et j'aurais étranglé quiconque aurait voulu m'empêcher de continuer. Comme si j'avais voulu ensevelir sous une montagne de gâteaux la douleur qui me transperçait la poitrine.

Je ne me reconnaissais plus. Je ne savais plus qui j'étais ! Le procès m'avait épuisée, vidée ! J'étais envahie par une souffrance qui ne me lâchait plus. En contemplant les assiettes vides devant moi, j'ai eu envie d'éclater en sanglots. Au lieu de cela, j'ai commandé un cinquième gâteau... À ma peine est venu s'ajouter un profond dégoût de moi.

Le rideau se baisse

La voiture s'est immobilisée devant notre établissement, coiffé de sa belle enseigne bleu et vert : « Produits naturels ».

Quand j'ai pénétré dans la grande salle, surmontée de ses arceaux en bois clair, mon cœur a été saisi d'émotion. En longeant les vingt-six comptoirs, sur chacun desquels trônait une balance électronique, j'ai retenu mes larmes devant le spectacle de tous ces bacs vides.

– C'est fini, m'a dit Jean-Pierre, très pâle.

Immobile, respirant à peine, je me suis sentie comme lorsque j'étais enfant et que les coups pleuvaient : je me cachais alors au fond de moi, pour que rien ni personne ne puisse m'atteindre. Comme un automate, j'ai pris au hasard une boîte de plantes dans ma main, je l'ai ouverte pour humer le parfum délicat de la verveine. Mes yeux se sont posés sur la couleur ambrée du miel à travers son bocal en verre soufflé, décoré d'abeilles. Puis sur nos pots de confitures : combien d'essais avions-nous réalisés pour parvenir à ce résultat délicieux – à base de beaux fruits mûrs et de sucre roux ? Ici et là, les emballages de plantes me rappelaient nos escapades à Chemillé et Buis-les-Baronnies, où nous les achetions fraîches : c'était l'époque où nous pensions être les pionniers d'une nouvelle ère naturelle...

– C'est l'heure, murmura Jean-Pierre.

Pendant qu'il baissait – pour la dernière fois – le rideau métallique, je pensais avec amertume aux camions qui allaient emporter à la décharge tous nos produits : même les maisons de retraite et les hôpitaux, à qui nous les avions offerts, n'en avaient pas voulu ! On ne peut pas lutter contre la méfiance.

Nous allions partir quand Jean-Pierre descendit de la voiture. En guise d'adieu, il prit le tuyau d'arrosage et se mit à arroser les clématites et les buissons de roses. D'une pluie fine, il aspergea longtemps les sauges et les impatiences qui fleurissaient devant l'entrée principale...

Tempête sur Jérusalem

Le destin s'acharnait-il contre moi ? Pendant la durée du procès et l'année qui suivit la fermeture de mon entreprise, je fus frappée par un drame autrement plus douloureux : atteinte de la maladie d'Alzheimer, ma mère avait été hospitalisée à Jérusalem.

Depuis des semaines, des mois, elle ne me reconnaissait plus. Elle avait oublié l'hébreu et ne me parlait qu'en lituanien, sa langue natale, que je ne comprenais pas : dans ces moments où nous aurions eu tant de choses à nous dire, tant d'abcès à crever, nous ne pouvions plus communiquer !

– Maman, j'ai peur. Ne me laisse pas seule !

Mes prières n'ont pas été entendues. Le jour de son enterrement, la grêle s'est abattue sur Jérusalem et le vent s'est transformé en tempête. Ici et là, les arbres et les fils électriques ont cédé sous le poids de la neige. À l'image de mon cœur, la ville était plongée dans l'obscurité et le froid...

Avant de m'envoler pour Paris, je déjeunais sagement à l'aéroport lorsque soudain, mue par une pulsion incontrôlable, j'ai commandé quatre parts de gâteau : j'ai dévoré les trois premières d'un trait, sans respirer, sans même en sentir le goût. En regardant la quatrième, j'ai hésité un moment à la jeter à la poubelle. Puis j'y ai planté ma fourchette et je l'ai avalée toute ronde !

Quel gâchis ! Longtemps, la médecine naturelle m'avait tenue à l'écart de ces crises de boulimie... Mais il faut croire que le mal était plus profond et plus tenace que je ne le pensais. La disparition de ma mère, le licenciement forcé du personnel, la fermeture de l'établissement, mes déboires économiques et le traumatisme des procès s'étaient ligués pour réveiller les blessures de mon passé. Le terrible sentiment de culpabilité tapi dans mon cœur depuis si longtemps ne cessait de distiller son venin : « Tout ce qui arrive est ta faute ! »

Une planche de salut ?

À mon retour de Jérusalem, la balance accusait vingt-sept kilos supplémentaires ! Toutes les remontrances que je m'adressais ne servaient qu'à augmenter mon malaise et ma boulimie.

Je ne voulais plus chanter ni écrire, je refusais télévisions et spectacles. Plus rien ne m'intéressait.

Une chose, pourtant, m'empêchait de sombrer : les études que j'avais entreprises en psychologie, et dont je pressentais peut-être qu'elles pouvaient me sortir de cette impasse. Cachant mes formes sous d'amples caftans ou « boubous » africains, je me suis accrochée à ces cours comme à une bouée de sauvetage. Contre vents et marées, j'ai accompli un cycle d'études de deux ans en analyse transactionnelle, puis deux autres années de formation comme « conseillère de santé holistique » (champ des maladies psychosomatiques), suivies enfin d'un cycle de deux ans en programmation neuro-linguistique (la PNL)...

Ces études riches et denses m'ont bien sûr ouvert des horizons nouveaux. Mais cela ne m'a pas suffi! En fait, j'avais souhaité l'impossible : que ces connaissances viennent effacer mes souffrances comme par magie... Quelle ridicule chimère ! Pour la bonne raison que tous les efforts intellectuels du monde ne pourront jamais résoudre des problèmes d'origine affective... Mais à l'époque je l'ignorais encore.

Alors chaque nuit, doutant de moi, je répétais la même litanie : « Maman, où es-tu ? Est-ce que tu m'entends ? Regarde-moi : je suis malade, je n'ai plus la force de continuer... » Comme un animal pris au piège, je tournais dans ma cage sans trouver aucune issue.

Loin de Paris, une rencontre allait pourtant m'apporter l'espoir...

Une vie qui bascule en une poignée de secondes

Mon amie Judy, psychologue et psychothérapeute américaine, a réussi à me convaincre de venir passer quelques jours à New York.

– Tu as besoin de prendre du recul.

Mais j'étais incapable d'oublier une seule seconde mes problèmes... Le soir même, Judy m'a traînée à la conférence d'une certaine Norma Church, présidente d'une association appelée Entraide Femmes.

Dissimulée dans mon caftan noir, au milieu de quelque trois cents Américaines vêtues et coiffées avec soin, je me suis sentie encore plus dévalorisée et me suis demandé ce que je faisais là...

Norma Church est montée sur l'estrade. Elle s'est mise bientôt à l'arpenter de long en large, en retraçant sa vie passée... qui ressemblait au scénario d'un mélodrame télévisé. Épouse d'un riche avocat d'affaires, elle avait mené une existence à la fois brillante et superficielle dans une somptueuse résidence aux spacieuses terrasses blanches. Un jardinier attentif soignait ses roses tandis qu'un chauffeur en uniforme l'emmenait faire ses courses. Certes l'amour manquait à ce tableau, mais, happée par le tourbillon de ses obligations mondaines, Norma disait ne pas en souffrir. Était-elle heureuse ? Non ! Car, comme toutes ses amies, elle vivait dans la hantise de grossir, de vieillir ou de perdre sa situation privilégiée...

À vrai dire, son histoire ne m'intéressait guère. Quel rapport avec moi, avec mon enfer personnel ? Toutefois une phrase prononcée par la conférencière m'a fait sursauter :

– Le jour où j'ai appris que William souffrait d'un cancer avancé du pancréas, je lui en ai beaucoup voulu : je refusais d'abandonner ma vie facile pour me transformer en infirmière, et déjà l'idée de le quitter mûrissait dans ma tête...

« Quelle femme monstrueuse ! » ai-je pensé. Mais Norma Church enchaîna aussitôt, expliquant qu'en fait c'était son mari qui, le premier, avait évoqué cette séparation.

– Prenant mes mains dans les siennes, il m'a dit simplement : « Norma, je t'aime, mais je vais bientôt te quitter. Je désire que tu trouves un homme qui puisse t'offrir la vie que tu mérites. »

Émue, je me suis redressée dans mon fauteuil pour mieux entendre la suite. Norma s'est arrêtée de marcher :

– En l'espace de quelques secondes, le mur de mes certitudes s'est fissuré ! Ce malade amaigri, qui avait perdu tous ses cheveux, m'est soudain apparu comme un homme d'une force admirable. J'étais touchée en plein cœur ! Au moment où William avait le plus besoin de moi, il était prêt à se sacrifier en pensant à mon bonheur. Cette preuve d'amour qu'il me donnait a trouvé en moi un écho extraordinaire et imprévisible. En un instant, j'ai eu la sensation d'un roc qui volait en éclats : un flot inouï d'émotions longtemps contenues a emporté cette barrière que la peur ou les conventions sociales avaient édifiée. Je me suis ouverte à moi-même, aux autres, à l'existence : j'ai perçu qu'il y avait un « autre moi », plus chaleureux, plus généreux, qui ne demandait qu'à vivre, qu'à s'exprimer enfin. Pour la première fois, j'ai senti vibrer mon cœur et ce fut un moment à la fois magnifique et terrifiant. Terrifiant parce que je me rendais compte à quel point, pendant toutes ces années, j'avais vécu éloignée de ce que j'étais vraiment...

L'assistance retenait son souffle. Norma continua :

– À partir de cet instant, soutenir William est devenu la chose la plus importante de ma vie. Balayée, cette existence artificielle, exempte de sentiments véritables et d'amitiés sincères... Pour payer les frais d'hospitalisation, j'ai vendu notre maison, les voitures et mes bijoux. Curieusement, en me séparant de tous ces biens, j'ai découvert qu'ils n'étaient pas essentiels à mon bonheur. Un petit studio et une voiture d'occasion sont venus les remplacer. Pour vivre, je travaillais désormais dans un magasin de fournitures scolaires et, tous les après-midi, je me rendais à l'hôpital. Je suis tentée de dire : jamais je n'avais vécu aussi pleinement. Chaque jour, en effet, mon amour pour William déblayait les pierres obstruant encore la source qui avait jailli en moi. Avant, je n'avais peut-être jamais connu la tristesse ni la douleur : mais j'ignorais aussi ce qu'étaient la plénitude et le bonheur. À présent que j'avais « ouvert la porte aux émotions », je pouvais être profondément triste, exprimer ma colère contre le sort qui nous frappait... mais je faisais aussi l'expérience d'un amour véritable, je pouvais savourer *réellement* les moments de tendresse que William et moi volions à la maladie.

Norma termina son récit : son mari avait succombé au cancer. Après plusieurs mois de quasi-prostration, elle était revenue lentement à la vie. Si douloureuse fût-elle, cette vie avait acquis un sens. Et malgré l'absence de l'être cher, Norma ne conservait en elle aucune amertume. Elle avait vécu un amour merveilleux qui, elle en avait la certitude, lui donnerait désormais la force de s'ouvrir aux autres et à l'existence.

Norma Church a créé une association pour venir en aide aux femmes que la disparition de leur conjoint laisse sans ressources. Cette association qui compte aujourd'hui huit mille membres gère une garderie d'enfants, propose des prêts bancaires et des offres d'emploi. Surtout, elle exhorte ces femmes désemparées à ne pas se renfermer dans leur coquille, et à traverser les épreuves en se laissant porter et soutenir par tout ce qu'elles ressentent – du plus douloureux au plus merveilleux !

Le malheur, une porte qui s'entrouvre sur l'espoir !

Je suis sortie complètement bouleversée par cette conférence. Le fait que Norma ait perdu comme moi un être cher au terme d'une longue maladie contribuait sans doute à nous rapprocher. Mais je sentais qu'il y avait autre chose dans ma réaction, une sorte d'excitation, un espoir qui bondissait dans mon esprit. J'avais la conviction qu'une piste sérieuse venait de s'ouvrir devant moi, qui devait me mener vers une transformation de mon existence !

Déclinant l'offre de rentrer en taxi avec Judy, j'ai préféré arpenter pendant des heures les rues de New York en me parlant à voix haute. Je voulais à tout prix tirer au clair ce qui m'avait ainsi « interpellée ».

Au fond, malgré nos itinéraires si différents, j'avais adopté face à la vie une attitude comparable à celle de Norma : elle avait vécu dans une cage dorée, et j'avais fait tout mon possible pour me protéger de toute émotivité, pour m'envelopper d'un cocon défensif. J'avais essayé de me soustraire aux émotions : par principe, je refusais de me plaindre, de montrer mon désarroi. Pendant les années difficiles que je venais de traverser, je m'étais interdit les explosions de colère comme les crises de larmes, persuadée que mon « devoir » était d'afficher une façade forte et impassible. J'avais encaissé et encaissé encore... jusqu'au jour où j'avais sombré dans la boulimie et la dépression.

J'en étais là désormais. Et je découvrais que pour renaître à la vie je devais d'abord, comme Norma, « ouvrir les vannes » de mon cœur. Je comprenais soudain qu'il me serait impossible de surmonter mon déshonneur et ma douleur tant que je continuerais d'emprisonner mes sentiments. Comment d'ailleurs avais-je pu accepter de vivre si longtemps murée dans la révolte, le découragement, la peur et la haine ? N'était-ce pas là ce qui me minait plus sûrement que tous mes malheurs extérieurs ?

N'avais-je pas conclu un peu trop vite que le monde entier m'en voulait et me refusait les solutions, alors que la réponse à mes problèmes se trouvait en moi ? Ne restais-je pas seule responsable de ma vie et de mes décisions ?

Mais si tel était le cas, comment devais-je m'y prendre pour fortifier mon corps et mon âme ? Comment ouvrir mon cœur sans pour autant devenir « faible et sans défense » ?

Là encore l'exemple de Norma devait m'éclairer. Après tout, n'était-elle pas sortie de son drame personnel à la fois plus sereine et plus solide ? Un moment, la rime d'une chanson accompagna mes pas : « Plus forte est la pluie et plus beau sera l'arc-en-ciel… »

Lorsque je suis rentrée, Judy m'attendait. Elle est venue s'asseoir à mes côtés, et sans rien dire m'a entourée de ses bras. J'ai posé la tête sur son épaule et je me suis enfin laissée aller à pleurer. Les larmes faisaient fondre la douleur intense qui avait élu domicile dans ma poitrine. Dans ma nuit noire, une fenêtre venait de s'allumer, claire et brillante.

Un tremplin vers une vie meilleure

Nous avons chacun notre lot de problèmes. Et Dieu soit loué, ils ne sont pas tous aussi douloureux que la perte d'un être cher. Mais il n'en reste pas moins que nous sommes soumis avec une fréquence redoutable à des « mini-séismes » qui nous secouent plus ou moins durement : une grave déconvenue professionnelle, une déception amoureuse, la « trahison » d'un ami de longue date, des conflits répétés avec la famille ou des plaies d'argent qui, pour ne pas être mortelles, n'en sont pas moins démoralisantes… Sans oublier des stress plus sourds, qui nous rongent presque à notre insu : solitude prolongée, peur de vieillir, anciens sentiments de culpabilité ou d'infériorité hérités de l'enfance, agressivité larvée de notre environnement urbain ou professionnel, etc.

Les marins savent bien qu'il existe une façon particulière d'aborder les grosses vagues pour ne pas mettre en péril l'équilibre de leur embarcation. Mais vous, comment réagissez-vous face à tous les aléas de la vie, à ces paquets d'eau de mer que vous prenez en pleine figure de temps à autre ? Que faites-vous de vos peurs, faiblesses et coups de colère ? Bien souvent, par orgueil, par timidité ou par pudeur, vous avez tendance à vous draper dans votre dignité, vous gardez bonne contenance. En clair, vous réprimez vos émotions.

Et quand bien même, quel mal y aurait-il ? allez-vous me dire. Vous considérez sans doute que les « émotions » sont de l'ordre du futile ou qu'elles trahissent une faiblesse, et que de toute façon il vaut mieux « les garder pour soi ». À vos risques et périls... Car savez-vous jusqu'à quel point vous pouvez « encaisser » ? Croyez-vous vraiment que tout balayer « sous le tapis » soit une solution saine ? Ne vous étonnez pas si un jour vous « faites » de l'eczéma, des sinusites à répétition, si le mal de dos vous tenaille ou si la « déprime » vous ôte la joie de vivre. Faute de vous « décharger la rate », vous vous « faites de la bile » ou un « sang d'encre ». Certains, à force de refouler, à force de contenir leurs émotions, finiront même par connaître la crise grave : dépression, problème cardiaque ou pire...

Vous pensez sans doute que j'exagère, que je tombe dans les extrêmes. Il n'empêche que les émotions *sont là*, qu'on le veuille ou non, et qu'elles constituent la partie la plus *active* et la plus vigoureuse de notre être. Tristesse, colère, peur, joie, toutes nous « travaillent au corps », à longueur de journée, à longueur de vie. Quelle attitude allons-nous adopter à leur égard ? Les bannir ? Rigoureusement impossible. Les museler ? C'est ce que nous faisons trop souvent, au mépris du danger que cela représente. Les ignorer ? Croyez-moi, elles se rappelleront à votre souvenir, et rarement de façon plaisante...

Mais d'abord, pourquoi nous feraient-elles si peur ? Pourquoi s'en méfier ? Étymologiquement, les émotions, c'est ce qui nous remue, c'est notre « moteur » intérieur. C'est le mouvement de la vie, l'énergie vitale qui nous traverse. Pourquoi vouloir l'endiguer ? Par quelle aberration nous placerions-nous d'office dans une logique « antivie » ?

Encore faut-il savoir s'y prendre pour « s'exprimer ». Il ne s'agit pas forcément, comme pour Norma Church, de faire sauter à la dynamite les murailles de nos refoulements ! Agissons en douceur. Ce que nous devons apprendre, c'est une *gestion au quotidien* de nos émotions.

J'ai pour ma part appris ! Les thérapies que j'ai suivies et étudiées m'ont prouvé que nos émotions sont l'essence même de notre vie et qu'à ce titre elles ont des répercussions concrètes, palpables, sur notre santé physique et morale. Comme il serait fou de les négliger ou, pire, de les interdire de séjour !

Peu à peu, osant exprimer mes sentiments de joie comme mes peines et mes colères, j'ai vu disparaître les malaises physiques ainsi que la majeure partie des kilos superflus que leur refoulement provoquait. Patiemment, je suis remontée jusqu'aux émotions de mon enfance. En acceptant de les revivre, j'ai pu effacer l'influence néfaste qu'elles avaient eue sur ma vie présente. Dès lors, n'ayant plus à mobiliser une énergie colossale pour « comprimer » mes émotions, j'ai pu la mettre au service de ma santé. Retrouvant ainsi mes forces et mon aptitude au bonheur.

Ces forces, cette jubilation, je voudrais vous les communiquer dans ce livre. Je souhaite que ces pages puissent vous convaincre de vous montrer plus attentif à vos « mouvements intérieurs », à ces besoins en vous qui cherchent à se manifester et qui, à force d'être jugulés ou niés, finissent par vous rendre malade.

Mais ne vous y trompez pas ! La réhabilitation de votre partie émotive vous permettra certes d'éviter les manifestations psychosomatiques provoquées par le refoulement des émotions, mais cette démarche va bien plus loin : elle est capable de provoquer en vous des changements profonds et heureux.

Au cours de ce long voyage au centre de moi-même, j'ai appris à respecter mes qualités et à me faire confiance. J'ai appris aussi – et c'était le plus dur – à accepter mes faiblesses. Autrement dit, je me suis acceptée telle que je suis : parfaitement imparfaite. Et dans le même mouvement, j'ai pu admettre les « imperfections » des autres et me rapprocher d'eux.

Bien gérer ses émotions, c'est ouvrir son cœur. Une ouverture « à soi », mais aussi à ses proches et à l'univers tout entier. Tant il est vrai que pour témoigner un amour et une tolérance réels à l'égard d'autrui, il convient de commencer par soi.

Alors ne passez plus à côté de vous-même : vous passeriez à côté de la vie.

PREMIÈRE PARTIE

Les émotions : notre chemin vers la confiance

Ah ! s'écria Cyrus Smith, te voilà redevenu homme, puisque tu pleures.
Jules VERNE

Amour fait vivre et Crainte fait mourir.
Clément MAROT

1

Les ravages des émotions interdites

Une amie vous lance une remarque désagréable, vous vous dites : « Je ne vais pas m'abaisser à répondre »… et vous ravalez votre colère.

Quelqu'un vous insulte, vous humilie, vous songez : « Je ne vais pas me donner en spectacle »… et vous retenez vos larmes.

Devant votre famille, un soir où tout va mal, vous choisissez de ne pas montrer votre désarroi : « J'ai ma fierté »… et vous faites bonne figure.

Tout au long de l'année, devant votre patron, avec les collègues ou les clients, vous « avalez des couleuvres », sans oser réagir. « Ce n'est pas grave… »

C'est ainsi que tous, nous passons notre vie à « encaisser », en « fermant le clapet » de nos émotions…

Mais qu'advient-il de ces colères avortées, de ces coups de poing sur la table que nous n'avons pas osé assener, de ces peurs cachées, de ces larmes ou de ces cris ravalés ?

Nous croyons qu'ils se sont évaporés. Nous avons toujours tendance à considérer les émotions comme des choses sans consistance et donc négligeables. Ainsi, après chaque conflit, nous répétons : « Ce n'est rien, c'est "passé". » Le croyez-vous vraiment ? C'est quoi, au fond, une émotion ? Suffit-il de lui faire le coup du mépris pour la voir disparaître sans laisser d'adresse ?

La psycho-neuro-immunologie nous affirme le contraire. Cette nouvelle science, qui traite des rapports étroits entre nos émotions, nos hormones et nos immunités, nous avertit clairement : si certaines émotions, comme l'amour ou la joie, se révèlent bénéfiques pour notre santé, d'autres représentent un véritable danger pour notre équilibre physique et psychique, *quand on les garde en soi au lieu de les exprimer*.

De fait, ces émotions refoulées prennent le maquis et agissent « clandestinement » dans notre inconscient. Elles génèrent une tension permanente et une sécrétion hormonale nuisible. Toutes deux provoquent en nous des maladies psychosomatiques.

Interrogez-vous !

Depuis plusieurs décennies, tous les psychiatres ou psychothérapeutes soulignent le danger de cette « intériorisation chronique ». En effet, nous savons aujourd'hui que la tristesse, la colère ou la peur entraînent immédiatement la sécrétion par nos glandes d'hormones de stress.

Interrogez-vous : combien de fois par jour mettez-vous en route ce mécanisme dangereux ? Combien de fois par jour vos émotions incitent-elles vos glandes à injecter dans vos veines de l'adrénaline ou des corticoïdes ? Faute de vous autoriser un accès de colère, une crise de sanglots ou une explosion de joie, vous faites pleurer vos organes internes par le biais des maladies psychosomatiques.

Cette situation traumatisante devient encore plus dangereuse lorsque s'y ajoutent les inévitables stress de la vie – le bruit, l'agressivité ambiante, le surmenage, les problèmes familiaux ou financiers, etc.

Et ce n'est pas tout ! Vous devez aussi comptabiliser – en négatif – l'énergie folle que vous dépensez pour retenir captives les émotions refoulées. Parce que ces prisonnières se rebellent, elles cherchent une porte de sortie ! Et vous devez sans cesse vous « surveiller » pour éviter tout débordement.

Faites le compte : vous comprendrez mieux la raison de cette lassitude que vous traînez depuis si longtemps. La raison de vos migraines incessantes, de vos brûlures d'estomac, ulcères, maux de dos ou dépressions...

Sans oublier le plus grave : à vouloir faire fi de votre vie émotionnelle, vous vous coupez de votre être intime et vous perdez trace de votre personnalité réelle. Aussi, vous perdez toute chance d'établir des relations saines avec les autres.

Les émotions : un patrimoine universel

Vous êtes-vous déjà demandé ce que vous avez de commun avec tous les hommes et les femmes de cette planète ? La langue, la religion, la culture, l'éducation ? Évidemment pas. Ce qui relie les êtres humains sans exception aucune, ce sont *les émotions et leurs manifestations*, les larmes de joie ou de détresse, les élans d'amour ou de colère. Le bonheur que ressent une femme de la forêt amazonienne en serrant sur son cœur son bébé diffère-t-il de celui d'une mère vivant aux confins du Sahara ou dans une de nos métropoles occidentales ? N'est-ce pas un sentiment identique qui soulève la poitrine d'un homme frappé par l'injustice, qu'il soit riche et puissant ou pauvre et misérable ? Les émotions, c'est notre égalité, notre commune dimension humaine.

Ce sont elles qui dirigent la vie de chacun de nous, et chacune d'elles a son utilité au fil des aléas et des incidents de l'existence.

Les cinq émotions de base

L'être humain dispose d'une vaste palette de « ressentis », qui se déclinent à la façon des couleurs en peinture. Et comme pour les couleurs, il existe des émotions fondamentales, au nombre de cinq. Passons-les rapidement en revue.

• La colère

Elle produit dans notre organisme une énergie qui va nous permettre de défendre notre territoire physique aussi bien que psychique. Grâce à elle, nous signalons clairement à celui que nous considérons comme un « agresseur » les limites à ne pas dépasser.

Pourtant, en dépit de ces remarquables qualités, la colère a mauvaise réputation. Nous considérons souvent qu'il est mal de lui céder, car elle apparaît contraire à la plus élémentaire politesse. Mais cela est faux ! Souvenons-nous qu'il est sain d'exprimer ses colères pour protester contre l'intolérable et pour empêcher l'accumulation de frustrations nocives dans notre cœur.

Je sais que cette notion reste difficile à admettre pour tous ceux qui considèrent que se mettre en colère revient à manquer de respect à l'égard de son interlocuteur. Mais c'est là confondre colère et violence, alors que précisément l'expression de la colère nous évite d'en arriver à la violence ! La colère est un *signal d'avertissement* que nous lançons à notre entourage : « Si vous ne m'écoutez pas, si vous continuez d'ignorer mes revendications, je vais sévir. »

À l'inverse, que se passe-t-il lorsque nous nous interdisons de donner voix à notre mécontentement ? Si nous nous privons d'envoyer une « semonce », les autres ne vont pas modifier leur comportement, et il ne nous restera plus qu'à réagir violemment. Faute d'exprimer notre désapprobation en temps voulu, nous finissons par faire « sauter le couvercle de la marmite » un jour ou l'autre, et les dégâts risquent de s'en trouver décuplés...

La violence naît en fait du sentiment d'impuissance que nous ressentons face à une situation difficile : nous avons peur de ne pas pouvoir réagir, ou nous avons l'impression d'être dos au mur ; alors nous frappons tout ce qui bouge... C'est donc la peur qui engendre la rage puis la violence, et non pas la colère !

Vous me rétorquerez qu'il n'est pas toujours possible – ni même recommandé – d'envoyer des « coups de semonce » à ses supérieurs, aux autorités administratives ou même à son conjoint. Mais nous verrons précisément dans ce livre comment se défouler « symboliquement », en tapant sur un coussin dans un endroit tranquille, en criant, en tempêtant, en pleurant d'une manière bien définie (il existe un art de pleurer !) : jamais, bien entendu, en « déviant » sa colère sur une personne qui n'est pas responsable de notre indignation !

Moyennant quoi, lorsque vous aurez fait « sortir » ce sentiment d'indignation, vous pourrez affronter qui de droit – patron, contrôleur fiscal, conjoint – et lui exprimer votre mécontentement sans vous « emporter » au-delà des limites de la bienséance.

• La peur

« Ah ! N'avoir peur de rien ! Le rêve ! » Un rêve qui pourrait bien, pourtant, se transformer en cauchemar. On n'imagine pas les immenses services rendus par cette émotion. Car la peur nous sauve la vie !

Imaginez un monde dans lequel les humains seraient incapables de ressentir toute crainte. On les verrait affronter les dangers dans la plus complète inconscience : enjamber la fenêtre pour s'élancer dans le vide, traverser les routes au mépris des voitures, oublier de fermer le robinet du gaz ou nager vers le large jusqu'à l'épuisement.

Ne noircissez pas la peur : c'est une saine émotion qui nous avertit du péril et qui déclenche en nous l'envie de nous protéger. Mieux, elle nous procure l'énergie nécessaire pour venir à bout d'une menace, que ce soit par la fuite ou le combat.

Reste l'« autre peur », lancinante, tétanique, celle qui nous ronge quand nous ne pouvons pas affronter directement l'ennemi : peur du chômage, des agressions, de la maladie d'un proche, de la trahison de l'être aimé... Nous ne pouvons pas l'évacuer sur-le-champ, « en direct » ? Soit. Mais il va falloir apprendre à l'exprimer d'une manière ou d'une autre, faute de quoi notre système immunitaire s'en trouvera considérablement affaibli et notre psychisme gravement affecté.

• La tristesse

A priori, nous préférerions nous en passer ! Pourtant, cette émotion joue un rôle fondamental dans notre équilibre et notre... bien-être, car elle nous soulage de la tension née de toutes sortes de pertes : perte d'un être cher, d'une maison dont il faut nous séparer, d'un rêve qui s'écroule, d'un emploi dont nous voici privés, etc.

Toutes ces situations font naître en nous une tension physique plus ou moins forte : une contraction musculaire apparaît dans le bassin, monte vers l'abdomen, le plexus solaire, la poitrine – sensation d'avoir le « cœur serré » – puis le cou (une « boule dans la gorge »), pour donner lieu enfin à un jaillissement de larmes qui témoignent de notre tristesse.

Or que signifient ces pleurs ? Que quelque chose est arrivé à son terme et que nous en prenons conscience : nous nous libérons du chagrin et nous commençons à accepter de dire « adieu ». Et nous éliminons notre stress ! C'est si vrai qu'il a été démontré que les larmes de tristesse sont riches en hormones de stress, alors que les autres – provoquées par une simple irritation due au vent ou à un grain de poussière – n'en contiennent pas ! Pleurer est une réaction naturelle qui permet à notre organisme – via nos glandes lacrymales – de mieux gérer nos chocs affectifs.

À condition, là encore, d'aller au bout de l'expression ! Au bout de ses sanglots !

Au lieu de cela, que nous disons-nous, la plupart du temps ? « Il faut que je me calme, que je me reprenne... » Nous dépensons des tonnes d'énergie et de tranquillisants pour lutter contre ces réactions naturelles et bénéfiques ! Et à force de mal gérer notre système émotionnel, à force de juguler la colère, de nier la peur ou de camoufler la tristesse, nous glissons impuissants vers la dépression.

Vous ne me croyez pas ? Vous verrez plus loin qu'il s'agit bel et bien d'une physiologie des émotions, qui sont partie prenante de notre santé physique et morale.

• L'amour

Lui, personne ne lui fait de procès ! La poésie comme la chansonnette le déclarent, à leur manière, vital : « On ne peut vivre sans amour. » Et chacun de nous, dans son désir de perdurer, célèbre cette merveilleuse invention de la nature qui permet de perpétuer la vie.

Chacun sait également que cet élan ne se limite pas au sentiment amoureux ni à la procréation. Il harmonise des sensibilités différentes, devient le moteur de toute création, stimule les intelligences, permet de magnifiques accomplissements.

Seulement voilà : trop souvent l'amour nous manque. Et ce défaut d'amour va encore nous affecter. Comment combler en nous ce besoin immense, au lieu de jouer les mal-aimés ? Cela aussi, il nous faudra le découvrir.

• La joie

Une émotion fertile, comme l'amour ! Elle stimule la fabrication d'endorphines et autres hormones de bien-être, substances naturelles et euphorisantes créées par le cerveau. Elle nous fait sauter d'allégresse quand nous

Récapitulatif des cinq émotions de base :
causes, manifestations et rôle

Émotion	Ses causes	Ses manifestations	Son rôle
Colère	Agression, injustice, frustration, comportement intolérable…	Cris, voix forte, afflux de chaleur et d'énergie.	Indique à autrui les limites à ne pas dépasser. Permet de s'affirmer, de défendre ses valeurs, son territoire psychologique et physique. Permet de rétablir la justice.
Peur	Danger, situation inconnue.	Tremblements, cris, froid aux extrémités des membres.	Avertit du danger, permet de se protéger, de fuir ou de combattre.
Tristesse	Séparation, deuils, pertes.	Pleurs, gémissements.	Permet de dire adieu, de « faire son deuil » de quelque chose, d'évacuer le stress de la séparation.
Amour	Besoin de se rapprocher des autres, de communiquer : idées, actions, créations.	Tendresse, sentiment de proximité, de fusion, ou d'appartenance.	Permet à la vie de se perpétuer par la procréation. Rapproche les affectivités, les intelligences, favorise la création et l'action.
Joie	Atteinte d'un objectif, réalisation de soi.	Rires, effusions, danses, chants.	Manifeste un sentiment de bien-être et d'harmonie. Stimule et protège la vie pour qu'elle perdure.

avons réussi un examen, appris le retour du fils prodigue ou la guérison d'un parent.

Encore faudrait-il apprendre à ne pas la laisser surgir uniquement à l'occasion d'événements exceptionnels. Avoir la joie « facile » : un secret de santé, et de beauté, aussi ! Et savoir que par un paradoxe on ne peut plus généreux, plus vous partagerez votre joie, plus vous en aurez, et plus elle durera !

Souvenez-vous bien de ces cinq émotions de base : vous aurez tout le loisir, au fil des pages, de constater à quel point nous les utilisons parfois mal, et comment faire pour mieux les employer.

2

Des émotions aux sentiments

Sur la différence entre les émotions et les sentiments, les controverses ne manquent pas. En ce qui nous concerne, gardons en mémoire que notre moi émotionnel est formé de l'ensemble émotions/sentiments.

L'émotion est innée : tous les individus en sont dotés dès leur naissance. Chacune des cinq émotions de base est une constante de notre constitution : nous pouvons éventuellement bâillonner l'une ou l'autre, nous ne pouvons pas les éradiquer de notre être.

L'émotion est nécessairement *positive*, puisque même la colère, la peur ou la tristesse assurent notre survie et notre adaptation aux problèmes de l'existence, *à condition bien sûr d'être exprimées.*

En revanche, le sentiment est un élément appris de notre personnalité. Il est une cristallisation, une élaboration de plusieurs émotions. Dans ce passage du simple à l'élaboré, il perd son caractère nécessairement positif. Un sentiment peut être négatif (la jalousie, la haine, par exemple) et l'exprimer tel quel ne changera rien à l'affaire !

Si les émotions sont universelles, la composition et le spectre des sentiments sont variables d'un individu à l'autre (on peut ne pas connaître la jalousie, ou bien avoir une compassion très réduite...).

Voici quelques exemples d'« agglomérats » d'émotions.

• *La jalousie* est un mélange de colère (« on empiète sur mon territoire ») et de peur (« je vais perdre la personne aimée ou mes acquis »).

• *La honte* est un mélange de peur (« je ne suis pas comme les autres ») et de rage face à l'impuissance (« ma faute est découverte, exposée aux yeux de tous »).

• *La gêne* est un mélange de peur (« je vais être critiqué ») et de joie (« je fais quelque chose dont j'avais envie »).

• *La culpabilité* est une forme de colère qu'on a retournée contre soi.

• *La nostalgie* apparaît lorsque l'évocation du passé suscite en nous une tristesse qui se teinte de plaisir (« c'était le bon temps »).

Ces précisions ne sont pas inutiles : elles vous permettront de mieux cerner certains sentiments qui parfois vous étonnent ou vous gênent. « Pourquoi suis-je si jalouse de telle ou telle personne ? » ; « pourquoi est-ce que je me sens toujours coupable de tout ? » Autant de sentiments qui ne vous font aucun bien ni au cœur ni au corps, et dont il conviendra de « détecter » les émotions maîtresses : les exprimer pour vous en libérer.

Attention cependant ! Quand on parle de « sortir » une émotion, de l'évacuer, cela ne lui confère aucune connotation péjorative ! Nous l'avons dit : toute émotion de base a sa raison d'être, sa mission, son utilité. Elle ne devient nuisible que si on la muselle. N'oublions jamais que nos émotions, c'est notre vie ! Alors rendons-leur la noblesse de leurs origines.

Cessons d'avoir honte de notre moi émotionnel

Depuis des générations, nous avons pris l'habitude de vivre en tenant fermement la bride de nos émotions. Au point que si quelqu'un éclate en sanglots sous nos yeux, nous nous trouvons soudain plongés dans le plus profond embarras. Au lieu de lui dire : « Laisse-toi aller, pleure, ça va te faire du bien, il faut que ça sorte... », nous nous empressons de tendre un mouchoir pour contenir ce débordement : « Arrête de pleurer comme ça... Ne te mets pas dans un tel état... Sèche tes larmes. » Quand ce n'est pas : « Tu vas encore avoir les yeux tout gonflés ! »

À croire que, rejetant ou niant ce qui fait notre richesse d'êtres humains, nous avons pour ambition de nous transformer en « animaux à sang froid ». Nous en sommes arrivés à un tel degré dans la dissimulation émotionnelle que nous disons d'une personne affligée qui contient ses cris de douleur ou ses pleurs : « Comme elle est digne ! » Comme si la dignité interdisait l'expression du chagrin ! Un enfant manifeste-t-il de la colère ? Celle-ci est très mal perçue par l'entourage : « N'est-ce pas la preuve que ses parents l'ont mal élevé ? »

Nous vivons dans une société qui valorise à l'extrême le cerveau gauche, le cerveau intellectuel, analytique, au détriment du cerveau droit, celui des émotions. Les bonnes notes en maths de l'enfant font la fierté de toute la famille, qui se gargarise en chœur sur l'intelligence du génie en herbe. On se réjouit d'avoir un fils studieux, sérieux, « calme ». Manifeste-t-il au contraire sa joie de manière exubérante, ou sa révolte, le voici turbulent, « difficile », quand ce n'est pas « insupportable ».

Comment s'étonner, dans ces conditions, qu'arrivés à l'âge adulte nous imposions silence à nos émotions ? Quitte, pour faire taire le tumulte intérieur qui s'ensuit, à prendre un tranquillisant, une plaquette de chocolat ou un verre de whisky.

Seulement voilà : cela ne sert à rien... qu'à amplifier notre désarroi et à faire augmenter dans nos artères la sécrétion des « hormones stressantes ».

La « vengeance » émotionnelle

Renoncez à l'idée que vous pourrez éternellement anesthésier le stress issu des émotions non exprimées. Car dans notre inconscient s'agitent comme tigres en cage ces sentiments que nous nous interdisons de vivre consciemment : nos griefs à l'égard d'un conjoint, d'une mère, nos problèmes conjugaux, nos peurs des supérieurs, nos désirs interdits et nos rêves fous...

Les peuples ou les nations opprimés, privés de liberté de parole, finissent toujours par se révolter – très souvent avec la violence à laquelle ils sont acculés. Eh bien, nos émotions en font autant ! Elles revendiquent leur libre circulation et leur droit d'expression.

Pour cela elles vont jusqu'à fomenter des actions « terroristes » : les maladies psychosomatiques.

Cette révolte est légitime, car les émotions sont l'essence même de notre identité. Et tant que nous n'essaierons pas de comprendre pourquoi nous avons peur, pourquoi nous sommes jaloux, pourquoi nous souffrons anormalement de telle ou telle situation, notre stress profond s'attaquera à nos troupes défensives : nos immunités naturelles.

Ne jouez plus les « insensibles »

Chaque deuil, séparation ou conflit éveille en nous des sentiments douloureux, rien de plus normal. Seulement il faut les exprimer pour s'en débarrasser. « On ne peut pas guérir de la souffrance si on ne l'a pas d'abord admise consciemment et exprimée », affirme Anne-Marie Filliozat[1].

Ma propre expérience m'a démontré à quel point cela était vrai. Auparavant, j'évitais les pleurs et les cris par respect des convenances, mais surtout par crainte

1. Psychiatre, psychothérapeute, directrice de l'École des conseillers de santé holistique.

d'exposer ma « vulnérabilité ». Sans voir qu'en étouffant mes émotions, je m'affaiblissais davantage ! Maintenant j'ai compris : si nous désirons vraiment faire cesser le mal de vivre, nous ne pouvons pas faire l'économie de l'évacuation émotionnelle.

– Si je me mets à pleurer, je ne m'arrêterai plus, m'a dit Solange, ma voisine abandonnée par son conjoint après douze ans de vie commune. Je ne vais tout de même pas passer le reste de ma vie à gémir ?

Surtout pas ! La grande et bonne nouvelle, c'est précisément qu'une émotion réellement *vécue et exprimée* ne dure pas. Elle vous traverse, vous laisse à la fois disponible et plein de forces.

Voilà pourquoi il ne faut pas laisser « escamoter » l'émotion – par votre entourage, par les circonstances ou par vous-même... Une mauvaise nouvelle vous tombe sur la figure ? Parlez-en, discutez-en, pleurez si vous en éprouvez le besoin, posez les questions qui vous viennent à l'esprit, tempêtez. Bref, donnez-vous le temps de « cuver » votre émotion, de la ressentir jusqu'au bout. Ne laissez sous aucun prétexte les âmes « bien intentionnées » – serait-ce la vôtre – vous raconter : « Ce n'est rien, ce n'est pas grave. » Ou bien : « Untel n'a pas voulu te faire de peine, c'est parce qu'il est énervé, malade... » Ne vous laissez pas non plus endormir par le traditionnel : « De toute façon on n'y peut rien, alors pourquoi en parler ? »

Pourquoi ? Justement parce que la parole, comme toutes les formes d'expression, a le pouvoir de guérir les maux de l'âme ! Partager son fardeau, c'est déjà l'alléger. Alors oubliez les idées reçues selon lesquelles « ça ne se fait pas », ou les inquiétudes du genre « on va me prendre pour un ou une cinglé(e) ». Vivez entièrement tous les déchirements que vous impose la vie. Traversez le désespoir causé par la perte d'un être cher, assumez la colère provoquée par la trahison d'un ami, et admettez cette période de découragement qui suit un échec !

En somme, cessez de jouer les coriaces ou les statues grecques. Ne faites plus semblant d'être « au-dessus de la mêlée »... Pour être humain, soyez ému !

Naissance et vie d'une émotion

Mais après tout, me demanderez-vous, pourquoi est-il si important d'exprimer l'émotion au moment où elle surgit ? Et pourquoi est-il si néfaste de la refouler, de la garder pour « plus tard » ? Pour bien comprendre, il faut examiner le mécanisme de la vie d'une émotion.

On peut y distinguer six étapes successives.

1) *La survenue d'un événement :* la personne est stimulée par un événement extérieur ou intérieur – choc, sensations, pensées, etc.

2) *La naissance de l'émotion :* la personne répond à cette stimulation par une émotion, c'est-à-dire une sécrétion hormonale faisant monter dans le corps une charge énergétique.

3) *L'augmentation de la tension :* cette charge énergétique produit une tension physique et psychologique grandissante qui cherche à se libérer.

4) *L'expression :* la « décharge » de cette tension intervient grâce à l'expression émotionnelle ; l'énergie émotionnelle est dépensée par les rires, les cris, les larmes ou les coups... qui font baisser la tension et évacuent les hormones du stress.

5) *La baisse de la tension :* le corps peut commencer à se relaxer.

6) *La relaxation :* l'énergie coule librement. Le stress est évacué, la santé organique préservée, l'émotion

s'estompe. La personne se sent « détendue », prête à accueillir une nouvelle émotion.

Les 6 phases de la gestion d'une émotion
L'expression émotionnelle

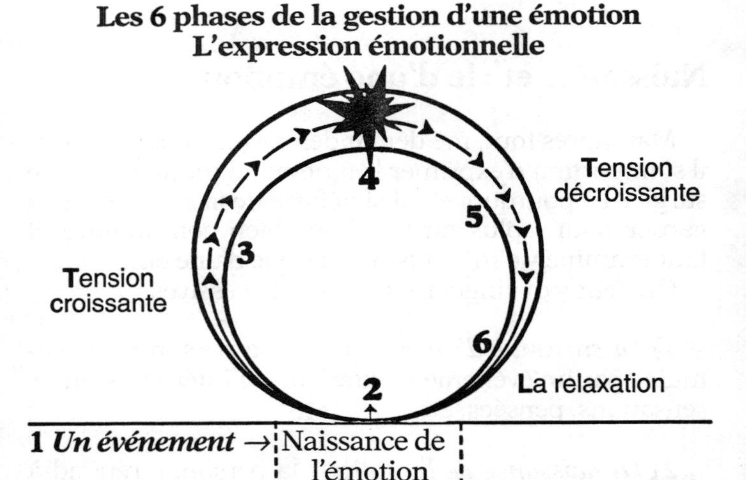

Ce diagramme fait apparaître la réalité psychologique mais aussi physique d'une émotion. Surtout, il pose clairement ce qui constitue la base de l'hygiène émotionnelle : l'absolue nécessité d'*exprimer une émotion jusqu'à la fin de son cycle, jusqu'à l'élimination totale de son énergie*. Faute de quoi la tension énergétique et hormonale reste emprisonnée dans l'organisme. Et, répétons-le, son accumulation est la raison même de nos maladies psychosomatiques.

L'hygiène émotionnelle

Vivez vos émotions à fond, et elles disparaîtront en douceur. Fuyez-les, et elles resteront tapies au fond de vos entrailles. Tapies mais pas inactives puisqu'elles vous apporteront angoisses ou colères inexpliquées, dépressions et lassitudes, maux de dos, eczéma, ou phobies diverses. De même qu'une plaie ne guérira jamais avant d'être nettoyée, nous ne pouvons pas « tartiner » le bonheur sur nos chagrins et nos tristesses. Ça ne marche jamais !

Pour nous aider, le Dr Joan Borysenko a établi les trois règles suivantes, sorte de postulat pour une nouvelle hygiène émotionnelle :

1) *Il est naturel et humain d'éprouver des émotions.* Peut-on imaginer une existence exempte de joie, d'amour, de tristesse ou de colère ? Les émotions sont l'essence même de la vie.

2) *Chacun de nous a le droit de ressentir des émotions sans avoir à se justifier.* Nul ne peut vous confisquer ce droit en vous disant : « Tu devrais avoir honte de faire la tête, après tout ce qu'on a fait pour toi... »

3) *Les émotions souvent considérées comme « négatives » représentent en réalité une véritable chance à saisir.* Vos réactions à la peur ou à la douleur vous permettent de mieux cerner votre caractère et donc de mieux approcher votre identité profonde.

Mais pour que la libération émotionnelle soit une réussite, pour que ce grand nettoyage soit complet, sans doute vous faudra-t-il remonter dans votre passé, afin d'évacuer ce qui ne l'a pas été. Si nous voulons réellement grandir, nous ne pouvons pas faire l'économie d'un retour vers l'enfance. Mais un retour porteur d'espoir car muni d'un nouveau regard...

3

Le prix du passé : Papa, maman, vous avez fait de votre mieux !

Malade des yeux depuis ma naissance, ma mère a perdu progressivement la vue, malgré les quatre opérations qu'elle a subies. Cette cécité lui apparaissait comme une punition et surtout comme une infirmité honteuse ! Par désespoir, par rage, elle avait décrété que personne en dehors de la famille ne connaîtrait son terrible secret. Aucun ami, aucun voisin ne devait découvrir qu'elle était aveugle.

– La cécité est une tare que l'on cache, répétait-elle. Je mourrais de honte si l'on devait apprendre que je suis une handicapée !

Toute sa vie, elle employa son énergie, et celle de sa famille, à faire croire qu'elle voyait. Son malaise était si profond qu'aucune logique ne pouvait le dissiper. Aucun argument ne pouvait la faire revenir sur sa décision. Alors mon père, mon frère et moi avons fini par entrer dans son jeu : nous nous sommes mis à mentir pour la protéger, pour cacher son handicap.

Devant mes oncles, tantes et grands-parents, je niais farouchement :

– Maman ? Mais elle voit très bien… Elle reprise toutes les chaussettes à la maison…

Pour la promenade du samedi matin, c'était moi qui étoffais ses sourcils trop fins d'un trait de crayon marron et qui appliquais avec soin son rouge à lèvres afin qu'il ne déborde pas. Dans la rue, mon père, mon frère ou moi devions jouer à tour de rôle une terrible comédie : une pression sous l'avant-bras pour monter un trottoir, deux pressions pour descendre. Trois pressions rapides l'avertissaient de l'approche de connaissances, identifiées dans un murmure, et que nous saluions à haute voix par leurs nom et prénom.

Ma mère leur tendait la main et leur parlait en faisant semblant de les voir. À ce moment précis, j'avais toujours peur que mes joues écarlates ne dévoilent notre secret. En silence, je répétais la même prière : « Mon Dieu, faites qu'ils ne découvrent pas qu'elle est aveugle… »

Si d'aventure des visiteurs à la maison nous félicitaient pour les meubles sans poussière, le carrelage étincelant et les plantes bien arrosées, j'avais toujours envie de crier : « N'est-ce pas la preuve qu'elle voit parfaitement ? N'est-ce pas la preuve que j'ai une maman comme toutes les autres mamans, et que je ne mens pas ? »

Mais plus je mentais, plus je redoutais de commettre une erreur. J'étais terrorisée à l'idée que la vérité puisse éclater par ma faute. Car tôt ou tard elle devait éclater. Et ma pauvre mère en mourrait de chagrin.

Je me suis sentie prise au piège : il fallait à tout prix cacher la vérité de notre vie mais ce secret était pour moi un fardeau trop lourd à porter. On m'apprenait à dissimuler mes émotions – surtout faire comme si de rien n'était ! – mais déjà je pressentais qu'il faudrait en payer le prix…

Une minute d'inattention

C'était un beau samedi ensoleillé du mois d'octobre. Je marchais avec ma mère en lui tenant le bras. Sur le trottoir, une marelle colorée retint mon attention : en passant j'ai sauté sur les deux carrés du milieu et compté le nombre de cases peintes en jaune.

Lorsque j'ai relevé les yeux, j'ai aperçu trop tard Yafa Arnon. Prise de panique, j'ai tout juste eu le temps de crier :

– Bonjour, Yafa !

Ma mère toute souriante lui demanda :

– Ton fils Dan va-t-il mieux ?

Et Yafa, étonnée :

– Mais voyons, tu ne me reconnais plus ? Mon fils ne s'appelle pas Dan...

Ma mère est devenue pâle comme un linge. Aucun son ne sortait de ma gorge pour que je lui avoue mon erreur : nous venions de croiser Yafa Arnon, alors que la mère de Dan s'appelait Yafa Catz !

– Pardon, maman ! l'ai-je suppliée dès que nous fûmes seules. Pardon, je n'ai pas fait exprès !

Elle restait immobile, comme frappée par la foudre. Mais ses larmes s'écrasaient sur mon bras.

« Pauvre folle, me suis-je insultée en silence. Tu as tout gâché. Une seconde d'inattention et tout tombe par terre ! Tout le monde va savoir qu'elle ne voit pas. Et ils vont se moquer d'elle ! »

– Maman, pardon, pardon...

Elle était incapable d'arrêter le flot de ses larmes.

Le pire était arrivé par ma faute et la culpabilité me brûlait l'estomac comme du plomb fondu.

Au bout de quelques minutes, j'ai tiré doucement sur son bras :

– Viens...

Et nous nous sommes remises à marcher.

Arrivée à la maison, ma mère s'est effondrée sur le canapé à rayures beige et bordeaux :

– Je ne veux plus vivre !

Je n'osais ni pleurer ni dire la détresse qui m'étreignait : « Que va-t-il m'arriver ? Que vais-je faire ? Maman, ne me laisse pas seule ! »

La terrible leçon

Cet épisode douloureux devait laisser des traces profondes en moi. J'avais gardé de notre « secret » une cascade de fausses certitudes que j'ai mis des années à évacuer…

– Les malheurs doivent être tenus cachés.

– Il faut taire ses maladies, ses souffrances ou ses émotions sous peine d'être méprisé et montré du doigt.

– Il ne faut jamais quémander l'aide, l'amour ou la tendresse d'autrui.

– Pour être accepté et respecté, il faut rester impassible et faire croire que l'on est parfait !

On imagine les ravages qu'ont pu causer de tels préceptes dans l'esprit d'une petite fille : grandir en croyant qu'on ne peut jamais compter sur personne et que la vie exige de garder ses émotions pour soi !

Grandir, surtout, en étant persuadée que, pour ne pas être abandonnée de tous, il faut être absolument irréprochable, forte, « la meilleure » ! Ma mère me rabâchait sans cesse :

– Pour être respectée, pour réussir dans la vie, il faut être beaucoup plus brillante que tu ne l'es ! Il faut travailler plus dur, encore et encore, et être toujours la première !

Culpabilisée, j'apprenais par cœur mes conjugaisons, je recommençais cent fois mes gammes sur le piano, jamais je ne parlais de mes problèmes, jamais je ne demandais la permission d'aller jouer avec mes copines… Et cependant, une terrible conviction s'insinuait dans mon cœur : malgré tous mes efforts, je n'étais pas, je ne serais jamais « à la hauteur » !

Nous sommes victimes de victimes

Nous sommes ainsi des millions d'individus à véhiculer jusque dans l'âge adulte les jugements négatifs que nos parents portaient sur nous. Comment faire autrement ? Enfants, nous les croyions infaillibles et nous les sentions sincères ; alors nous avons pris leur opinion pour argent comptant. En fait, nous avons omis un détail capital : c'est qu'ils pouvaient se tromper, ou bien se laisser aveugler par leur amertume et par les désillusions de leur propre existence ! Bien sûr, ils croyaient agir « pour le mieux », et puis à vrai dire ils ne savaient pas comment s'y prendre... Très souvent, et malgré eux, nos parents nous faisaient subir ce qu'ils avaient subi eux-mêmes : ils reproduisaient les mêmes comportements préjudiciables dont ils avaient été victimes pendant leur propre enfance.

Nous étions victimes de victimes ! Et comment exiger de nos parents qu'ils nous donnent ce qu'eux-mêmes n'ont pas reçu dans leur enfance ?

Parvenue à l'âge adulte, j'ai voulu comprendre le désespoir de ma mère et le silence de mon père. En plongeant dans leur passé, j'ai découvert que la vie les avait malmenés, et qu'eux aussi avaient cruellement manqué d'amour et d'attention ! J'ai pu les imaginer petits, apeurés et en larmes, privés de mots doux et de compréhension. Peu à peu, la compassion a gagné mon cœur. Devenue solidaire de leur peine, devinant leur désespoir, j'ai senti une vague d'amour soulager mes propres blessures, pour laisser place à un sentiment d'appartenance et de profonde tendresse.

Liquidons le passif : cessons d'en vouloir à nos parents !

Impossible de comprendre nos coups de cafard, nos complexes, notre agressivité ou notre résignation sans guérir les blessures héritées de notre enfance. Pour cela, il est essentiel que nous disions notre vérité à nos parents.

Oh, je sais bien que c'est difficile ! Surtout quand ces parents sont vieillissants, parfois malades. Et d'abord comment oserions-nous blâmer ceux qui ont fait « tant de sacrifices pour nous » ?

Rappelez-vous pourtant ce que nous disions à l'instant : leur amour sincère ne les a pas forcément mis à l'abri des erreurs. Leur parler de nos sentiments blessés, des injustices que nous avons ressenties, ce n'est pas les accabler de reproches, mais débarrasser nos cœurs de souffrances anciennes. En vous ouvrant à vos parents, sachez que vous témoignez plus votre confiance à leur égard que votre animosité.

Et s'ils ne sont plus de ce monde, ou que décidément vous n'osez pas leur parler du passé, faites-le symboliquement : imaginez-les assis face à vous et ouvrez-leur votre cœur !

Parlez-leur longuement, sans détour et sans rien omettre. Pleurez, mettez-vous en colère s'il le faut ! Puis, à votre tour, prenez le temps de mieux les comprendre...

• Encouragez-les à vous parler de leur propre jeunesse, s'ils sont encore là, et écoutez-les avec une réelle attention.

• Découvrez ce qui s'est passé dans les premières années de leur vie.

• Quelles relations entretenaient-ils avec leurs propres parents ? Y avait-il quelqu'un pour les prendre dans ses bras et leur dire « je t'aime » ?

• S'ils n'ont pas reçu suffisamment de tendresse, imaginez-les petits, le cœur lourd de chagrin et de larmes...

Cette démarche changera votre attitude envers eux. Et vous aurez peut-être la surprise de voir changer dès lors leur comportement à votre égard. Mais même s'ils restent enfermés dans leur ancienne armure, cela vous blessera moins. À présent, vous connaissez mieux leur être véritable, les conditions de leur propre existence, leurs déchirures... Maintenant, vous êtes capable de leur offrir un amour véritable, malgré (ou peut-être à cause de) leurs faiblesses et leurs erreurs.

Gardez en tête toutefois que c'est pendant la période de la tendre enfance que se sont enclenchés un certain nombre de mécanismes qui peuvent contribuer à notre mal-être d'adulte. Enfants, nous possédions une capacité énorme de bonheur, de jeu, de rire ; nous n'avions aucun mal à engager une conversation, à nouer une nouvelle amitié. Bref, nous nagions « naturellement » dans une attitude de confiance à l'égard du monde. Mais quelque part en chemin, les adultes que nous sommes devenus ont perdu – ou simplement égaré momentanément – cette belle confiance. Comment cela s'est-il produit ?

4

Comment on perd la confiance en soi

À la naissance, l'enfant n'a encore aucun sens de son identité, il ignore quelle place il occupera dans la vie. Il va en prendre conscience peu à peu, principalement à travers l'attitude de ses parents :

• Est-il aimé inconditionnellement, choyé, écouté ? Sa confiance en lui se construit et grandit chaque jour davantage. Elle le soutiendra toute sa vie.

• Lui fait-on sentir qu'il ne fait jamais « rien de bien », qu'il est « de trop » ou qu'il ne répond pas aux rêves de ses parents ? Le bébé retient qu'il n'est pas important, qu'il ne compte pas, qu'il lui « manque quelque chose » d'essentiel pour mériter vraiment l'amour parental. Dans ces conditions, il lui est difficile de croire en sa valeur. Et il grandit avec peu (ou pas) de confiance en lui-même ou en ses capacités.

Tout notre drame est là : dans le fait que l'enfant attribue le mécontentement de ses parents à ses seuls « défauts ». Il est absolument incapable d'imaginer en effet que la froideur ou les colères de ses parents puissent découler de leurs propres problèmes existentiels, de leurs conflits émotionnels ou même de leurs soucis d'argent.

Peut-être rêvaient-ils d'un fils au lieu d'une fille, ou le contraire ; à moins qu'ils n'aient pas été préparés à la venue d'un bébé... Quelle que soit la raison de leur comportement, l'enfant ne peut pas la deviner. Et quand pleuvent les critiques et les brimades, il en conclut qu'il n'est pas assez bien, pas à la hauteur, ou carrément « bon à rien ».

Puis il grandit et devient un adulte, c'est-à-dire un être doté de force physique et de réflexion, enrichi par l'expérience et le savoir. Pourtant, dans sa tête, le petit garçon ou la petite fille qu'il était jadis continue d'entendre les remarques dévalorisantes qu'on lui assenait. Sans même qu'il s'en rende compte, ces remarques éveillent en lui des sentiments de peur, de colère ou de tristesse, nuisibles pour la santé et désastreux pour la confiance en soi.

L'attitude parentale, la formation du caractère et la confiance en soi

Imaginons une mère qui s'occuperait de son enfant sans amour ni plaisir. L'enfant en conclut qu'il dérange et se sent coupable d'exister. Il cherchera donc à gêner le moins possible, désormais convaincu qu'il « n'intéresse personne ». Sa personnalité sera « effacée ».

Autre cas de figure : un enfant est séparé de sa mère. Pour se protéger de cette terrible souffrance, il peut se dire : « L'amour me fait trop mal. Maman, je ne t'aimerai plus jamais ! » À l'âge adulte, il risque d'élargir cette « règle » à toute rencontre amoureuse. Tout compliment ou geste de tendresse suscitera chez lui une réaction de peur et de rejet.

Un enfant blessé par l'indisponibilité ou l'incompréhension de ses parents pourra également en tirer la conclusion suivante : « Il ne faut jamais parler de moi ni de mes états d'âme, car personne n'a envie d'écouter mes histoires intimes… » Cette fausse interprétation sera érigée en principe de vie. L'adulte prendra l'habitude d'être distant et de cacher ses sentiments – courant d'ailleurs le risque de communiquer ce schéma « anti-expression » à ses propres enfants...

Autre cas, celui de Francine, ma parolière. Dans sa maison de campagne en Normandie, elle n'hésite jamais à grimper sur le toit pour remplacer une tuile emportée par le vent. Et son père la félicite d'une tape sur l'épaule :

– Francine est mieux qu'un fils !

Combien de femmes sont obnubilées par l'idée de prouver qu'elles « valent bien les garçons » ? Mais cette fanfaronnade ne cache-t-elle pas la souffrance profonde des filles dont les parents rêvaient d'avoir des fils et qui n'ont pu s'empêcher de laisser filtrer leur déception ? On voit ainsi des personnes qui toute leur vie tentent de plaire aux parents en niant leur identité sexuelle. Mais comment peut-on espérer trouver le vrai bonheur en devenant « autre » que soi-même ?

Beaucoup cherchent à fortifier une confiance chancelante en accumulant les « signes extérieurs de richesse ». On mesure alors sa valeur personnelle en fonction de son compte en banque, de la surface de son appartement, ou du nombre de ses diplômes. Autant de cris qui signifient : « Regarde, maman, regarde, papa, je suis quelqu'un de bien, j'ai réussi... » Fausses pistes bien sûr, car l'argent, les biens matériels ou les relations ne suffisent pas à garantir la valeur de l'individu (et surtout pas à ses propres yeux) ni son bonheur. Réussir son existence, c'est trouver la confiance *en soi*, et non à l'extérieur.

Manquer de confiance en soi, c'est croire que ses ressentis, ses élans, ses désirs ou ses décisions n'ont pas de valeur ; que sa réalité profonde est négligeable, voire méprisable. Dans ces conditions, comment un individu oserait-il exprimer les émotions qui constituent pourtant sa « vérité » ? Au contraire, il n'a de cesse qu'il ne les cache ! Il se construit une carapace à l'intérieur de laquelle va continuer de « bouillonner » le moi émotionnel, avec les conséquences néfastes que semblable tumulte peut avoir sur ses immunités et sur ses aptitudes au bonheur.

La grosse nulle

La cloche avait à peine sonné que Daisy et moi, notre collection de papiers dorés dans les bras, avons couru sous le préau pour procéder aux échanges. Une bonne partie de la classe nous a suivies pour assister au marchandage.

À douze ans, j'étais petite et boulotte. Daisy, du haut de ses treize ans, me dominait d'une bonne tête.

Bientôt, la discussion s'est envenimée à propos d'un papier couleur marron glacé couvert de petites pépites dorées auquel je tenais beaucoup. Soudain, Daisy s'est levée et, sans dire un mot, m'a envoyé son poing en pleine figure. Ma copine Hana m'a crié :

– Donne-lui un coup de pied ! Qu'est-ce que tu attends ?

Et toutes les autres filles se sont mises à hurler pour m'inciter à lui voler dans les plumes.

Mais, paralysée de honte, je ne bougeais pas. Je ne sentais même pas le filet de sang qui coulait de mon nez sur mes lèvres et sur mon menton.

Lorsque finalement les filles sont parties pour la leçon de gymnastique, je me suis mise à pleurer, en me traitant de « grosse nulle », de minable que tout le monde pouvait boxer à loisir...

Bien sûr, l'incident n'avait de l'importance que dans la mesure où il mettait en lumière mon manque profond de confiance en moi. Il venait étoffer un faisceau déjà existant de dévalorisations intérieures : tous les jugements négatifs que j'entretenais à mon égard aboutissaient à cet événement devenu emblématique. La « grosse nulle » : voilà le sobriquet avec lequel je devais me persécuter pendant de longues années !

La « voix flic »

Ce que j'appelle la « voix flic », c'est cette voix intérieure, constamment critique, qui nous rend la vie impossible. Nombreux sont ceux qui se plaignent de ce « tyran intime » dont le seul plaisir semble être de nous dénigrer et de nous saper le moral.

– On dirait qu'il y a en moi un double qui me rabaisse en permanence, me confie une amie. Un double qui me rappelle uniquement mes échecs et mes erreurs. Comme si j'avais dans mon dos un ennemi décidé à m'empêcher de vivre : « Tu n'aurais pas dû faire ceci... ou dire cela... Tu n'es pas assez gentille... » Quand je travaille beaucoup, cette voix me dit : « Vas-tu arrêter de t'agiter comme ça ? » Et quand je m'arrête, j'entends : « Ne reste pas à te tourner les pouces sans rien faire... » C'est invivable !

J'avais une tante qui se rendait malade à chaque rendez-vous administratif. Elle avait beau se préparer à l'avance et répéter toute une batterie de réponses aux questions qu'on pourrait lui poser, rien n'y faisait ; pendant l'entretien elle perdait tous ses moyens, paralysée par une voix qui lui disait : « Tais-toi, tu ne connais rien à rien ! » Après coup, furieuse, elle pensait à toutes les répliques qu'elle n'avait pas su donner.

Ne faut-il pas voir dans cette « voix flic » l'écho des reproches entendus pendant l'enfance ? Pour vivre mieux, nous devons commencer par faire taire les voix trop bavardes de notre passé. Cessons définitivement de croire que...

• « Personne ne m'aime » : c'est le genre de conviction qui nous condamne d'office à la solitude.

• « Je ne suis pas doué pour apprendre » : idée absurde implantée dans notre cerveau par un maître d'école qui avait laissé sa pédagogie au vestiaire.

• « C'est ma faute » : croyance qui nous insuffle un sentiment de culpabilité et nous fait dire à tout bout de champ « excusez-moi ».

• « Je ne compte pas » : automatiquement, nous inscrivons notre nom en fin de liste pour toutes les bonnes choses de la vie.

Un jour où j'arrivais dans un studio de télévision pour l'enregistrement d'une importante émission, j'eus la surprise de trouver toute l'équipe dépitée : une grève surprise des techniciens bloquait toute opération, il nous fallait patienter…

Il m'est alors venu une drôle d'idée : en pensant à ma « voix flic », j'ai demandé à la vingtaine de personnes présentes de noter les réflexions venimeuses qui se bousculaient dans leur tête lorsqu'elles étaient sous l'emprise du stress, de la peur ou de la colère… Voici pêle-mêle les réponses obtenues :

• Je suis bête.
• Je rate tout.
• Je n'ai jamais de chance.
• Je ne fais que des bêtises.
• Les autres se débrouillent mieux que moi.
• Je suis une perdante.
• Si je me fâche, je ne suis pas gentil.
• C'est ma faute.
• Je ne suis pas assez belle, pas assez jeune, pas assez intelligent, diplômé, important…
• Je suis trop grosse, trop fainéante, trop têtue, paresseux, petit, maigre…
• Je suis un vrai paillasson : on me marche dessus !

Toute l'équipe avait trouvé refuge dans un coin du studio ; peu à peu les langues se sont déliées. Un cameraman s'est soudain exclamé :

– C'est incroyable ! Je me rends compte que je n'ose jamais dire non, de peur de déplaire. Dans un dîner, je ne pars jamais avant les autres. Au téléphone, je ne suis jamais le premier à arrêter la conversation.

La maquilleuse intervint :

– Je n'ai pas assez de confiance. Il suffit que la guichetière à la poste se montre désagréable pour que j'aie l'impression d'être rejetée, de ne compter pour personne.

Le producteur de l'émission hocha la tête :

– En ce qui me concerne, quand un contrat m'échappe, je me dis immédiatement que je ne suis pas à la hauteur...

Une jolie chanteuse débutante était en colère :

– Quand je me compare aux photos des mannequins dans les magazines, ça me donne de terribles complexes.

Et la secrétaire de production ajouta à voix basse :

– Je me dévalorise tellement que je n'ose pas demander une augmentation de salaire... et je suis d'autant plus furieuse quand les techniciens la réclament brutalement en faisant grève.

Ouvrez une page nouvelle !

Comment mettre fin aux leitmotive dévalorisants de la « voix flic » ? Comment prendre de la distance avec les reproches hérités du passé ? En somme, comment allons-nous retrouver la confiance, et avec elle la santé physique et la joie de vivre ?

Pour guérir de son sentiment d'infériorité, il va falloir apprendre – enfin – à s'apprécier. Pour cela, un premier pas décisif et essentiel : *faire la différence entre hier et aujourd'hui.* Nous devons nous persuader que nos insuffisances – si insuffisances il y a eu – appartiennent au passé et que le passé est derrière nous : aujourd'hui, nous sommes capables d'ouvrir une nouvelle page !

Mais avant, arrêtons-nous une minute pour pleurer ce passé et exprimer nos émotions. Attention ! Il ne s'agit pas de verser de nouvelles larmes sur nos déboires anciens. Ce qu'il faut pleurer, c'est le temps perdu : « Quel dommage que je me sois cru si longtemps incapable ! Comme je regrette maintenant d'avoir été si injuste envers moi-même ! Pendant que j'énumérais mes lacunes, je laissais en friche mes capacités, qui sont nombreuses. »

À présent, fermez les yeux et revoyez avec tendresse le petit enfant que vous étiez, dans les moments de détresse :

• Votre sentiment d'impuissance et de rage face aux critiques a pu jadis briser votre cœur. Mais dites-vous bien que maintenant tout est différent ! Vous êtes adulte, c'est-à-dire capable de discernement et d'action. Certes, la trahison ou l'abandon peuvent encore aujourd'hui vous faire mal, mais vous n'êtes plus jamais impuissant : c'est vous qui décidez de votre vie, en faisant usage de votre expérience et de votre faculté de réflexion !

• Laissez derrière vous les émotions et pensées « limitatives » (du type « je ne suis pas assez ceci ou cela ») comme autant de vieux habits trop petits ou déchirés. Encouragez-vous dès maintenant à nourrir vos talents !

• Quoi que vous ayez pu penser de votre manque de capacités, il n'est jamais trop tard pour croire en vous !

Faites la liste de vos capacités

Mon frère Oded dit toujours : « Pour gagner, il ne faut pas avoir peur de perdre. »

Vous vous croyez incapable d'une action de grande envergure ? Vous avez des projets mais vous reculez devant les premières démarches ? Vous êtes sans doute paralysé par la peur de l'échec... Dans votre famille, tout au long de votre enfance, les « ratages » prenaient-ils des dimensions démesurées ? Vous reprochait-on vos erreurs comme de lourdes tares, alors qu'il ne s'agissait que d'expériences infructueuses ? Inconsciemment, vous décidez alors : « Mieux vaut ne rien entreprendre que subir l'humiliation de l'échec ! »

Ne voyez-vous pas que cette résignation à l'inaction est le plus grand des échecs ? Comment voulez-vous apprendre à réussir si vous ne faites pas de tentatives ? Chaque erreur est une formidable leçon d'avenir et une victoire sur sa peur : j'ose agir et je m'améliore patiemment. Pour apprendre à jouer d'un instrument, il faut lancer beaucoup de fausses notes ; pour apprendre à communiquer dans une langue étrangère, il ne faut pas hésiter à commettre des fautes de grammaire. Alors agissez de même : lancez-vous, tâtonnez, exercez-vous, et les résultats viendront.

De la même façon, il vous a fallu beaucoup de pratique pour développer les talents que vous possédez aujourd'hui. Comment ? Vous doutez de ces talents ? Eh bien, commencez donc par en dresser un inventaire exhaustif. Vous verrez que cette liste est beaucoup plus longue que vous ne l'imaginez. À condition de ne mépriser aucune de vos qualités, même et surtout celles que votre entourage ou vous-même considérez comme mineures !

Pour vous aider à ne rien oublier, voici la liste de diverses aptitudes établie par quelques personnes autour de moi.

Jouer de l'accordéon – décorer son appartement – être organisé – réussir une excellente tarte aux pommes – bien conduire une voiture – savoir organiser des fêtes – bien bricoler – bien coudre et broder – jouer aux échecs – raconter des histoires drôles – bien s'occuper d'un petit enfant – faire pousser des fleurs dans des jardinières – écrire des poèmes – diriger une entreprise – savoir écouter...

Vous avez tous accompli de nombreuses et belles choses dans votre vie : notez-les, et dans votre dialogue avec vous-même comme avec votre entourage, revendiquez avec fierté vos capacités. Alors vous direz adieu à votre habitude de vous considérer comme un ou une incapable !

La bulle de protection

En attendant d'acquérir cette confiance en soi inébranlable, vous pouvez également apprendre à vous protéger. Voici une visualisation rapide que l'on peut effectuer chaque fois que l'on a besoin de retrouver un peu d'assurance.

- Asseyez-vous dans un endroit tranquille.

- Respirez deux à trois minutes calmement en répétant : « Je m'accepte. »

- À chaque expiration, voyez votre corps et votre cœur expulser toutes vos pensées négatives, doutes et peurs.

- À l'inspiration, imaginez un halo de lumière dorée, comme une force calme et positive que vous inspirez lentement.

- Sentez cette lumière dorée emplir vos poumons, puis se répandre à travers tout votre corps.

- Son abondance est telle qu'elle crée autour de vous une sorte de bulle d'énergie rayonnante, un cocon dans lequel vous vous sentez en sécurité.

- Continuez jusqu'à ce que vous vous sentiez calme et sûr de vous.

Recourez à cette méthode chaque fois que vous sentez l'anxiété ou le coup de cafard s'insinuer en vous. Chez vous, mais pourquoi pas au bureau, dans un restaurant, disparaissez quelques minutes et livrez-vous à cette « visualisation éclair ». Vous allez ainsi « exprimer », par une sorte de soupape, le stress de vos émotions (peur, tristesse, colère). Vous reviendrez serein(e) et en pleine possession de vos capacités.

Je ne peux que vous encourager à partir ainsi à la découverte et à la conquête de vos talents réels mais restés en friche. Mettez tout en œuvre pour laisser peu à peu grandir votre vraie personnalité, celle qui a été étouffée ou amputée pendant de trop longues années. Pour découvrir le sens de sa vie et mieux communiquer avec les autres, il est impératif de commencer par croire en soi. Sinon, un grand danger vous guette : moins vous vous apprécierez, plus vous chercherez des moyens de dissimuler vos prétendus défauts. Et sachez que les camouflages peuvent prendre des coloris très différents : ou bien vous vous effacerez complètement, préférant vivre dans l'ombre d'autrui, ou bien au contraire vous donnerez le change en devenant un monsieur ou madame « Je-sais-tout » qui écrase les autres de sa supériorité de façade. Tant il est vrai que le manque de confiance nous pousse inéluctablement sur la pente de comportements aussi désagréables que nuisibles...

5

Comportements nuisibles et dépendance affective

Lorsque nos parents ne nous manifestaient pas toute la tendresse espérée, nous éprouvions de la colère à leur égard. Mais nous n'osions pas l'exprimer, de peur de perdre définitivement leur amour. Alors nous trouvions un biais pour « expulser » ce ressentiment : nous le dirigions contre nous-mêmes ! Si papa ou maman ne m'aime pas, c'est que je démérite quelque part. C'est ma faute, et son indifférence ou ses critiques sont les punitions que je mérite.

Heureusement, à l'âge adulte, nous disposons d'un excellent moyen de nous en sortir : décider de ne plus avoir honte de notre vécu intérieur – peines et blessures incluses – et dès lors nous donner la permission de les exprimer. Faute d'opérer ce changement radical, nous risquons de nous enfermer dans une culpabilisation chronique – une terrible façon de se punir soi-même en se répétant à tout bout de champ : « Tout est ma faute ! » La culpabilisation et le manque d'estime pour soi sont sans doute les sentiments les plus dangereux qui soient : tous deux nous incitent en effet à répéter des comportements nuisibles pour nous-mêmes comme pour les autres.

J'agis mal et je m'en veux

Nous avons tous des comportements gênants dont nous souhaiterions nous débarrasser. Et comme nous n'y parvenons pas, nous développons à leur sujet un sentiment de culpabilité grandissant. Quelques exemples :

– Dans une discussion, je suis souvent de mauvaise foi, je refuse d'admettre que j'ai tort, quitte à nier l'évidence.

– J'ai tendance à mentir pour me faire valoir.

– C'est plus fort que moi, je suis brutal, je me mets en colère facilement, j'insulte les gens, puis je m'en veux...

– L'envie, la jalousie me font dire des horreurs dont je me mords les doigts...

Plutôt que de vous flageller, observez ces comportements avec tendresse et compréhension. Posez-vous les questions qui vous feront peu à peu remonter à la source du problème. Par exemple : « Pour quelle raison suis-je de mauvaise foi ? Pourquoi est-ce que je m'entête à imposer mon opinion ? Ai-je peur de paraître ridicule si je me trompe ? » Lorsque vous étiez enfant, on s'est peut-être lourdement moqué de vos erreurs. Pour vous protéger des sarcasmes, pour cacher vos révoltes ou simplement pour vous faire « mousser », vous avez alors appris à mentir.

Ces comportements gênants vous ont autrefois été utiles, puisqu'ils vous ont aidé à traverser des zones conflictuelles ! Mais aujourd'hui que vous êtes adulte, vous pouvez y renoncer. Pour cela, prenez conscience que...

– Être de mauvaise foi, ne pas supporter de devoir admettre une erreur signifie : « Je crois que je suis nul et je crains, en avouant mes torts, d'exposer ma "nullité" à la terre entière. »

– Mentir gratuitement veut dire : « Je ne me crois pas assez intéressant. Par mes inventions, j'espère me valoriser aux yeux des autres. » Le mensonge peut signifier également : « Je me crois faible et je n'ose pas assumer la responsabilité de mes actes. »

– Être brutal, humilier les autres veut dire : « Je me considère moins bien que l'autre mais, en le rabaissant, je ferai croire que je suis mieux que lui. Et ainsi je réduirai mes complexes au silence. »

Dites-vous bien que tous ces comportements résultent de votre manque de confiance en vous-même.

À présent, vous êtes adulte et vous n'avez plus besoin de vous cramponner aux habitudes pénibles de l'enfant que vous étiez jadis. Vous pouvez même remercier ces comportements de l'aide qu'ils vous ont apportée dans le passé, puis les laisser partir doucement. Dorénavant, vous avez la maturité nécessaire pour adopter de nouvelles attitudes valorisantes, pour vous comme pour les autres, et agir enfin en adulte épanoui et responsable !

Toujours vouloir avoir raison : épuisant !

Nous l'avons vu, avoir peur de reconnaître ses erreurs dénote un manque caractérisé de confiance en soi. Celui qui s'apprécie vraiment ne craint pas d'entamer sa valeur ou son prestige en avouant s'être trompé. *S'aimer, c'est accepter ses qualités comme ses faiblesses.* Il m'a fallu des années pour comprendre cette simple vérité. Longtemps j'ai cru que prononcer les mots « j'ai tort » était la déclaration la plus humiliante qui soit. Mais un beau jour j'ai pris mon courage à deux mains pour dire à quelqu'un, en le regardant droit dans les yeux : « Tu as raison, je me suis trompée. » Et ma vie a changé du tout au tout ! Maintenant, les situations de conflit se résolvent comme par enchantement. La plupart de mes interlocuteurs ont d'ailleurs le triomphe modeste. Surpris et soulagés, ils me disent : « Tout le monde peut se tromper… Ce n'est pas grave… » Tout à l'heure nous étions tendus, dressés sur nos ergots, prêts à camper sur nos positions, et soudain l'atmosphère se détend, la communication est rétablie : nous pouvons repartir sur des bases saines. Adieu rancœurs, malaises et agressivité !

Bien sûr, il se trouvera toujours quelques irascibles pour me lancer : « Ah, je t'avais bien dit que j'avais raison ! » Mais ils ont perdu beaucoup de leur belliqueuse conviction. Le dialogue peut reprendre.

Retrouver la confiance en soi, c'est nous accepter tels que nous sommes, c'est donc ne plus avoir à prouver que nous sommes parfaits : c'est d'une certaine façon revendiquer le « droit à l'erreur ». Et alors la vie prend une couleur différente : quelle légèreté, quelle libération de ne plus avoir à se maintenir sur un piédestal d'infaillibilité ! Piédestal dont nous pouvions d'ailleurs tomber à tout instant… Essayez, vous verrez comme il est bon de redevenir un être de chair et d'os, capable de faire des erreurs, puisque l'erreur est humaine !

Pour vivre dans l'authenticité de soi, il faut abandonner ses rêves de « superman » ou de « superwoman » ! Et ce renoncement ne devrait pas être si difficile, puisque nous avons tout à y gagner : c'est tellement reposant d'être soi-même, dans la richesse de ses qualités et l'acceptation de ses limites.

Et surtout ne craignez pas de paraître faible parce que vous avez osé dire « je me suis trompé ». C'est le contraire qui se passe : en reconnaissant aisément vos torts (quand vous en avez !), vous donnerez par contraste plus de poids et de légitimité à vos prises de position.

L'écueil de la dépendance affective

Le doute de soi entraîne un autre comportement néfaste : la peur d'aller à notre propre rencontre et le fait de croire qu'intérieurement nous ne sommes pas intéressants. Avec de tels a priori, pas étonnant que nous nous connaissions mal ou pas du tout ! N'osant pas nous diriger au gré de nos propres aspirations, jugements et goûts, nous nous laissons mener par les idées et les principes d'autrui : nous devenons des moutons de Panurge. Et c'est la dépendance affective !

Celle-ci nous fait vivre dans une prison affreuse qui nous plonge dans l'inquiétude perpétuelle : « Que pense Untel de moi ? » ; « quelle impression a-t-il de moi ? » ; « va-t-il m'apprécier ou pas ? »

Une seule critique, une seule pique, un regard de travers, et nous voilà blessés, redoutant que l'autre n'ait découvert notre « faiblesse ». Un repas raté, un dossier refusé, et nous nous jugeons minables. Quelqu'un nous laisse tomber, et nous sommes au bord de la dépression ou de la maladie.

Cela se comprend aisément : seules la valorisation et l'acceptation de soi donnent à la personne les forces nécessaires à une existence indépendante. Faute de se trouver soutenue par ses propres énergies, la personne a besoin pour tenir debout de béquilles extérieures : l'attention et l'approbation d'autrui.

Nous n'imaginons pas à quel point le manque d'amour *inconditionnel* de nos parents nous a fait douter de nous-mêmes, nous empêchant d'acquérir une solide confiance en nous. Un autre élément peut aggraver cette perturbation : en nous élevant, nos parents et grands-parents ont eu la louable intention de restreindre notre égoïsme pour nous ouvrir aux autres. Malheureusement, ils n'ont pas su marquer la différence entre l'égocentrisme nuisible, frère de l'orgueil, et un amour de soi aussi sain que nécessaire…

Ils nous répétaient avec raison : « Ne pense pas qu'à ta petite personne, n'oublie pas les autres ! » ou : « Il ne faut pas se croire le centre du monde ! » Mais ils ignoraient qu'il fallait ajouter à ces mises en garde : « Aime sainement, humblement, tes qualités comme tes défauts pour construire ta confiance en toi et trouver les forces qui te permettront de surmonter les difficultés de l'existence. »

Ni les richesses ni les honneurs ne peuvent apporter à la personne humaine le sentiment de sa valeur intrinsèque. Pas plus qu'ils ne donneront un véritable sens à sa vie. Seule l'acceptation de soi – sans orgueil ni dénigrement – lui offre l'assurance qu'elle a le droit et le devoir de faire entendre sa voix dans le concert du monde.

« Sans toi, ma vie n'a aucun sens... »

Hélas, ayant appris très jeune que penser à soi était une preuve d'égoïsme, l'enfant (puis l'adulte) renonce à établir le contact avec son être profond. Il se prive ainsi de la partie la plus importante de sa personne : celle capable de lui donner la confiance et le sain amour de soi.

En résumé : moins on s'aime, plus on a besoin de soutien extérieur. Moins on s'estime, plus on quémande l'approbation des autres. Devenus dépendants de leurs jugements, nous redoutons le « qu'en-dira-t-on », nous nous mettons en quatre pour plaire à l'entourage, sans voir que nous nous condamnons à rester conformes à ce qu'il attend de nous !

« Sans toi, ma vie n'a aucun sens... » ; « j'en mourrai s'il m'abandonne... » ; « papa n'acceptera jamais... » ; « que vont penser la famille, les voisins ? » Telles sont quelques phrases révélatrices de la dépendance affective. Et c'est une véritable « dépendance » ! Tant que nous accorderons aux autres le pouvoir de nous approuver ou de nous rejeter, nous resterons des esclaves à leur merci !

Dépendre d'autrui, c'est vivre dans la peur constante de son départ : « Et s'il ne m'aimait plus ?... » ; « et s'il me quittait ?... » ; « et si mes supérieurs ne m'appréciaient pas ? » ; « et s'il meurt ? » La sécurité que le partenaire ou l'entourage nous procure est des plus fragile : nous savons bien qu'elle peut se dérober à tout instant, et l'idée de rester démunis et orphelins d'affection nous angoisse profondément.

Inscrivez cette règle en lettres d'or sur vos tablettes : pour retrouver un véritable sentiment de sécurité, nous devons découvrir cette source d'amour et de confiance que chacun de nous possède en lui ! Nulle crainte qu'elle ne vienne à tarir, celle-là ! Contre vents et marées, que nous soyons au zénith de la gloire ou pauvres et malades, c'est elle qui nous encourage, car elle nous apprend à nous apprécier et à croire en nous !

Il ne s'agit pas de tomber dans l'autosatisfaction à outrance ni de mépriser l'amour et le respect d'autrui, dont nous avons tous besoin. Il faut simplement commencer par puiser l'assurance et le bonheur « en dedans », à l'intérieur de nous-mêmes.

Comme des millions de gens, j'ai longtemps ignoré que je portais cette source en moi. Je cherchais la reconnaissance ailleurs, j'espérais en particulier étancher ma soif d'amour grâce aux « vivats » du public. Nombreux sont les artistes qui poursuivent le même mirage. Seuls, debout sous les feux des projecteurs, mais soulevés par la vague des acclamations, ils réussissent à calmer momentanément leur angoisse et leur besoin d'affection. Ce sont là des baumes enchanteurs, mais éphémères et insuffisants.

Je sais aujourd'hui que le seul véritable remède permettant la cicatrisation de mes blessures affectives était de prendre contact avec ma propre force intérieure, de puiser à cette source intarissable – l'acceptation de moi, telle que je suis.

6

Le moi émotionnel ou l'Enfant Intérieur

Comment prendre soin de soi, retrouver sa sécurité intérieure et ses forces authentiques ? Autrement dit, comment faire jaillir la source de nos énergies ?

Nous sommes nombreux à négliger nos émotions, notre cerveau « sensible », au bénéfice de notre cerveau « pensant ». Nous passons notre temps à faire preuve de la plus grande logique possible alors que « dialoguer » avec nos émotions nous paraît fou et dérisoire. Pourtant, ce qui définit notre véritable identité, ce sont nos émotions et nos sentiments. Si nous ne réconcilions pas émotivité et logique, nous continuerons à être écartelés entre « j'ai envie » et « je dois ». Et ces luttes émotionnelles perpétuelles épuisent toute notre réserve énergétique, nous laissant fatigués, malades ou déprimés.

Mais comment s'y prend-on pour renouer le dialogue avec ses émotions ?

Avant toute chose, il faut nous habituer à ne plus les dénigrer ! Être conscients de nos peurs, chagrins, tristesses et joies, et les exprimer (par la parole, les larmes ou le rire).

À trop masquer ses sentiments, on finit par ne plus se reconnaître soi-même. Alors ne dites plus : « J'étais juste un peu énervée, ce n'est rien... » ou : « Je ne suis pas du tout triste... quelle idée ! »

Il convient d'accorder à ses émotions le même respect qu'à ses pensées. Ceci afin d'apaiser tout conflit déstabilisant entre cerveau droit et cerveau gauche. Chaque fois que nous nions ou minimisons le rôle de nos « ressentis », c'est tout notre moi émotionnel que nous dévalorisons. Nous lui envoyons le message suivant : « Ce que tu ressens n'est pas important à mes yeux ! » Or notre niveau de confiance intérieure dépend directement du respect porté à ce moi émotionnel. Le rabaisser, c'est répudier notre identité profonde, avec toutes ses richesses. C'est se couper de ses « tripes », de sa partie intuitive et créatrice !

De nombreux psychologues, psychothérapeutes, et jusqu'au psychiatre Carl G. Jung, nomment notre partie émotionnelle l'« Enfant Intérieur » (avec majuscules). Cette appellation n'est pas née d'une simple inspiration poétique mais reflète la réalité de notre psychisme. L'Enfant Intérieur correspond au véritable enfant que nous avons été, et que nous sommes encore d'une certaine façon. C'est notre facette émotionnelle et innée, puisqu'elle existe avant même que la vie nous permette d'acquérir la réflexion, l'expérience et la maturité.

Nous avons beau grandir puis vieillir, notre Enfant Intérieur reste inchangé : c'est-à-dire vibrant de nos joies et vulnérable aux éventuelles blessures affectives.

Nous avons tous un Enfant Intérieur. Ceux qui doutent de son existence sont ceux qui ont perdu le lien avec lui. Lorsque la vie se déroule comme un fleuve tranquille, cette absence de contact avec notre partie émotionnelle ne se ressent pas trop. Mais dans les moments cruciaux de l'existence, en cas de graves maladies, lors de conflits ou de séparations, l'absence de contact avec notre moi émotionnel nous empêche de trouver des solutions satisfaisantes pour surmonter les embûches de la vie.

Vous pouvez au choix appeler votre partie intuitive le « moi émotionnel » ou l'« Enfant Intérieur ». En vous adressant au premier, vous direz de préférence « je », puisque vous vous parlez à vous-même. Si vous vous adressez à votre Enfant Intérieur, vous direz plutôt « tu ». Adoptez le mode d'adresse qui vous semble le plus naturel, le plus facile. En ce qui me concerne, j'avoue que cela dépend des circonstances : j'utilise le « je » pour m'encourager à l'action, et le « tu » pour consoler le petit enfant vulnérable en moi.

De toute façon, ces deux appellations sont excellentes l'une comme l'autre : elles vous obligeront en effet à porter votre attention à l'intérieur de vous-même et à écouter le langage de vos émotions.

Protégez le petit Enfant en vous

Renouer le contact avec notre partie émotionnelle, c'est la meilleure manière de nous aimer sainement. Mais la vie moderne nous a tellement coupés de nos émotions que de nombreuses personnes ne savent même pas comment s'y prendre.

Imaginez une connaissance qui vous critiquerait sans cesse. Rechercheriez-vous sa compagnie ? J'en doute ! Eh bien votre partie émotionnelle ressent la même chose lorsque vous vous sous-estimez : « Que je suis bête ! » ; « qu'est-ce qui m'a pris de faire une chose pareille ? » ; « c'est ma faute !... » Lorsque votre cerveau logique vous « engueule » intérieurement, il dévalorise vos émotions et désavoue votre Enfant Intérieur !

Supposons que vous vous reprochiez d'être peureux. Selon toute probabilité, vous allez vous critiquer de la sorte : « Je suis une poule mouillée... J'ai honte de moi ! » Vous êtes persuadé que ces critiques vous encouragent à être plus fort. Erreur, vous ne faites que maltraiter votre Enfant Intérieur !

Pour mieux vous en convaincre, tentons l'expérience suivante : imaginez devant vous un petit enfant de trois ans qui par peur s'agrippe à votre jupe ou à votre pantalon. Vous le grondez, vous lui donnez même une fessée :

« Es-tu bête de trembler comme ça ! » ; « un grand garçon comme toi, ça n'a pas peur »…

Or, pour trouver son courage, un enfant craintif a besoin de réconfort. Les dénigrements ou les sarcasmes ne réussiront qu'à augmenter sa peur. Votre réaction brutale va l'affoler. À la longue, il deviendra abattu ou enragé, ce qui l'empêchera de grandir au mieux de ses atouts.

Imaginez-vous maintenant parlant doucement à cet enfant. Vous l'assurez de votre amour. Vous lui expliquez que ses erreurs ou ses peurs lui servent d'apprentissage, qu'elles sont un moyen d'appréhension du monde. Répétez-lui qu'il compte beaucoup pour vous et que vous serez toujours là pour le soutenir. Vous serez étonné de constater à quel point ces encouragements permettent à l'enfant de grandir en développant au mieux son potentiel.

Chacun de nous porte dans son cœur ce petit Enfant. Si nous le maltraitons, il ne s'épanouira pas, et nous ne connaîtrons pas le bonheur. Au contraire, si nous lui témoignons notre amour et notre confiance, si nous lui ouvrons grands nos bras, nous lui permettons de déployer tous ses talents. Tous *nos* talents !

Le couple Enfant Intérieur/Adulte

Lorsque nous étions petits, c'étaient nos parents qui prenaient soin de nous. En grandissant, nous développons notre partie adulte qui prend la relève : c'est elle désormais qui va protéger notre partie enfant – tendre et immuable, rappelons-le.

Mais vous allez me dire : « Je ne me sens pas particulièrement schizophrène, comment puis-je reconnaître et différencier ces deux parties ? »

Je suis persuadée que vous avez souvent entendu la voix de votre Enfant Intérieur, même si vous ne lui prêtez pas toujours l'attention voulue. Il arrive par exemple que notre cerveau logique nous dise : « Je dois coûte que coûte finir ce travail pour demain. » Au même moment nous entendons une autre voix qui proteste : « J'en ai assez de travailler sans m'arrêter. Je suis trop fatigué(e) ! » Cette seconde voix, c'est celle de nos émotions.

Attention ici ! Cette voix n'est pas nécessairement la voix de la sagesse ! Il faut écouter votre Enfant Intérieur, il faut le laisser s'exprimer, au besoin décoder son discours, mais il ne faut en aucun cas se plier à ses quatre volontés : il n'a pas toujours raison ! Par exemple, si ma raison me dit : « Tu as trop mangé et tu vas avoir mal à l'estomac », l'autre voix, l'émotionnelle, peut très bien s'écrier : « Ça ne va pas fort en ce moment, j'ai besoin de me gâter... » Ou bien, en cas de stress professionnel, elle peut vous souffler avec la plus parfaite insouciance : « Envoie tout balader et partons pour les Tropiques ! »

Pour bien identifier son Enfant Intérieur et son Adulte, Margaret Paul, dans son livre *Renouez avec votre Enfant Intérieur*, propose d'étiqueter nos pensées comme « Adulte » et nos émotions comme « Enfant ». Considérer son côté logique comme étant sa partie adulte et son versant émotionnel comme son Enfant Intérieur permet d'analyser avec une grande clarté ses conflits intimes, pour trouver rapidement des solutions satisfaisantes.

Vous l'avez compris : il ne s'agit pas de privilégier l'Enfant ou l'Adulte en nous. L'idéal serait de réduire toute pomme de discorde entre eux pour parvenir à un équilibre, ou mieux à une parfaite concordance d'objectifs.

Par exemple, lorsque les problèmes graves de la vie nous plongent dans une angoisse noire – émotionnelle –, nous ne voyons plus qui pourrait venir à la rescousse. Nous oublions que parallèlement à notre partie émotive et vulnérable nous possédons une partie adulte, riche d'expériences, capable de réflexion, et dont le rôle est précisément de venir à notre aide, comme le faisaient jadis nos parents.

Inversement, de nombreuses personnes bâillonnent leur Enfant Intérieur et choisissent de n'écouter que leur Adulte : le cerveau logique devient seul maître à bord. Les émotions sont perçues comme quantité négligeable. « Je n'ai pas d'états d'âme ! » disent ces personnes. Elles ne voient pas qu'elles se sont coupées de la partie la plus importante de leur être...

Dans les deux cas, il y a un déséquilibre très dommageable. La Nature a donné deux facettes à notre personnalité : chacune doit jouer son rôle. C'est par leur étroite coopération que nous surmonterons les difficultés inhérentes à la vie. Notre Adulte protégera l'Enfant qui en retour lui apportera l'intuition, la sensibilité et l'énergie : main dans la main, ils se soutiendront et s'enrichiront mutuellement.

Vers la réunification de soi...

Chaque fois que notre logique nous pousse à agir sans tenir compte de nos émotions, le conflit éclate. « Arrête de t'apitoyer sur ton sort ! » est une des phrases types de cette situation. N'obéissez pas inconsidérément à ces phrases ! Écoutez ce que vos émotions essaient de vous dire.

Il y va de notre bien-être et même de notre « efficacité » au quotidien. La divergence entre notre devoir (« je sais que je dois le faire ») et ce que nous ressentons (« je n'en ai pas envie ») produit chez nous un malaise qui nous conduit à bâcler nos tâches et nous prive de tout plaisir de vivre. Trop longtemps maintenue, cette divergence peut mener au stress, à l'affaiblissement de notre santé et à la dépression.

Pas de paix intérieure sans complicité entre nos « tripes » et notre pensée rationnelle.

Certes, l'amour de notre conjoint(e) et de notre famille contribue à conforter notre partie émotionnelle. Mais celle-ci ne sera véritablement « guérie », épanouie, que lorsque notre propre Adulte commencera à l'aimer et à la respecter. Autrement dit : lorsque notre raison appréciera réellement nos émotions.

Surtout, sachez que notre Enfant Intérieur n'est jamais dupe. Il n'oubliera les dévalorisations passées qu'en se sentant aimé *tel qu'il est*. C'est-à-dire qu'il n'a pas besoin de perdre dix kilos ni d'obtenir un meilleur salaire pour mériter l'amour de l'Adulte. Quand elle se sentira aimée pour elle-même et non pour ce qu'elle peut faire, votre partie émotionnelle prendra enfin conscience de sa valeur et vous apportera en retour la confiance !

Depuis l'enfance, nous espérons que quelqu'un viendra combler notre besoin de tendresse et nous offrira le sentiment du bien-être. Et en effet, d'heureuses rencontres nous apportent parfois cet amour si précieux. Mais ce bonheur s'avère temporaire, ou incomplet. Il ne peut remplacer l'amour et l'estime que nous nous devons à nous-mêmes. Ce sentiment de valeur que nous recherchons si intensément, nous seuls pouvons nous le donner !

C'est pourquoi il est vain de croire que nous allons briser notre solitude et en finir avec la souffrance en trouvant le partenaire idéal. Le bonheur jaillit de soi-même, de l'intérieur. Lorsque vous l'aurez découvert, vous aurez alors toutes chances de trouver l'âme sœur : car pour croire à l'amour des autres, il faut d'abord se sentir digne d'être aimé !

Conquérir la liberté intérieure

Comment s'articulent les rôles de l'Enfant Intérieur et de l'Adulte ? L'Enfant Intérieur a pour fonction de ressentir. L'Adulte se réserve le domaine de la réflexion… et de l'action. C'est dans l'action que se réalise vraiment l'accord entre nos pensées et nos émotions. Si on n'agit pas, cette harmonisation restera forcément lettre morte.

Par exemple, votre partie émotionnelle décide que dorénavant elle ne « s'écrasera » plus, qu'elle ne sera plus cette gentille fille qui fait plaisir à tout le monde… Vous allez forcément être confronté aux réactions de vos proches et amis : on va vous accuser de narcissisme, d'ingratitude, on va vouloir vous « remettre à votre place ». C'est à l'Adulte de soutenir votre Enfant, et de veiller à ce que sa décision soit mise en œuvre.

Si l'Enfant Intérieur vous fait comprendre qu'une certaine relation est néfaste pour lui, le rôle de l'Adulte est de réaliser la rupture…

Chaque fois que l'Adulte en vous agit de la sorte, il prouve à l'Enfant son véritable amour pour lui, son respect pour ses aspirations et lui permet de croire enfin en sa valeur ! Au fur et à mesure que les deux aspects de votre personne coopèrent harmonieusement, un sentiment d'unité et d'apaisement vous emplit.

Cependant ne rêvons pas ! Tous les désirs de l'Enfant et toutes les actions de l'Adulte ne sont pas forcément récompensés sur-le-champ : il ne suffit pas de réclamer un avancement professionnel pour l'obtenir… Mais le seul fait d'accomplir une démarche vers un mieux-être nous dynamise et nous procure un sentiment de respect de nous-mêmes. Après avoir cherché le réconfort ailleurs, quel plaisir de le trouver dans ses propres initiatives !

Quand savons-nous que notre Adulte aime réellement notre Enfant Intérieur ?

• Quand nous cessons de croire que les autres sont mieux que nous – ou l'inverse.

• Quand nous cessons de croire qu'il faut réaliser des exploits pour mériter l'attention et l'approbation des autres.

• Quand nous sentons une confiance, une solidité intérieure qui nous met à l'abri des critiques ou des jugements d'autrui.

• Quand nous acceptons que les autres soient libres de penser ce qu'ils veulent, sans que cela influe sur l'estime que nous nous portons. Comme dit le proverbe indien, « si quelqu'un t'insulte, t'appelant un âne, est-ce que pour autant il te pousse de longues oreilles ? »…

• Quand nous décidons d'agir en restant toujours authentiques, toujours nous-mêmes. Dans la splendeur de nos qualités et l'acceptation de nos limites. Car à quoi bon présenter une belle façade si à l'intérieur il ne reste que les ruines de notre identité ?

• Quand nous n'avons plus peur de nous montrer tels que nous sommes. Quand nous ne pensons plus : « Ils ne m'aimeront plus lorsqu'ils sauront qui je suis vraiment. »

• Quand on ne s'épuise plus en efforts pour « montrer une belle image de soi ». La plus belle image que l'on puisse donner de soi, c'est la vraie !

- Lorsque nous sommes enfin convaincus qu'en étant nous-mêmes nous serons mieux appréciés et aimés, car l'authenticité devient notre première qualité.

La trousse des premiers soins émotionnels

- Imagine-t-on une mère rejetant un enfant qui a peur ? Alors, de grâce, accueillez votre Enfant Intérieur, rassurez-le tendrement : « Je t'aime. » Appliquez un baume d'encouragement et d'acceptation inconditionnelle sur ses blessures : « Je t'aime tel que tu es. »

- N'hésitez plus à prendre votre place dans la vie ! Permettez à votre propre lumière particulière de rayonner.

- Une note dissonante vous gêne dans votre personnalité ? Acceptez-la ! La dissonance enrichit l'harmonie des vibrations d'une nouvelle tonalité, la vôtre !

- Soyez votre ange gardien, soyez l'Adulte toujours présent aux côtés de votre Enfant, même si quelqu'un d'autre venait à le quitter... Soyez votre propre parent et ne vous abandonnez jamais !

- Soyez convaincu que vous n'avez pas souffert en vain : chaque moment pénible du passé vous a appris l'amour, la tolérance et la solidarité avec les autres.

- Décidez dès maintenant de vous estimer, de vous faire confiance. Ne laissez pas dans l'ombre les capacités et les talents de votre Enfant Intérieur ! Commencez, osez dès aujourd'hui, pour ne pas être plus tard assailli de regrets !

- Aimez-vous *maintenant* ! N'attendez pas de perdre six kilos, d'avoir tapissé la chambre ou nettoyé les placards à fond, de devenir président de votre association ou d'avoir signé un gros contrat. Vous êtes d'ores et déjà quelqu'un de formidable, qui mérite pleinement d'être aimé !

- Vous n'avez pas besoin d'être Einstein, Beethoven, Grace Kelly ou de Gaulle pour retenir l'attention. Aimez-vous vraiment et vous saurez pardonner vos défauts et apprécier vos qualités. Répétez-vous : « Je suis parfaitement imparfait(e) ! Et c'est très bien ainsi ! »

- Soyez émerveillé d'être tel que vous êtes. Le monde a besoin de chacune de vos qualités pour devenir un endroit où il fait bon vivre. C'est la diversité qui rend le monde si beau !

7

Ce n'est pas de l'égoïsme de s'aimer

S'aimer, s'aimer toujours plus fort! Au-delà des coups de cafard, des kilos en trop ou des rides, s'aimer quoi qu'il arrive! Aimer son esprit logique mais encore plus ses émotions, moteur de vie!

Ce n'est pas du nombrilisme. Ce n'est pas de l'égoïsme! Ne confondez pas l'amour de soi et l'amour-égocentrisme! Le premier dit en toute simplicité: « Je m'aime tel que je suis », tandis que le second se vante: « Je m'aime parce que je suis le meilleur; par conséquent je ne peux pas aimer les autres, puisqu'ils me sont inférieurs. »

L'amour-égocentrisme nous enseigne le mépris d'autrui, nous incite à l'exclusion et au racisme. Au contraire, l'amour sain de soi, celui auquel je vous exhorte, permet le rapprochement avec les autres, encourage la solidarité. Dire « je n'ai pas besoin d'être le meilleur pour m'aimer », croire « je m'accepte avec mes faiblesses », c'est reconnaître implicitement que les autres n'ont pas besoin non plus d'être parfaits pour mériter notre amour. Et cela renforce notre humanité et fait triompher notre égalité de condition.

De surcroît, s'aimer, donc prendre soin de sa santé et s'occuper de son bonheur, est le plus grand service que l'on puisse rendre à ses proches. Car moins nous nous aimons, plus nous sommes malheureux et malades, et plus nous vivons à leur charge.

D'ailleurs, si nous n'apprenons pas à nous aimer nous-mêmes, comment saurons-nous aimer les autres ? Celui qui est mal dans sa peau ne pense qu'à ses problèmes personnels, il exclut l'altruisme de sa vie. En revanche, lorsqu'on est en paix avec soi-même, on peut ouvrir son cœur aux autres pour les aider dans la sincérité.

L'effet Pygmalion

Vous connaissez certainement cette légende de la mythologie grecque : par amour, le sculpteur Pygmalion insuffla vie à sa statue Galatée, la transformant en une sublime jeune femme. *Pygmalion à l'école,* c'est le titre qu'ont donné deux chercheurs américains, Rosenthal et Jacobson, à un livre retraçant leurs recherches sur la confiance en soi. Ils y relatent une expérience (reconduite d'ailleurs par d'autres sociologues) qui devrait nous faire réfléchir…

Dans une école primaire d'un quartier pauvre de San Francisco, on a effectué une série d'examens, officiellement pour déterminer le quotient intellectuel (QI) des élèves. En fait, l'objectif de ces tests était tout autre. Il s'agissait pour les chercheurs d'étudier le rapport entre les progrès scolaires des enfants et le soutien affectif apporté par le couple enseignants-parents.

Dans chaque classe, 20 % des élèves ont été désignés comme « possédant un QI supérieur » : en réalité on les avait sélectionnés au hasard, à fin d'expérience. Lors d'une réunion avec les enseignants et les parents, les chercheurs ont donné la liste de ces « surdoués », en pronostiquant leurs rapides progrès.

Ô surprise ! À la fin de l'année, ces élèves déclarés « super-intelligents » avaient effectivement accompli en moyenne des performances nettement supérieures à celles des enfants « ordinaires » ! Alors qu'ils avaient été choisis au hasard dans la masse des élèves !

Cela démontre de façon indiscutable qu'un préjugé favorable ou défavorable du maître ou des parents a une incidence directe sur la confiance en soi des élèves et donc sur leurs résultats scolaires. C'est ce que Rosenthal et Jacobson ont baptisé l'« effet Pygmalion ».

Cet effet influe sur l'éducation de l'enfant mais aussi, plus généralement, sur son caractère. Les parents ont-ils un préjugé positif ou négatif à son sujet ? Disent-ils ou induisent-ils que l'enfant est « doué » ou « bon à rien » ? Plus l'opinion est favorable, plus l'enfant accroît sa confiance en lui !

Vous allez me dire : « Quel dommage que mes parents ne l'aient pas su plus tôt ! » Eh bien sachez qu'il n'est jamais trop tard pour jouer au Pygmalion avec vous-même !

Le regard que nous portons sur notre vie peut nous mener au succès ou à l'échec ? Alors refusons en bloc les « étiquettes » négatives collées à notre personnalité : « Il est bête... Il ne comprend rien en maths... Elle est désordonnée... Elle porte la poisse... » Cessons de saborder notre propre navire ! Croyons en nous ! Disons-nous que nous avons des capacités supérieures à celles que nous pensons avoir.

Le premier rendez-vous avec soi

Il ne s'agit pas de vous dire « je suis le (ou la) meilleur(e) » pour croire en vous, mais de vous aimer tel(le) que vous êtes et de cesser de tomber à bras raccourcis sur votre propre personnalité parce que vous la jugez trop lâche, trop effacée ou trop cassante...

Vous rétorquerez que vous n'êtes pas dupe : vous voyez trop bien votre agressivité, vos mensonges ou vos peurs. Soit ! Mais cela signifie-t-il pour autant que vous êtes « mauvais(e) » ? Bien sûr que non ! Chacun de vos comportements, nous l'avons vu, a sa raison d'être. Si vous faites l'effort de chercher cette raison, vos comportements prétendus « négatifs » disparaîtront peut-être d'eux-mêmes. Interrogez vos émotions...

– « Pourquoi est-ce que je cours tout le temps ? Qu'est-ce que je cherche à fuir en m'agitant ainsi ? » Désormais, dites-vous : « Je me permets de faire les choses à mon rythme. Il est impossible de tout faire aujourd'hui ! »

– « Pourquoi est-ce que je me sens obligé(e) de dire oui, alors que j'ai envie de dire non ? Ai-je peur de provoquer la colère d'autrui ou de perdre son amour ? N'est-ce pas une habitude prise dès l'enfance ? » Décidez donc : « Aujourd'hui, j'ai le droit d'agir selon mon désir et de rendre service sans m'y sentir obligé(e). »

– « Pourquoi est-ce que je m'éloigne toujours des autres ? Est-ce que je reste seul(e) de peur d'être blessé(e) ? Qu'est-ce qui s'est passé dans ma vie qui me fait réagir ainsi ? »

Surtout ne perdez pas de vue que ces habitudes qui aujourd'hui vous dérangent vous ont autrefois protégé(e) des sarcasmes et des brimades. Parfois même elles vous ont permis de survivre. Remerciez-les pour l'aide qu'elles vous ont apportée, sans en dénigrer aucune ! Aujourd'hui vous avez moins besoin d'elles, c'est vrai ; devenu(e) adulte, vous pouvez surmonter vos problèmes en acquérant de nouvelles et saines réactions. Mais il vous faut respecter le souvenir des anciennes car chacune d'elles a une grande leçon de sagesse à vous enseigner !

Chaque parcelle de votre histoire forme votre richesse personnelle. Les épreuves du passé vous ont appris tout ce que vous savez aujourd'hui : n'est-ce pas l'habitude de guetter le regard réprobateur de votre père qui vous permet désormais de déceler les humeurs et les intentions cachées de tous ceux que vous rencontrez ?

Gardez vos souvenirs – même douloureux – comme de précieuses médailles. Comme des preuves témoignant de votre capacité à triompher des moments difficiles de l'existence.

Chaque souvenir passé, jusqu'au plus traumatisant, singularise votre vie. Il vous rend intéressant(e) et unique ! Votre histoire ne ressemble à aucune autre, aujourd'hui, hier comme demain ! Chacun de nous a une destinée inconnue et originale à raconter. Chacun de nous est le héros d'une saga exclusive !

Aimez-vous d'un amour inconditionnel, sans en exclure les autres

Vous viendrait-il à l'esprit de dire à votre bégonia : « Si tu fleuris joliment, je t'arroserai » ? Non, bien sûr.

Vous l'arrosez d'abord, et avec beaucoup d'attention, pour qu'il fleurisse mieux ensuite…

Alors, que penser des parents qui disent ou font comprendre à l'enfant : « Apporte-moi de bonnes notes pour que je puisse t'aimer plus fort… » ? Souvenez-vous de l'effet Pygmalion. N'est-ce pas la confiance et l'amour qui permettent aux enfants de développer leurs capacités ?

Et vous, adulte, est-il logique de vous dire : « Je pourrai m'aimer si je maigris… si je deviens plus organisé » ? Bien sûr que non ! Appréciez-vous d'abord, pour constater ensuite l'émergence de nouvelles qualités.

Changez d'attitude envers vous-même. À la manière d'une mère aimante, d'une bonne amie, dites-vous dans le calme et l'intimité de votre « moi » : « Je t'aime et je te respecte… Jacques… Nicole… Sabine… Je te promets de ne plus te reprocher ce que tu n'es pas, pour me réjouir de ce que tu es ! »

Je me souviens d'une soirée dont j'étais l'invitée d'honneur, et au cours de laquelle on a fait mon éloge. En rentrant, je me suis demandé pourquoi j'étais si sensible à ces louanges. Soudain, une petite voix à l'intérieur de moi s'est écriée : « Parce que toi, tu ne me dis jamais que je suis bien ! »

Et c'était vrai ! Vous le savez maintenant : moins on se soutient intérieurement, plus on a besoin du soutien des autres – ou même de leurs flatteries...

Le soleil a-t-il besoin de gagner le droit de rayonner ?

Le vent a-t-il besoin de gagner le droit de souffler ?

Nous n'avons pas besoin d'être particulièrement malins, médiatiques, célèbres ou beaux, nous n'avons rien d'extraordinaire à accomplir, rien à prouver pour être dignes d'amour. Ce droit sacré s'acquiert en naissant !

Aimez-vous fort, puis donnez de l'amour à toutes les manifestations de la vie : aux humains, aux animaux, aux arbres, fleurs, terre, forêts, rochers, océans, rivières, nuages... À l'univers tout entier !

Les dix commandements pour apprendre à s'aimer

① **Cessez de vous comparer aux autres.** Libérez-vous de l'esclavage qui consiste à vous demander constamment : « Comment suis-je par rapport à... » *Vous êtes unique ! Aimez-vous tel que vous êtes !*

② **Cessez de vous critiquer et de vous faire peur avec vos pensées négatives.** Respectez-vous !

③ **Aimez-vous dans les moments de malheur comme dans les moments de bonheur.** Vous méritez d'être aimé à chaque instant de votre vie !

④ **Soyez tendre et indulgent avec vous-même.** Et n'oubliez pas l'humour !

⑤ **Encouragez-vous.** Chaque action mérite vos propres compliments : « Tu as bien réussi la tarte… Tu as bien nettoyé la voiture… Tu as joliment disposé les fleurs dans le vase… »

⑥ **N'oubliez pas l'influence des émotions sur votre santé.** L'amour *conditionnel* affaiblit les défenses immunitaires et ouvre la porte aux maladies psychosomatiques. Au contraire, l'amour *inconditionnel* et la libre expression émotionnelle stimulent les immunités et vous rendent plus résistant devant les maladies.

N'oubliez pas l'influence de l'hygiène de vie sur votre santé.

– Prenez soin de votre corps.

– Adoptez une alimentation saine, vitalisante et énergétique.

– Choisissez une activité physique qui vous plaise, pour bouger et vous oxygéner. Les cellules bien nourries et oxygénées résistent mieux aux microbes et virus.

⑦ **Fêtez votre personne.** Faites-vous des « cadeaux-plaisirs[1] ». À la place des cigarettes, d'un surcroît alimentaire, de médicaments, d'alcool, etc., qui nuisent à votre santé, choyez-vous avec des plaisirs sains.

– Mettre un bouquet de fleurs sur la table.
– Se parfumer.
– Faire un massage doux.
– Déjeuner au lit.
– Prendre un bon dessert.
– Écouter sa musique préférée.
– Lire un poème à haute voix.
– Faire une promenade en forêt.
– Prendre un bain moussant…

⑧ **Dites-vous souvent : le passé c'est le passé !**

⑨ **Il n'est jamais trop tard pour croire en vous. Pour cela, dites-vous au moins deux fois par jour : « Je me fais confiance. »**

1. D'après le livre *Vouloir guérir* du Pr Anne Ancelin-Schützenberger.

⑩ **Acceptez-vous tel que vous êtes.** Acceptez les autres tels qu'ils sont. Cet amour inconditionnel vous guérira et pourra guérir le monde alentour.

Surtout inscrivez en lettres d'or : l'amour inconditionnel est une source d'énergie illimitée. Plus on donne de l'amour à soi et aux autres, plus on en est riche !

Nous ne pouvons plus ignorer que la bonne expression émotionnelle est garante de notre santé physique et morale. Tout au long de ce livre, nous allons nous attacher à décrire en détail ce fonctionnement nécessaire à une existence équilibrée. Et pour mieux vous en convaincre, commençons par voir ce que vous risquez si vous persistez à emprisonner ou à nier vos émotions. Vous allez vous rendre compte à quel point il se révèle important d'admettre enfin que nous sommes des êtres émotionnels !

DEUXIÈME PARTIE

C'est psy-cho-so-ma-ti-que !

La vanité, la méchanceté, la rancune,
tous des poisons du sang.

Jacques CHARDONNE

1

Le stress émotionnel : une arme à double tranchant

« Je ne suis qu'une bonne à rien... » ; « je ne suis pas intelligent... » ; « je n'ai aucune volonté... » ; « ça n'arrive qu'à moi... » Ces sentiments de dévalorisation, nous l'avons vu, mettent en route dans notre organisme une sécrétion hormonale très dangereuse. Mais cette sécrétion peut être provoquée aussi bien par les sentiments de colère ou de peur que nous ressentons devant une lettre de licenciement, des traites impayées ou un embouteillage alors qu'« il faut absolument que je sois à l'heure à mon rendez-vous ».

Or il faut le savoir, l'écrire en lettres d'or : chacune de nos émotions (amour, joie, colère, tristesse ou peur) suscite dans l'organisme une sécrétion hormonale correspondante. Les « hormones de bien-être », qui améliorent la santé, accompagnent l'amour, la tendresse, la joie. Et les « hormones de stress » rôdent autour de la tristesse, de la peur, de la colère ou de la jalousie...

Mais par quel mécanisme diabolique ces émotions (et leurs sécrétions hormonales) deviennent-elles si dangereuses pour l'organisme ?

Pour quelles raisons physiologiques dit-on que les « hormones de stress » font le lit des maladies psychosomatiques ?

Pour mieux comprendre ce processus déterminant pour la santé, faisons un saut dans notre lointain passé et observons le système de survie dont la nature a doté l'homme préhistorique.

Sauver sa peau, mode d'emploi

Chaque fois qu'il s'aventurait hors de sa caverne, notre ancêtre préhistorique risquait de tomber nez à nez avec une bête féroce ou une bande d'affreux rivaux. Dans ces conditions de péril permanent, il fallait réagir vite et bien, sous peine d'y laisser sa peau…

Heureusement, la nature dans sa grande sagesse avait doté notre ancêtre d'un système d'autodéfense « sur mesure ». Un système grâce auquel, au moindre danger, le cerveau déclenche un véritable plan Orsec : il commande aux glandes de produire et de déverser dans le sang des hormones propres à décupler les forces physiques. Forces qui permettaient à notre homme des cavernes de livrer bataille – ou de s'enfuir à toutes jambes…

Or cet étonnant mécanisme de survie est resté le même chez tous les humains, depuis les temps archaïques jusqu'au jour d'aujourd'hui. En voici le processus, suscité par ces hormones appelées « hormones de stress ».

• Le cœur bat plus vite et les vaisseaux sanguins se contractent : en conséquence de quoi la pression artérielle augmente et le sang circule plus rapidement (« mon sang n'a fait qu'un tour »).

• La respiration s'accélère pour fournir à notre organisme le maximum d'oxygène.

• Le sang se retire des extrémités du corps et de la surface de la peau pour affluer dans les muscles et le cerveau.

• Le taux de glucose s'élève dans le sang, afin de « doper » ces mêmes muscles et ce cerveau pour mieux réagir face au danger.

• La digestion s'interrompt et les glandes salivaires réduisent leur sécrétion (l'organisme a d'autres chats à fouetter).

• Les pupilles se dilatent et les yeux s'écarquillent : l'acuité visuelle s'accroît en même temps que le champ de vision.

• La transpiration couvre le visage et le dos : ce sont les fameuses « sueurs froides » pour que l'organisme se rafraîchisse dans l'effort.

Grâce à ce processus biologique, en quelques secondes à peine l'homme fait le plein d'énergie et se trouve en possession de moyens exceptionnels pour fuir ou combattre. Une réaction de défense particulièrement adaptée et performante lorsqu'il s'agit de sauver sa peau, mais également une arme à double tranchant. Car ces puissantes hormones de stress (adrénaline, corticoïdes, etc.) ne peuvent être éliminées que par l'action même qu'elles suscitent : la *suractivité physique.* Faute de quoi leur accumulation est dangereuse pour l'organisme.

L'homme préhistorique éliminait ces hormones dans l'ardeur du combat ou de sa fuite, quand il détalait devant une bête sauvage. Mais qu'en est-il de l'homme moderne ?

L'homme piégé par la modernité

Revenons de la préhistoire à notre monde actuel. Ce mécanisme de survie est-il encore adapté à une époque où les mammouths n'écrasent plus que les prix et où le lion ne sort ses griffes que pour nous vendre une voiture ?

La réponse est évidemment négative. En cette fin de XXe siècle, nos glandes continuent à sécréter des hormones efficaces contre une attaque physique alors que la plupart des problèmes auxquels nous devons faire face aujourd'hui nécessitent une réaction psychologique. Et c'est justement ce décalage qui fait le lit des maladies psychosomatiques...

Devant une lettre de licenciement ou des traites impayées, face à l'inspecteur des impôts ou à un chef de service injuste, ou bien en découvrant l'infidélité de notre conjoint, nous éprouvons la peur, la colère ou la tristesse, qui enclenchent la même production d'hormones de stress que jadis. Or, comment dépenser le surcroît d'énergie physique qui en résulte ? Boxer l'établissement qui nous licencie ou la banque qui nous refuse des chèques ? S'enfuir à toutes jambes quand un chef de service multiplie les brimades ou lorsqu'on nous colle une contredanse ?

Faute de pouvoir « cogner » ou détaler, nous « encaissons » quotidiennement nos frustrations. Nous « ravalons » nos larmes, nous étouffons nos colères et cela nous rend malades. Littéralement !

À longueur de semaine, de mois, les conflits affectifs, les difficultés professionnelles et les problèmes d'argent engendrent une sécrétion quasi continue d'adrénaline, de cortisol, d'ACTH[1] et autres hormones stressantes. Et faute d'élimination physique, ces hormones non « expulsées » vont se trouver stockées quelque part dans l'organisme, où elles vont jouer le rôle de poison, comme des déchets chimiques enterrés peuvent contaminer les sols. La répétition, jour après jour, de ce processus mine notre défense immunitaire et ouvre la porte aux bactéries et aux virus.

1. Abréviation anglaise pour *adreno-cortico-trophic-hormone*, hormone de l'hypophyse qui stimule le cortex de la glande surrénale.

Hormones de stress et modernité

Le conflit éclate sur deux niveaux.

1) *Le surcroît énergétique.* Notre système glandulaire est en « retard » d'une ère : comme au temps des cavernes, il nous incite à réagir physiquement, alors que nos problèmes modernes sont avant tout psychologiques et nécessitent des réponses d'ordre psychologique !

2) *L'élimination.* Le problème serait mineur si nous faisions chaque jour l'effort d'éliminer les hormones de stress. Or la modernité offre aux humains un confort certes appréciable mais qui ne favorise pas cette évacuation ! La voiture, les ascenseurs, les escaliers mécaniques et autres machines merveilleuses nous incitent à la passivité et à l'économie physique. Nous ne bougeons pas assez, nous ne faisons pas assez de sport. Résultat : nos hormones de stress s'accumulent, et cet empoisonnement quotidien déclenche les maladies psychosomatiques.

Quand nos moyens de défense deviennent nos ennemis

Incroyable mais vrai : le système même qui est censé nous protéger des agressions nous fragilise et nous rend malades !

En voici quelques exemples tout simples.

– L'excès de corticoïdes nous déminéralise (ostéoporose) et, pire encore, réduit nos défenses immunitaires.

Or nous connaissons aujourd'hui, mieux qu'à toute autre époque, l'importance du système immunitaire…

– L'accumulation d'adrénaline fait grimper notre tension artérielle. Et en devenant permanente, l'hypertension nous met à la merci d'un accident vasculaire.

– Les plaquettes sanguines, en souvenir des dangers préhistoriques, sont toujours prêtes à cicatriser les blessures physiques éventuelles. Mais que peuvent-elles contre les blessures d'amour-propre ? À force de s'agglutiner après chaque contrariété, elles risquent de boucher une artère coronaire et d'entraîner l'infarctus.

– La sécrétion continuelle des acides gastriques blesse puis ulcère les parois de nos pauvres estomacs.

Vous me direz : bon, et après ? Le stress fait partie de notre vie, nous ne pouvons pas toujours l'éviter, donc ses hormones nous encombrent, mais que faire ? Eh bien… tout simplement se plier aux impératifs de la nature ! Imiter nos ancêtres qui luttaient, cognaient, criaient, libérant ainsi leur organisme de ces hormones dangereuses. À notre tour d'entreprendre une activité physique « libératrice », de crier, de « cogner », mais pas n'importe comment (rendez-vous dans la cinquième partie[1] !), pour préserver notre santé.

Prenons exemple sur certains organes : nos intestins, nos poumons et notre vessie éliminent quotidiennement les déchets et toxines produits par notre corps. Selon le même principe, il va nous falloir trouver le moyen d'éliminer les hormones du stress. Sinon, gare aux conséquences ! Et ne vous y trompez pas : nul n'est

1. La cinquième partie répertorie les principaux exercices d'évacuation du stress des émotions. Nous y ferons référence tout au long du livre. Si vous êtes pressé d'en savoir plus, allez y faire un tour, mais il serait bon de revenir à l'ordre de votre lecture.

à l'abri. Écoutez plutôt les messages que vous envoie votre organisme quand vous êtes sur la mauvaise pente...

Les sonnettes d'alarme

Quand le stress augmente et nous épuise, chacun somatise en fonction de son hérédité et de son mode de vie. Comme toujours, c'est le maillon physique ou psychique le plus faible qui casse le premier. Mais avant qu'il ne rompe, notre organisme nous prévient du danger en nous adressant toutes sortes de signaux. Ils nous avertissent du « trop-plein » de stress et nous incitent à réagir le plus vite possible, avant que « ça craque » !

Ces signaux, que rappelle Isabelle Filliozat dans son livre *L'Alchimie du bonheur,* sont des symptômes que l'on peut diagnostiquer par soi-même. Ils se répartissent en cinq catégories...

• *Les symptômes physiques d'épuisement :* fatigue persistante ; ballonnements ; troubles digestifs ; « estomac noué » ou brûlures d'estomac ; palpitations cardiaques ; mal de dos, des reins, de la nuque, maux de tête... Le tout souvent (mal) compensé par un abus d'alcool, de tabac, de drogues diverses – médicaments compris –, par des réactions boulimiques ou au contraire anorexiques.

• *Les symptômes intellectuels d'épuisement :* difficultés de mémorisation ou de concentration ; distraction, confusion, hésitation, irrésolution permanente ; erreurs répétées ; remise à plus tard des décisions nécessaires, dégoût pour ses activités professionnelles ou au contraire abus de travail...

• *Les symptômes relationnels d'épuisement :* reproches et conflits continuels, attitudes pessimistes ou négatives envers la famille, les amis et les collègues ; détachement, isolement, évitement des autres et repli sur soi ; sentiment d'être exploité...

• *Les symptômes émotionnels d'épuisement :* irritabilité, nervosité et susceptibilité « à fleur de peau » ; larmes ou colères faciles ; incapacité d'admettre que l'on a des problèmes ou des soucis ; perte de confiance en soi ; sentiment d'échec, de culpabilité, de persécution ; peur du noir, d'avoir oublié de fermer le gaz ou mal débranché le fer à repasser...

• *Les symptômes existentiels d'épuisement :* sentiment de vide intérieur ; perte d'intérêt général ; incapacité d'entreprendre, absence de projets ; perte de motivation (à quoi bon ?) et d'espoir (pourquoi vivre ?)...

Bien entendu, un symptôme isolé n'indique pas forcément l'épuisement, et un même individu atteint de stress surélevé présente rarement tous ces symptômes à la fois. Mais leur répétition, leur multiplication et leur persistance dénoncent à tout coup un état de stress chronique. Alors tenons compte de ces précieux avertissements tant qu'il en est encore temps. Notre santé est à ce prix !

Il faut é-li-mi-ner !

Un jour – peut-être dans cent ans, ou dans mille – la nature nous aura pourvus de moyens de défense mieux adaptés aux nouvelles formes de stress qui nous taraudent. Mais en attendant, une seule solution : il nous faut é-li-mi-ner ! Comment ?

• Ne ravalez plus vos émotions. La sécrétion hormonale qu'elles déclenchent « s'expulse » quand on exprime ces émotions ! Mais, bien entendu, pas à n'importe quel moment ! (Cf. cinquième partie.)

• Luttez contre l'habitude de vous dévaloriser (« je n'ai jamais de chance... »). Croyez en vous. Vous êtes quelqu'un de bien !

Moins vos dévalorisations intérieures mettront en route votre sécrétion hormonale du stress, plus vous aurez d'énergie pour faire face aux événements stressants extérieurs que la vie vous envoie.

• Soutenez l'organisme avec une alimentation vivante et biologique. Un système nerveux désintoxiqué et bien nourri résiste tellement mieux qu'un système encombré de toxines et de déchets !

• Apprenez et pratiquez régulièrement, au choix, des techniques de relaxation, de respiration, de méditation ou de visualisation. Et pourquoi ne pas les pratiquer toutes ? (Cf. sixième partie.)

• Et surtout, surtout, gravez dans votre cœur la meilleure devise antistress qui soit : seuls les sentiments de paix intérieure, la confiance dans l'avenir et l'amour de la vie sont capables d'engendrer la sécrétion des « hormones du calme et du bien-être ». Celles-là mêmes qui renforcent notre système immunitaire et accroissent notre énergie vitale !

2

Mesurez votre degré de stress

Le stress, nous le savons, peut être généré par des circonstances extérieures : perte d'un être cher, divorce, accident, licenciement, difficultés professionnelles ou pécuniaires, etc. Mais avant toute chose, il résulte de conflits intérieurs tels que le manque de confiance en soi et le complexe de l'échec. Donc, pour préserver notre santé, il ne suffit pas de reconnaître rapidement les premiers symptômes indicateurs de stress ; encore faut-il en identifier l'origine.

Pour ce faire, les chercheurs américains Holmes et Rahé ont mis au point une échelle des événements stressants[1], classés par ordre décroissant d'importance. Chose étonnante, cette échelle ne recense pas que des événements « négatifs » : ceux qui sont réputés « positifs » – tout en nous donnant du courage, du bonheur et de la confiance en nous-mêmes – peuvent être également facteurs de stress (sous forme d'excitation ou de tension exceptionnelles) !

Reportez-vous au tableau « Échelle des événements stressants » et additionnez les points qui correspondent aux événements vécus durant l'année écoulée, ou qui

1. Publiée pour la première fois dans le *New York Times* du 10 juin 1973.

risquent de se produire durant l'année à venir. Pour mesurer les risques engendrés par votre niveau de stress, comparez votre nombre de points aux totaux répertoriés à la fin du tableau de la page 106.

Échelle des événements stressants

Événements	Points
1. Décès du conjoint	100
2. Divorce	73
3. Séparation entre époux	65
4. Peine de prison	63
5. Décès d'un proche parent	63
6. Accident ou maladie grave	53
7. Mariage vécu comme une contrainte	50
8. Licenciement	47
9. Réconciliation entre époux	45
10. Retraite	45
11. Ennui de santé chez un membre de la famille	44
12. Grossesse	40
13. Difficultés sexuelles	39
14. Arrivée de quelqu'un dans le cercle de la famille proche	39
15. Rapports tendus au travail	39
16. Changement de situation financière	38
17. Mort d'un ami proche	37
18. Disputes répétées avec le conjoint	35
19. Hypothèque de plus de 200 000 F	31
20. Saisie sur hypothèque ou sur prêt	30
21. Nouvelles responsabilités professionnelles	29
22. Enfant quittant le domicile parental	29
23. Frictions avec les beaux-parents	29
24. Succès exceptionnel	28
25. Conjoint débutant ou cessant le travail	26
26. Commencement ou fin des études	26
27. Changement dans les conditions de vie	25
28. Changement dans les habitudes personnelles	24
29. Difficultés avec le patron	23
30. Changements d'horaires ou de conditions de travail	20
31. Changement de résidence	20
32. Changement d'école (chez l'enfant)	20

Événements	Points
33. Changement dans les loisirs	19
34. Changement dans les activités religieuses	19
35. Changement dans les activités sociales	18
36. Hypothèque ou prêt inférieur à 200 000 F	17
37. Changement dans les habitudes de sommeil	16
38. Changement du nombre de réunions familiales	15
39. Changement d'habitudes alimentaires	15
40. Vacances	13
41. Noël (si cela est vécu difficilement)	12
42. Contraventions	11

Total compris entre 150 et 199 points : votre risque de maladie(s) psychosomatique(s) augmente de 37 %.

Total compris entre 200 et 299 points : votre risque de maladie(s) psychosomatique(s) augmente de 50 %.

Total atteignant ou dépassant les 300 points : votre risque de maladie(s) psychosomatique(s) augmente de 80 %.

L'échelle du stress

Le tableau suivant vous aidera à déterminer votre degré exact de stress. Pour chaque symptôme, cochez la case qui répond le mieux à votre état, puis additionnez les points correspondants. Et pour comprendre ce que signifie votre total de points, reportez-vous à la fin du tableau.

Mesurez votre degré de stress

Symptôme	jamais	parfois	assez souvent	très souvent	tout le temps
	1 pt	2 pts	3 pts	4 pts	5 pts
1. Je souffre de problèmes digestifs.					
2. Je me sens oppressé(e) (sensation de « poids sur la poitrine »).					
3. Je crois être moins bien que les autres. Je doute de moi.					
4. J'ai les nerfs à fleur de peau. Je ne supporte rien.					
5. J'ai du mal à me concentrer.					
6. J'oublie souvent des choses, des noms, des rendez-vous.					
7. Les autres me fatiguent. Je préfère rester seul.					
8. Personne ne m'aide. Je dois tout faire tout(e) seul(e).					
9. Je n'ai pas le courage d'entreprendre.					
10. Je fais de l'hypertension.					
11. J'ai des maux de tête, des migraines.					
12. C'est plus fort que moi : il faut que je parle de mes soucis.					
13. Je pleure ou me mets en colère facilement.					
14. Je me sens dépassé(e) par les événements. Mes soucis s'accumulent.					
15. J'hésite. J'ai du mal à prendre des décisions.					

Symptôme	jamais	parfois	assez souvent	très souvent	tout le temps
	1 pt	2 pts	3 pts	4 pts	5 pts
16. Je ne m'entends pas avec mes collègues.					
17. Je me sens rejeté(e).					
18. Je suis angoissé(e). J'ai peur de l'avenir.					
19. Je dors mal (insomnies, réveils soudains, cauchemars, trop de sommeil).					
20. Je souffre du dos ou des reins.					
21. Je suis mal dans ma peau, je ne me sens bien nulle part.					
22. J'ai peur de la foule, des chiens, des chats, en avion…					
23. Je remets à plus tard ce que j'ai à faire.					
24. Je fume.					
25. Il y a souvent des frictions entre moi et ma famille.					
26. Je suis seul(e) et personne ne pense à moi.					
27. Je n'ai plus le goût à rien, je me sens inutile.					
28. Je n'ai pas d'énergie, je me sens fatigué(e).					
29. Je souffre de brûlures d'estomac.					
30. Je suis ballonné(e).					
31. Je suis susceptible, irritable, un rien fait « déborder le vase ».					
32. Je fais des erreurs dans mon travail.					
33. C'est plus fort que moi : je critique les autres.					

Symptôme	jamais	parfois	assez souvent	très souvent	tout le temps
	1 pt	2 pts	3 pts	4 pts	5 pts
34. Les autres me déçoivent, je ne recherche pas leur compagnie.					
35. Je souffre de palpitations cardiaques.					
36. Je mange trop et je grossis, ou je n'ai plus d'appétit et je maigris.					
37. Je pense souvent à la mort.					
Total par colonne :					
Total général :					

Votre total est compris entre 38 et 59 points :
Vous savez gérer les événements stressants qui surviennent dans votre vie. Vous fonctionnez bien sous pression. Félicitations !

Votre total est compris entre 60 et 89 points :
Vous êtes capable de faire face à la plupart des situations, mais profitez de ce questionnaire pour repérer vos fragilités.

Votre total est compris entre 90 et 114 points :
Vous êtes tendu(e), et cela vous empêche de vivre sereinement. Prenez conscience de ce qui vous stresse et cherchez comment changer cet état de choses. Vite…

Votre total est compris entre 115 et 139 points :
Votre vie est si stressante que vous en oubliez de vous occuper de vous-même. Ne soyez pas imprudent(e) : il faut opérer des changements dans votre existence avant que « ça casse » !

Votre total atteint ou dépasse les 140 points :
Vous prenez de grands risques à laisser les choses en l'état. De toute urgence prenez-vous en main ! Une psychothérapie peut vous apporter un précieux soutien, vous aider à mieux vous protéger !

3

Vous avez dit « psy-cho-so-ma-ti-que » ?

J'étais une petite fille silencieuse, qui faisait tout pour dissimuler ses pensées et ses sentiments... J'en avais honte !

À la maison, mon père s'enfermait dans un mutisme presque complet. Et ma mère se débattait désespérément contre sa cécité, que nous devions être les seuls à connaître.

Combien j'étais effrayée et bouleversée lorsqu'elle me répétait : « Sais-tu ce que c'est que de vivre dans un monde sans lumière ? Personne, non, personne ne peut m'aider ! »

J'aurais tout donné pour être celle qui l'aiderait, pour devenir une jeune fille capable de sacrifier sa vie entière afin de guider et de protéger sa mère aveugle. Longtemps, je me suis même demandé si partager son sort – devenir moi-même aveugle – ne soulagerait pas un peu sa misère. Car je me sentais coupable de n'être pas aussi malade qu'elle. Alors je fermais les yeux et, décidant de ne les ouvrir sous aucun prétexte, je me dirigeais à tâtons dans l'appartement... Mais après m'être cognée trois ou quatre fois, n'y tenant plus, je relevais mes paupières. Et aussitôt je me culpabilisais. « Tu n'es qu'une petite égoïste, incapable du moindre sacrifice. » J'avais la conviction d'être « foncièrement mauvaise ».

La preuve de mon égoïsme ? Au moment même où mes parents se préoccupaient de choses importantes comme la guerre d'Israël, ou la énième opération de ma mère, moi je me demandais si Ouzi allait oui ou non m'inviter à danser à la prochaine réunion des scouts ; je m'inquiétais de savoir si l'on remarquerait que j'avais chipé un morceau de gâteau au fromage, ou si l'on m'offrirait enfin une vraie culotte de fille, ornée d'un ruban de picot autour des cuisses. Toutes les élèves de ma classe portaient de jolis dessous achetés au magasin Kolbo, dans le centre de Jérusalem, alors que mes propres culottes étaient taillées dans les vieux caleçons de mon père… Les jours de visite médicale, quelles ruses je devais déployer pour passer et me déshabiller la dernière !

Et plus je rêvais de petits riens, plus je me sentais futile et sans valeur. Je ne serais jamais une fille bien ! Persuadée d'être affligée d'un défaut profond qu'il fallait à tout prix dissimuler, je ne laissais personne pénétrer dans mon cœur, et surtout pas mes parents.

Comme par hasard, bientôt un eczéma me « tomba dessus », couvrant mes avant-bras, mon cou, et résistant à tous les traitements. Pas de doute, je n'avais pas de chance et je n'en aurais jamais… D'ailleurs, comme si tout cela ne suffisait pas, vers les seize ans, je me mis à souffrir d'un rhume chronique qui se transforma bientôt en une sinusite terriblement douloureuse. Respirer dans la chaleur de l'été comme dans le froid de l'hiver devint pour moi une véritable torture.

« Réfléchissez avant de vous faire opérer de la sinusite ! »

On décida de m'opérer. Une date fut arrêtée, mais j'annulai tout la veille de l'intervention.

Quelques jours auparavant, à la devanture d'un libraire, j'étais tombée en arrêt devant un livre intitulé *Réfléchissez avant de vous faire opérer de la sinusite*, rédigé par le journaliste américain Kay Allbridge. Cet ouvrage, je l'avais aussitôt acheté et lu d'une traite. Il m'avait insufflé le courage d'affronter la fureur du Dr Zehavi et de mes parents.

Kay Allbridge y racontait comment, malgré deux opérations, son état ne s'était pas amélioré. Le journaliste s'était presque résigné à souffrir le restant de ses jours lorsqu'il avait appris que la sinusite était souvent d'origine psychosomatique. Cette découverte l'amena à prendre conscience de son « overdose » de stress, due à une séparation puis à un divorce difficiles. Et cela l'incita à résoudre au plus vite ses problèmes affectifs et conjugaux.

Quand ses souffrances émotionnelles eurent diminué et que sa vie eut gagné en sérénité, sa sinusite disparut pour ne plus jamais revenir. Et le journaliste d'écrire : « On ne peut pas soigner une sinusite sans se préoccuper de la souffrance psychologique de l'être. Autrement la maladie persistera, ou bien elle disparaîtra pour se transformer soit en eczéma tenace [en ce qui me concernait, j'étais servie : je souffrais des deux !], soit en asthme. »

Sur la lancée, et dès 1955, Allbridge posait le principe essentiel de la médecine dite « holistique » : « Le psychisme de l'être humain et son corps physique ne font qu'un. Il est inutile de soigner l'un sans soigner l'autre. »

En achetant ce livre puis en annulant mon opération, pour la première fois j'avais osé m'affirmer, refuser ce qu'on avait décidé pour moi. Mais il me faudrait encore de longues années pour comprendre le sens des maladies qui ont empoisonné ma jeunesse. Pour déchiffrer le message que mon eczéma, ma sinusite, puis ma boulimie et mes maux de ventre avaient essayé de me transmettre…

Aujourd'hui je sais ce qu'il en est : mon isolement affectif, la cécité de ma mère, les disputes familiales quotidiennes, la pression exercée sur moi afin que j'obtienne les meilleures notes au lycée et au conservatoire, les critiques blessantes à propos de mes rondeurs

– tout cela m'avait plongée dans une véritable misère psychique.

Mon stress s'accumulait, s'accumulait... sans que je puisse l'évacuer. Personne à qui parler. Personne devant qui pleurer, exprimer ma tristesse, mes colères et mes peurs. C'était dur de ne rien dire, car à l'intérieur de moi quelque chose refusait de se taire. Alors mon esprit criait sa souffrance à travers les maladies de mon corps, ainsi qu'il en va chez des dizaines et des dizaines de millions d'individus à travers le monde.

« Psy-cho-so-ma-ti-que » : un mot qui rend fou !

Souvent on s'entend dire : « Tout ça se passe dans ta tête, c'est psychosomatique... » Et cet adjectif vous met hors de vous : « Je ne suis pas fou, tout de même, mes brûlures d'estomac sont bien réelles, mon corps est vraiment malade ! » Ou encore : « Ne dites pas n'importe quoi. Si je fais vingt-cinq de tension, ça ne se passe pas dans ma tête mais dans mes artères... »

Nombreux sont ceux qui croient que les maladies surviennent par hasard, par la faute à « pas de chance », ou pour des raisons uniquement extérieures. Le rhume à répétition ? C'est à cause d'un virus ou du pollen... Les crises d'asthme ? C'est le mauvais temps, l'air pollué. Et ces gens-là de rester sourds aux signaux d'alarme destinés à les avertir du trop-plein de stress, de douleur émotionnelle, de découragement...

Certes, découvrir la raison profonde du mal n'est pas chose facile. Personne n'aime fouiller dans son inconscient, exhumer les douleurs passées et présentes. Alors, jour après jour, on encaisse en se disant : « Ça ne fait rien, ça va passer, ça ira mieux demain », plutôt que d'affronter la vérité. Le corps nous crie : « Fais attention à moi, ton alimentation m'empoisonne, tes soucis et ton passé m'étranglent ! » mais nous refusons de l'entendre et de le comprendre. Nous refusons d'écouter notre vérité émotionnelle. Et quand vient la maladie, effrayés, nous nous demandons naïvement : « Pourquoi moi ? Qu'ai-je fait pour mériter cela ? »

Pourtant, il n'est pas si compliqué de décoder le langage du corps. Ni d'établir un lien entre les soucis, les difficultés de la vie et les incidents de santé. Il suffit d'être attentif à soi-même et de se demander : « Mes aigreurs d'estomac ne sont-elles pas survenues après la nomination de mon nouveau chef de service ? Mes douleurs au genou ne sont-elles pas plus pénibles depuis la maladie de mon conjoint ? Et ces boutons de fièvre qui m'agacent, n'ont-ils pas tendance à faire leur apparition juste après une dispute ou une contrariété ? »

Malgré cela, la plupart d'entre nous préfèrent se voiler la face : « Mieux vaut ne pas trop en savoir... À quoi bon ? »

Rien ne sert de se mentir à soi-même

Les émotions nous font peur. Presque toujours nous les jugeons moins importantes que notre intellect. Fiers, nous pensons guider notre vie avec notre intelligence, ignorant que l'essentiel de nos décisions est dicté par notre moi émotionnel. Bien sûr, nous réfléchissons avec notre raison, mais ce sont les sentiments qui nous rendent heureux, malheureux, bien-portants ou même malades, n'en déplaise aux rationalistes...

Des exemples ? Ces ulcères, eczémas, migraines, hypertensions, diabètes, dépressions ou même cancers dont l'apparition accompagne ou suit bien souvent nos périodes de doute, de déception, de désillusion, voire de désespoir. Coïncidence, penseront les sceptiques. Allons donc ! Il n'y aurait pas de relation de cause à effet entre nos réactions physiques et notre état psychique ?

Pour nous convaincre de l'importance de notre partie émotionnelle, il suffit pourtant d'observer comment nos sentiments enfouis se révèlent au grand jour dans des réactions impossibles à contrôler par la logique. « Dès que je suis émue, mes mains deviennent moites et je me mets à trembler », affirmera l'une. « Quand je suis en colère et que j'ai envie de me montrer fort, ma voix me trahit, elle tremble et je bafouille », remarquera l'autre en écho. Et ainsi de suite : « La panique s'empare de moi quand je dois parler à mon banquier... J'ai beau me sermonner, je suffoque dans l'ascenseur... » « Même lorsque je tombe de sommeil, quand je me mets au lit l'angoisse m'empêche de dormir pendant des heures... »

Il est temps de comprendre qu'il est inutile de nous interdire de vivre au grand jour notre émotivité, nos griefs à l'égard d'un proche, nos craintes face à nos patrons, nos conflits familiaux, ou tout simplement nos désirs.

Tous ces sentiments, « interdits de séjour » dans notre conscience, font entendre leur voix par un autre biais : ils « parlent » sous forme de maladie. Ils somatisent sur nos nerfs, estomac, peau ou cœur...

Émotions et immunités : une intime relation

Comment nos émotions peuvent-elles avoir une telle force, un tel impact sur notre santé ? Il faut bien se souvenir que, conscientes ou non, elles suscitent dans l'organisme une sécrétion hormonale. Autrement dit, nos glandes répondent sur-le-champ à chacune de nos émotions.

Un exemple. Votre petite fille court vers vous en criant : « Papa, papa... » Vous la prenez dans vos bras et sa tête vient se glisser dans le creux de votre cou. Vous fondez et, tandis que vous serrez cet adorable « bout de chou » contre votre cœur, un formidable sentiment d'amour vous inonde. Grâce à lui, vous vous sentez mieux. Plus fort. Et vous oubliez pour un instant les factures en retard, les problèmes conjugaux, etc.

Physiologiquement, voici ce qui se passe en vous…
Ce sentiment d'amour suscite immédiatement son « écho » glandulaire : vos glandes se mettent à sécréter les « hormones du calme et du bien-être », les endorphines, catécholamines et anandamides. Elles se répandent dans le sang et rencontrent les globules blancs de vos défenses immunitaires, à qui elles transmettent le message suivant : « Tout va bien. Défendez l'organisme au mieux. La vie est belle… » Et de fait, dynamisé, votre système immunitaire se met à vous défendre efficacement !

Malheureusement, l'inverse est tout aussi vrai. Votre chef de service vous fait des reproches alors que des rumeurs de licenciement circulent dans la maison ? Pour ne pas laisser paraître votre désarroi, vous affichez un visage impassible. Mais à l'intérieur de vous, c'est le branle-bas de combat ! Vous ne pouvez vous empêcher de faire les pires suppositions : « Si mon chef ne m'apprécie pas beaucoup, je risque de faire partie de la première charrette… Et alors, comment pourrai-je payer la voiture, l'appartement ? »
À cause de ce fort sentiment d'angoisse ou de colère qui vous étreint, vous vous sentez mal, dévalorisé(e), et aussitôt d'anciennes émotions tapies au plus profond de vous remontent à la surface : « Je n'ai pas de chance… Ça tombe toujours sur moi… Je suis nul(le)… »

Cette fois, sur le plan physiologique, le scénario est le suivant…
Ces sentiments négatifs, présents et passés, suscitent leur « écho » glandulaire : vos glandes se mettent à sécréter les « hormones du stress » (adrénaline, nora-

drénaline, ACTH, corticoïdes...). Faute d'être éliminées par une activité physique ou une « expression » quotidienne, ces hormones diminuent la quantité et l'efficacité de vos défenses immunitaires. Comme si elles leur transmettaient ce message : « Tout va mal ! Ce n'est même plus la peine de lutter ! »

Bien entendu, le message n'est pas de nature verbale mais chimique... Il n'en reste pas moins que, en pareil cas, vos globules blancs sont déprimés, vous défendent mal ou pas du tout, et qu'à la longue votre santé se détraque.

Quand le passé gouverne le présent

Mais le stress d'aujourd'hui n'est pas le seul à nous torturer. Souvent il prend racine sur les peines d'antan. Ainsi, à notre insu, c'est le passé qui dirige notre vie présente.

Car nous « encaissons » depuis longtemps ! Pour le comprendre, allons voir un peu du côté de notre enfance... Le caractère ou le physique d'un enfant ne correspondent pas toujours au rêve de ses parents. D'où déceptions, incompréhensions, manque d'affection.

Puis, parfois, il y a les drames de la vie – deuils, séparations, maladies – qui rendent le père ou la mère distants, trop autoritaires ou moins attentifs.

Et même avec les meilleurs parents du monde, l'enfant peut connaître des moments de révolte et de tristesse, souffrir terriblement d'événements ou de punitions qu'il considère comme injustes. Quand les brimades pleuvent, il se met à douter de sa valeur.

Car, ne l'oublions jamais, quelles que soient ses conditions de vie, un enfant aime et admire ses parents. Il ne remet pas en cause leur jugement et il veut être aimé d'eux ! Donc il préfère oublier ses rancœurs, refouler ses doutes et ses désirs de rébellion. Il « encaisse » ...

Or que fait-il des colères, des tristesses ou des larmes qu'il a retenues ? Des angoisses qu'il n'a pas exprimées ? Il peut les canaliser de trois manières différentes.

- En devenant « méchant », désobéissant.
- En se vengeant sur le chat, le chien, la sœur, le frère, les petits camarades, ou encore les jouets...
- En retournant sa colère contre lui et en faisant des rhumes et otites à répétition, des allergies diverses, des crises d'asthme, de la boulimie, de l'anorexie, voire des maladies plus graves encore.

Dans tous les cas de figure, et tant qu'il n'a pas réussi à exprimer, à « cracher » ses peines passées, à l'âge adulte son inconscient continue à en être encombré.

Notre mémoire émotionnelle n'oublie rien !

Il ne s'agit pas d'accabler nos parents ni de leur faire porter tout le poids de nos malheurs actuels. Aujourd'hui nous sommes adultes et responsables de notre vie. Ce qui compte, c'est de bien comprendre le mécanisme de la somatisation. De saisir que même si notre intellect prétend effacer du champ de la conscience les déceptions et les émotions blessées, il n'en va pas de même avec notre mémoire émotionnelle.

Celle-ci conserve à jamais le souvenir de toutes nos souffrances non exprimées. Affirmer « des conflits émotionnels, moi ? jamais ! », c'est donc peine perdue ; un petit rien suffira à nous déstabiliser.

« Chaque fois que je me trouve devant un gendarme ou l'inspecteur des impôts, je suis mal à l'aise... Je perds mes moyens, je me sens gauche et incapable... » N'est-ce pas là l'écho du douloureux sentiment qu'éprouvait un enfant devant un père trop autoritaire ?

« On me dit soupe au lait, c'est vrai. Il suffit que j'entende la réflexion désobligeante d'un collègue ou d'une amie pour frémir de colère. » Une réaction d'autant plus violente qu'elle nous rappelle certaines réflexions blessantes entendues autrefois : « Tu n'es bon(ne) à rien, tu es stupide… »

Inscrivez donc en lettres d'or : les émotions « oubliées » ne le sont pas vraiment, qu'elles datent d'hier ou d'aujourd'hui. Il est important de le savoir, pour comprendre qu'il ne sert à rien d'étouffer la colère due à la trahison d'un ami, de ne pas pleurer suffisamment la disparition d'un être cher ou la perte d'un emploi. Se priver d'être proche, de s'embrasser, de sauter de joie ou de trembler de peur n'empêche pas les glandes de « ressentir » chacune des émotions et de sécréter sur-le-champ les hormones correspondantes.

Toutes les émotions que l'on ressent sont importantes. Pourvu qu'on sache les écouter, les interpréter et les vivre. Éviter d'exprimer les sentiments les plus douloureux sabote notre système immunitaire. Cela ne signifie pas que nous devions nous complaire dans nos conflits, ni toujours pleurer et geindre. Cela implique de ne pas laisser s'accumuler le stress de la douleur. Cela ne veut pas dire rejeter la responsabilité de nos échecs présents sur nos difficultés d'antan, mais nous débarrasser une bonne fois de nos souffrances passées en les mettant au jour et en les exprimant.

Nous verrons de quelle façon dans la cinquième partie. Mais avant de nous lancer dans cette thérapeutique, voyons comment le stress émotionnel non évacué décime notre « armée immunitaire » et nous fait prêter le flanc à la maladie.

4

L'histoire palpitante de nos immunités

Des millions de lecteurs et de spectateurs se passionnent pour les récits exotiques et les intrigues lointaines, sans se rendre compte que la plus grande aventure qui soit a pour théâtre leur propre organisme. Il s'agit de la guerre silencieuse et sans merci que livrent les « petits soldats » de nos immunités aux « méchants envahisseurs » que sont les virus et les microbes. De l'issue de cet affrontement impitoyable dépend la santé de l'individu. Si les « soldats de la paix » l'emportent, le corps vit à l'abri de la maladie. Si les « fauteurs de troubles » prennent le dessus, l'intégrité physique et la vie même se trouvent menacées.

Pourquoi les défenses immunitaires des uns sont-elles infranchissables alors que chez d'autres elles capitulent dès la première escarmouche ? Pourquoi, lors des épidémies, certains tombent-ils « comme des mouches » alors que d'autres résistent sans broncher ?

C'est que la gravité d'une maladie ne dépend pas uniquement de la virulence des microbes ou des virus ; elle dépend aussi et surtout de la vigueur de nos défenses immunitaires.

À cet égard, il est utile de rappeler à quel point les émotions et leurs hormones agissent sur nos immunités.

– Le plaisir, la confiance en soi, la tolérance, l'amour, la sérénité, la paix, l'espoir, etc., améliorent l'activité immunitaire en accélérant la production des « hormones du calme et du bien-être » (les endorphines, catécholamines et anandamides).

– L'angoisse, l'amertume, la frustration, la jalousie, la colère non exprimée, la rage, la haine, etc., dépriment les immunités en augmentant la production des « hormones du désespoir » (adrénaline, noradrénaline, cortisol, ACTH...).

Dans ce dernier cas, chaque germe, virus ou cellule cancéreuse que l'organisme aurait normalement combattu sans peine se transforme en un vrai danger !

L'armée des globules blancs

Dès notre naissance, la nature nous a dotés d'un système immunitaire très performant. Son rôle : protéger l'organisme des dangers internes (cellules cancéreuses entre autres...) comme des risques externes (microbes, virus et toxines responsables de diverses infections et maladies).

Les « petits soldats » de nos défenses immunitaires sont les globules blancs (les leucocytes). Notre corps est parsemé de « casernes pouponnières » et de « camps d'entraînement leucocytaires » qui les forment à devenir de redoutables combattants. Ces casernes et ces camps se trouvent dans la moelle des os longs, le thymus, les ganglions lymphatiques, la rate, les amygdales (dont il faut éviter l'ablation car elles sont de véritables remparts contre l'invasion microbienne), le tube digestif et le foie.

Mais au fait, qu'est-ce qu'un globule blanc ? Une merveille de la nature microscopique. Sa mission : être partout, surveiller le territoire organique dans ses moindres recoins et le débarrasser de tout poison, microbe ou substance ennemie. Son corps, mobile, semblable à un mini-ballon en caoutchouc, peut se déformer souplement. Cela lui permet d'accomplir des prouesses.

Par exemple, imaginons notre globule blanc nageant tranquillement à l'intérieur d'un vaisseau capillaire. Soudain une attaque microbienne se déclare. Pas de panique, l'organisme a tout prévu. Le globule reçoit aussitôt un message, tel un « bip-bip », qui l'avertit du lieu de l'agression. Et la machine de guerre se met en marche. Tout d'abord le sang véhicule notre petit soldat jusqu'à la zone menacée. Mais pour sortir du capillaire, il lui faut traverser sa paroi ; deux cellules de cette dernière s'écartent alors gentiment, laissent le globule se faufiler (d'autant plus facilement qu'il peut se déformer pour mieux passer) puis se referment derrière lui (diapédèse). Et voilà notre globule sur le champ de bataille, se jetant à corps perdu dans la mêlée !

Cela dit, les formes multiples de combat que livrent les globules blancs dans l'organisme nécessitent la présence de différentes sortes de soldats. Le système immunitaire ne nous a pas encore livré tous ses secrets, mais nous savons qu'il existe plusieurs catégories de « cellules guerrières » : les lymphocytes, les monocytes (macrophages), les granulocytes ou polynucléaires... Ces « commandos de choc » mènent principalement deux types d'action : une lutte au corps à corps pour étrangler l'adversaire ou une guerre chimique pour l'empoisonner !

Et les globules blancs ne manquent pas de ressources ni de stratégie ! Qui dit terrain hostile dit aussi difficultés d'approvisionnement. Tout comme un soldat coupé de sa base, le globule blanc pourvoit lui-même à ses besoins et fabrique tout seul ses armes, en l'occurrence les enzymes et protéines. Quant à sa tactique de guerre préférée, elle consiste à se coller à la membrane d'une bactérie ennemie, à l'enlacer puis à la dévorer (la phagocytose). Et grâce à ses enzymes, il la digère rapidement !

Quelques autres « secrets défense »

Pour sauvegarder l'intégrité et la santé de son territoire, l'organisme ne se contente pas de dépêcher sur le front des troupes de choc particulièrement aguerries et efficaces dans le corps à corps. Sa stratégie est à la fois plus subtile et plus sophistiquée. Jugez-en…

• Lors d'une attaque bactérienne, les macrophages (l'une des catégories de globules blancs) cernent les bactéries et les digèrent. Mais, ô merveille, tout en les digérant ils « impriment » l'identité de l'ennemi à la surface de leur propre membrane. Mieux encore, ils transmettent cette « fiche signalétique de l'assaillant » à d'autres globules blancs. Lesquels fabriquent alors à tour de bras des anticorps capables de liquider l'ennemi !

• D'une manière similaire, les anticorps (les « bons ») s'attachent aux antigènes (les « méchants ») et les détruisent avant qu'ils aient pu dire « ouf ». Mais ces anticorps gardent eux aussi en mémoire le signalement des antigènes rencontrés. Résultat : si ces derniers s'aventurent de nouveau dans l'organisme, les anticorps les neutralisent encore plus rapidement que la première fois (d'où le principe de la vaccination).

• Autre catégorie de cellules guerrières : les « tueuses naturelles » (NK : *natural killers*). Elles ont pour mission, entre autres, de détruire les cellules cancéreuses.

• L'organisme déteste le désordre et la saleté. Le combat terminé, les macrophages – semblables à de bons éboueurs – nettoient à fond le champ de bataille en avalant les débris des bactéries, des anticorps et autres cellules mortes...

• Incroyable mais vrai, le corps a même ses « cellules casques bleus ». Car il ne faut pas oublier que ces combats coûtent cher à l'organisme ! Donc, dès que l'ennemi a battu en retraite, le cerveau envoie des messages de paix et nos cellules casques bleus ordonnent le cessez-le-feu !

• Autre moyen de défense : la fièvre. En élevant sa température, le corps décime les virus qui ne résistent pas à la chaleur. D'autre part la température accroît la transpiration, la respiration, le rythme cardiaque et la vitesse de la circulation sanguine, contribuant ainsi au nettoyage organique. Dès lors, attention : en « coupant » la fièvre, nous l'empêchons de faire son travail !

• Ajoutons que l'organisme ne fait donner la troupe que lorsque les germes ou microbes réussissent à traverser la première ligne de défense, ces « postes frontières » que sont le pH acide de la peau, les mucus nasaux et les cils vibratoires, la salive, l'acide gastrique, l'iode naissant (de la thyroïde) et bien d'autres substances conçues dans ce but protecteur.

Le succès de toutes ces stratégies repose évidemment sur la vigueur, la souplesse, la vitesse d'intervention et le nombre des leucocytes. Bien entendu, jeune et svelte, un globule blanc se faufilera mieux entre les cellules du vaisseau capillaire qu'un vieux globule bedonnant ! Mais aussi, son passage sera grandement facilité par l'élasticité du capillaire : une paroi lisse et propre lui ouvrira facilement la voie. En revanche, un vaisseau encrassé et durci par le cholestérol et autres lipides nuisibles risque de lui barrer la route. Ainsi l'artériosclérose (encrassement de la paroi des vaisseaux sanguins) empêche les globules blancs de faire leur travail correctement et met la santé de l'individu en péril.

Mais n'oublions pas que l'efficacité de notre système de défense dépend aussi des sécrétions hormonales qui stimulent ou freinent nos immunités selon que notre humeur est joyeuse ou dépressive. De fait, les conflits affectifs qui traînent en longueur provoquent souvent une chute du nombre des globules blancs dans le sang et entravent leur efficacité. Quant au thymus, glande essentielle à la défense immunitaire, il diminue de volume et dysfonctionne chez des personnes soumises à un grand stress...

La conclusion s'impose : un cœur plein de confiance et d'espoir et un corps alimenté sainement – sans excès ni carence –, qui élimine ses déchets quotidiennement, sont capables d'entretenir une armée immunitaire performante. Mais dans le cas contraire, hélas, c'est l'invasion ennemie, la maladie, voire pire...

Mais comment faire en sorte que le « moral » soit au rendez-vous et vienne galvaniser les troupes hormonales et immunitaires ?

5

Plaisir, hormones de bien-être et immunités

Un frisson de joie qui parcourt la colonne vertébrale ? Un moment de bien-être total, voire d'euphorie qui illumine l'existence ? La sensation de « planer » qui accompagne une bonne course à pied ? Soyez-en sûr, les endorphines, catécholamines et anandamides[1] sont à l'œuvre. Ces substances euphorisantes ont pour rôle, aussi, de soulager la douleur et d'apaiser la tension. Et c'est le cerveau lui-même qui les produit. Sécrétions opiacées, ces neuromédiateurs ou « hormones de bien-être » sont infiniment plus puissants que les narcotiques. Mais sans entraîner d'accoutumance, bien sûr !

On suppose que les personnes capables de faire face aux épreuves sans fléchir bénéficient tout naturellement d'une sécrétion importante d'endorphines et catécholamines. Mais il y a fort à parier que bientôt nous découvrirons d'autres hormones analogues. D'ores et déjà l'acupuncture chinoise, riche d'une tradition millénaire, sait stimuler les points favorisant une production spontanée de ces messagers hormonaux.

Mon amie Monique et moi suivions un cycle de formation en psycho-neuro-immunologie, terme compliqué désignant une science qui démontre le lien entre les

1. Un neuromédiateur dit « de bien-être », découvert récemment par une équipe de chercheurs de l'INSERM.

émotions, les hormones et le système immunitaire. Ce cycle touchait à sa fin et il était justement question de l'action bénéfique des endorphines et catécholamines lorsque Monique me confia :

– Ma vie n'est vraiment faite que d'injustices. Je rêvais d'être grande et fine, je suis petite et ronde. Je me serais damnée pour une longue chevelure blonde alors que mes cheveux sont courts et bruns. Mais à présent, je sais exactement pourquoi je déprime tout le temps : mes parents ne m'ont pas donné des endorphines en quantité suffisante...

– Mais maintenant, lui ai-je répondu, tu sais comment les fabriquer !

– Comment ça ?

– Eh bien oui : pense aux déserts du Moyen-Orient qui nourrissaient à peine leurs rares habitants. Aujourd'hui, ces déserts sont devenus les régions les plus riches du monde. Il a fallu prospecter, forer et forer encore pour découvrir cet or noir qu'est le pétrole. C'est la même chose pour les êtres humains : cherche en toi les moyens d'inciter ton cerveau à produire des endorphines et tu seras joyeuse et dynamique !

L'incroyable guérison de Norman Cousins

J'ai déjà raconté cette étonnante guérison dans un précédent ouvrage. Si j'y reviens ici, c'est qu'elle illustre parfaitement l'une des plus sûres méthodes qui soient pour stimuler la production d'endorphines.

Norman Cousins, rédacteur en chef du journal *Saturday Review*, aux États-Unis, se trouvait atteint d'une affection assez rare appelée spondylarthrite ankylosante ; une maladie qui raidit le tronc en calcifiant les ligaments des articulations vertébrales, puis aboutit à une paralysie accompagnée d'atroces douleurs.

Norman Cousins consulta plusieurs spécialistes. Presque tous s'accordèrent sur le diagnostic de la maladie en phase terminale...

Pourtant, sans se laisser abattre, Cousins décida de lutter. Et tout d'abord, il chercha à connaître l'origine de son mal. Se souvenant qu'avant et pendant l'apparition des premiers symptômes il avait vécu une situation extrêmement stressante, il se demanda si ce profond sentiment de découragement et de dépression pouvait être le facteur déclenchant de sa maladie. Excellente question grâce à laquelle il comprit le rôle dévastateur que jouent les hormones du stress parmi nos défenses immunitaires.

Cette découverte fut la pierre angulaire de sa résurrection. Elle le conduisit à tenir le raisonnement suivant : si le désespoir est capable de tuer, la joie de vivre et le rire peuvent renforcer les immunités, donc aider à guérir. Norman Cousins décida alors de changer d'hygiène de vie, de régime alimentaire, mais surtout d'utiliser consciemment la « thérapie du rire ». Son médecin traitant n'approuva pas entièrement, mais Cousins passa outre.

Mais comment rire quand le seul fait d'ouvrir la mâchoire vous fait mal à pleurer ? Qu'importe, Cousins se mit à dévorer des livres d'histoires drôles, il visionna un nombre incalculable de films comiques et de dessins animés humoristiques. Il s'encouragea à rire à chaque gag. Mieux, il ne se contenta pas de sourire ou de glousser : à force de volonté il put rire à gorge déployée, rire de tout son corps !

Peu à peu, il parvint à rire plusieurs minutes, plusieurs fois par jour. Ces « tranches de rire » anesthésièrent ses souffrances au point qu'il put désormais trouver une ou deux heures d'affilée de sommeil paisible. Avant sa « cure », la douleur le torturait sans lui laisser un instant de répit. Et cela malgré l'absorption massive d'un puissant narcotique !

Mais comment le rire pouvait-il calmer de telles souffrances, là où un dérivé d'opium n'y était jamais parvenu ? *That was the question...*

Or nous savons à présent que l'hilarité est l'une des meilleures techniques pour déclencher la production d'endorphines, ces substances naturelles, calmantes et anesthésiantes. De nombreux témoignages et études attestent d'ailleurs le potentiel de guérison inhérent au rire : un optimisme plein d'humour constitue la démarche la plus efficace pour sortir de la dépression et de la maladie.

La meilleure preuve en est que Norman Cousins a pu guérir complètement et enseigner à un public sans cesse croissant les règles de la « thérapie du rire ». Un entraînement quotidien à l'hilarité, qui s'accompagne bien sûr d'une alimentation saine, de la pratique régulière d'une activité physique et du respect de notre temps de sommeil. Toutes ces « cures » doivent être menées de front : on n'élimine pas d'un côté pour s'encrasser de l'autre.

Seulement, à part l'« hilarothérapie », où trouver la joie qui viendrait à bout de nos faiblesses immunitaires ? L'histoire de Norman Cousins reste exceptionnelle et très « américaine ». Les Latins sont moins pragmatiques, plus épris d'absolu. Je me souviens d'une amie atteinte d'un mal de dos chronique, de brûlures d'estomac et de colites à répétition, à qui son médecin, las de la voir consulter sans cesse, dit un jour :

– Je vous fais une ordonnance, mais, de vous à moi, j'ai envie d'y inscrire simplement : « Soyez heureuse ! »

Mon amie sortit du cabinet folle de rage.

– Soyez heureuse ! Il en a de bonnes ! Et comment faire quand on est seule, en proie aux difficultés d'argent, en bisbille avec sa famille ? Ce type est malade !

Eh bien non : ce « type » était un sage...

Le bonheur et la santé jaillissent de l'intérieur

Tous, légitimement, nous poursuivons un rêve de bonheur. Mais nombreux sont ceux (j'en étais) qui courent après les honneurs et l'acquisition de biens matériels. D'autres croient que pour connaître ce bonheur il suffit d'avoir un bon diplôme, un compte en banque bien garni ou quelques kilos en moins…

Cette notion de bonheur « externe » vient de ce qu'à l'époque où nous étions enfants nous dépendions de nos parents pour la satisfaction de nos besoins les plus essentiels. L'amour, la sécurité, la nourriture, la chaleur, etc., tout nous venait d'eux, c'est-à-dire des êtres proches, certes, mais quand même de l'« extérieur ». Dès lors, à l'âge adulte, il est tentant de continuer à croire que notre bonheur ou notre malheur ne peuvent provenir que du dehors. Tentant de croire que la richesse matérielle seule peut nous octroyer le bien-être, que l'amour fou d'un homme (ou d'une femme) peut seul combler nos besoins affectifs, ou que la réussite de nos enfants saura enfin satisfaire nos ambitions déçues.

Je sais aujourd'hui que ce bonheur « extérieur » est bien trop fragile et illusoire. En revanche, le vrai bonheur, celui que vantent les sages, les prophètes et les philosophes, existe bel et bien. Lui n'est pas si vulnérable que l'autre. Il est même très solide : c'est le bonheur qu'on trouve en dedans, au plus profond de soi.

Nous avons maintenant l'irréfutable preuve que nos humeurs joyeuses ou dépressives s'accompagnent de sécrétions hormonales « intérieures ». Nous pouvons donc comprendre pourquoi les vicissitudes de l'existence ne peuvent nous atteindre si la joie et l'espoir nous protègent du dedans (grâce à la présence d'endorphines). Et inversement, pourquoi la chance et l'abondance ne peuvent nous combler si des chagrins étouffent notre cœur (à cause de la présence d'hormones stressantes).

Comment expliquer sinon que des personnalités aussi riches, célèbres et talentueuses qu'Ernest Hemingway, Marilyn Monroe, Dalida ou Patrick Dewaere se soient donné la mort ? N'est-ce pas la preuve que l'apparence du bonheur et de la réussite sociale n'empêche pas l'individu d'être terriblement malheureux au-dedans de lui ?

Apprenez à vous « faire plaisir » !

Pour trouver le plaisir « en dedans », la première règle est : oublier pour un moment le cerveau pensant, la raison toute-puissante. Il faut vivre nos sensations, celles-là mêmes qui transitent par nos cinq sens.

Or des millions de personnes éteignent leurs émotions et vivent « à l'ombre de leur vie ». Parfois à travers l'existence des autres, par conformisme ou sacrifice, ou encore en s'affalant devant leur poste de télévision pour y souffrir encore un peu plus des drames de l'actualité. Ces comportements ne sont pas à même de déclencher la moindre production d'endorphines ni le plaisir qu'elles suscitent. Seuls des événements heureux et personnellement ressentis peuvent agir sur notre bonne sécrétion glandulaire. Seuls nos propres frissons de plaisir, seule une joie individuelle peuvent mettre en route notre « usine » hormonale !

Réfléchissez un instant. À quel moment êtes-vous transporté par vos émotions ? Dans quelles circonstances êtes-vous ému, joyeux, comblé par une expression émotionnelle sincère ? En tenant tendrement un enfant dans vos bras ? En vous serrant dans ceux de l'être aimé ? Au bord de la mer, en vous prélassant toute nue au soleil ? En écoutant votre musique préférée ou en achevant un travail ardu ?

À vous de découvrir ce qui vous procure un vrai plaisir. Quel sens stimulé vous fait vibrer le plus intensément, donc agit sur vos glandes. Car une chose est sûre : à chaque frisson de plaisir, les endorphines sont présentes !

Des recettes de bonheur pour une meilleure immunité

• Riez, riez, riez

Faites comme Norman Cousins ; même déprimé, malade et sans courage, visionnez des cassettes, lisez des livres, fréquentez des amis drôles... Au départ, vous n'aurez probablement pas envie de rire. Insistez quand même, et à votre corps défendant renouvelez cette expérience plusieurs fois par jour. Continuez pendant des semaines, voire des mois. Si une spondylarthrite ankylosante a pu être guérie par cette thérapie, pourquoi votre mal-être y résisterait-il ?

• Pratiquez le pardon

On oublie souvent qu'il fait d'abord du bien à celui qui pardonne. Le ressentiment et la rancœur engendrent inévitablement la sécrétion des « hormones du stress » (cortisol, adrénaline, ACTH, etc.) qui, à la longue, se transforment en véritables poisons pour l'organisme. De son côté, le pardon stimule la production des hormones du calme et du bien-être, lesquelles renforcent les immunités. (Nous reviendrons sur ce point important dans la sixième partie.)

• Faites du sport

L'activité physique vous permet d'une part d'évacuer les hormones du stress ; d'autre part elle favorise la production d'endorphines et d'anandamides. Même si vous n'êtes pas un sportif dans l'âme et si votre corps a perdu l'habitude de l'exercice, il faut vous y astreindre. Allez-y doucement, à votre rythme, mais faites-le dès aujourd'hui ! Même handicapé ou très malade, une activité minimale est toujours possible. Pour cela il y a des exercices respiratoires, la gymnastique des mains, des épaules, du cou, du visage, etc.

• Changez pour le plaisir de changer

Ne vous « encroûtez » pas ! Les hormones « aiment » les changements. Déplacez vos fauteuils, collez du papier peint, ajoutez de la couleur à la maison, à vos vêtements. Changez de coiffure, d'itinéraire pour vous rendre au travail... Si vous êtes timide, « jouez » à être plein d'assurance. Osez faire des choses inhabituelles, et sans vous culpabiliser. Partez à la découverte de musiques, de paysages, de livres ou de films qui vous feront rêver... En faisant fi de la monotonie, vous « rechargerez les batteries » de vos glandes endocrines.

• Réalisez certains projets

Autorisez-vous enfin à mener à bien quelque chose qui vous tient à cœur. Ne vous contentez pas de « caresser » vos projets : organisez-vous pour y consacrer chaque jour un minimum de temps. L'acte créateur améliore l'estime de soi et la biochimie du cerveau.

• Vivez avec vos cinq sens

Êtes-vous plus sensible au toucher, à la vue, au goût, à l'odorat ou à l'ouïe ? Faites-vous plaisir en flattant ce qui « répond » le mieux en vous, mais exercez aussi vos autres organes sensitifs. Affinez encore et encore vos perceptions sensorielles pour vivre heureux.

• Le goût : ne vous trompez pas de plaisir !

Beaucoup de personnes souffrent d'un sentiment de « vide intérieur », voire de dépression. Cherchant un réconfort illusoire ailleurs qu'en elles-mêmes, elles deviennent dépendantes du café, du tabac, de l'alcool, des sucreries, des médicaments ou autres drogues plus dures... Certes cela peut procurer du plaisir ou de l'apaisement, mais ces abus coûtent trop cher à l'organisme. Nous avons tous besoin de stimulants, mais pourquoi chercher à satisfaire ce besoin légitime avec des substances toxiques alors que les hormones créées par notre propre cerveau valent bien mieux que toutes les drogues du monde ? Elles seules sont capables de nous procurer une exaltation naturelle, un sentiment de plénitude fait de joie, de paix, de sérénité et d'amour ! Et un plat naturel, bien présenté, aromatisé, peut contribuer bien plus à la fabrication de ces hormones que la caféine ou les eaux-de-vie rares.

• L'odorat

Le parfum de l'être cher, l'odeur de l'herbe fraîchement coupée, les effluves d'une nuit d'été, les senteurs d'un sous-bois après la pluie, l'arôme puissant d'un buisson de jasmin s'épanouissant dans le soir... Ces fragrances évocatrices, aspirons-les à pleins poumons : elles déclenchent l'action de nos endorphines et accroissent notre sensation de bien-être.

• Bains, douches et massages

La douceur des bains moussants, la tonicité d'une douche puissante sont connues pour leurs propriétés relaxantes et le plaisir qu'elles procurent. Rappelez-vous : chaque fois que nous goûtons un véritable plaisir, les endorphines sont présentes... Ne nous en privons pas. Et sachez que le massage a des vertus « affectives » qui rassurent et apportent le bien-être.

• L'ouïe

Ouvrez grande votre fenêtre et tendez l'oreille : au-delà du bruit de la ville, de la circulation, n'y a-t-il pas un oiseau qui fait entendre son chant ? Avec un peu de chance, peut-être même le vent transporte-t-il jusqu'à vous la sonnerie d'une cloche ou quelques notes de Chopin jouées sur un piano lointain. Savourez ce bonheur...

Lors de mes concerts, plus je chantais, plus je sentais l'euphorie me gagner. D'ailleurs, au cours de l'Histoire, certaines chansons ont eu le pouvoir de galvaniser des soldats, des rebelles, des résistants, des déportés. Les chercheurs pensent que les vibrations harmoniques de certaines mélodies sont capables d'élever la quantité d'endorphines et de catécholamines dans le sang. Moi, je le sais par expérience : ma musique préférée est le jazz interprété par les saxophonistes John Coltrane et Ben Webster. Leurs phrases musicales jaillissent et s'élancent vers le ciel comme des volutes sonores nuancées à l'infini. En les écoutant, je m'enveloppe de ce doux frisson de plaisir qui va réveiller mes hormones de bonheur !

• La relation à soi

Vous vous sentez seul ? Abandonné, incompris ? Mieux que personne, vous êtes capable de vous donner du courage ! Soyez tendre et indulgent avec vous-même ! Aimez-vous dans les moments de bonheur comme dans les moments de malheur, et le bon fonctionnement immunitaire suivra.

• L'expérience spirituelle

L'expérience spirituelle a un tel pouvoir guérisseur qu'elle peut opérer des miracles. C'est d'ailleurs l'explication toute scientifique des miracles au sens religieux du terme : une totale confiance en la miséricorde de

Dieu, une foi empreinte d'optimisme peuvent préluder à une guérison physique !

Mais vous pouvez opter aussi bien pour une spiritualité « laïque » : se hisser au-dessus de ses intérêts personnels, s'ouvrir aux autres et aux valeurs humaines éternelles, cela renforce le système immunitaire, qui est alors à même de combattre puissamment les somatisations.

TROISIÈME PARTIE

Quand le cœur souffre, le corps trinque

Malheureux ceux dont le cœur
ne sait pas aimer
Et qui n'ont point connu la
douceur de pleurer !

VOLTAIRE

Le bon sens populaire ne se trompe pas d'expression. « J'en suis malade », disons-nous quand un problème nous bouleverse. Et le fait est que si l'on ne s'attaque pas au problème on finit par tomber malade, parfois gravement. C'est pourquoi il n'est pas inutile, dans un premier temps, de comprendre le mécanisme de la « somatisation » – la façon dont le corps se met à « parler » quand le cœur souffre trop. Afin d'en éviter les pièges, apprenez à connaître votre façon physique de réagir aux tracas, démontez les mécanismes de la dépression, passagère ou latente, bref, soignez votre esprit et votre affectivité avant qu'ils ne provoquent des dégâts corporels. Et ne négligez aucune technique susceptible de « ramener à leur juste mesure » les soucis, terreurs ou déboires qui vous hantent : votre bonheur comme votre santé sont à ce prix.

1

Somatisation, mode d'emploi

Cela faisait un bon moment que j'arpentais le couloir de cet hôpital où, la veille, mon amie Jacqueline avait été transportée pour une tentative de suicide.

Enfin le médecin vint me voir. Elle était sauvée, m'annonça-t-il. Puis il m'autorisa à pénétrer dans sa chambre. J'entrai sur la pointe des pieds. Très pâle, mon amie dormait.

Jacqueline travaillait depuis quinze ans dans une grande entreprise. Intelligente et efficace, elle avait grimpé les échelons jusqu'à accéder au poste de secrétaire de direction. Un jour, son entreprise fusionna avec une autre. Et peu après – malgré la promesse formelle qui lui avait été faite – elle fut licenciée sans ménagement.

Cette mise à pied doublée d'une trahison lui avait été insupportable. Insupportable au point qu'elle avait voulu mettre fin à ses jours.

Sauvée in extremis, elle refusa pourtant d'en parler. De s'épancher. Elle se mura dans le silence.

Résultat : trois mois après, une partie de ses cheveux tombaient. Sur son cuir chevelu, des plaques rouges et brillantes, recouvertes de squames sèches et nacrées, avaient fait leur apparition… Une maladie qui porte le nom de psoriasis.

– Je suis maintenant une lépreuse, me dit Jacqueline après s'être vu refuser deux bonnes places en raison de son affection cutanée. Une lépreuse mise au ban de la société.

Voyant sa tête enturbannée et son visage émacié, je posai une main sur son épaule et lui demandai :

– Ne veux-tu pas que l'on parle de ton licenciement ?

– Il n'y a plus rien à dire là-dessus, me répondit-elle d'un air exaspéré. « Ils » m'ont trahie et je ne veux plus en entendre parler.

– Soit, comme tu voudras, lui concédai-je.

Mais pour reprendre tout aussitôt :

– Pourtant, laisse-moi te dire ceci : moins tu exprimeras ton chagrin avec des mots, et plus ton psoriasis « parlera » à ta place. Tu ne vois donc pas que la maladie dévoile une blessure émotionnelle plus profonde ? Autrement, pourquoi cette « trahison » te ferait-elle tant souffrir ? N'y a-t-il pas derrière, plus loin dans ta vie, une autre blessure plus ancienne, une émotion enfouie ? Je ne sais pas, mais… Lorsque tu étais petite, quelqu'un ne t'a-t-il pas trahie, abandonnée ? Il faut absolument que tu trouves la réponse, que tu t'occupes vraiment de toi !

Jacqueline rétorqua du tac au tac :

– Mais je n'arrête pas de m'occuper de moi ! Je n'ai que ça à faire ! Je vois tous les médecins, j'essaie tous les traitements !

– Il ne s'agit pas de ça. Cette aide est bien sûr nécessaire, mais elle n'est qu'extérieure. Seulement que fais-tu pour l'intérieur, pour la Jacqueline qui souffre au-dedans de toi et que tu fais taire ?

Un long silence suivit, puis mon amie chuchota simplement :

– C'est vrai, tu as raison…

J'avais vu juste et touché le point sensible. Du coup, Jacqueline a entrepris une psychothérapie d'un an. Un travail sur elle-même qui lui a permis de mieux se connaître. De découvrir les expériences traumatisantes remontant à son enfance qui avaient amplifié et alourdi le choc de son licenciement.

Peu à peu, elle a pu éliminer son stress émotionnel en exprimant ses peurs, ses colères et ses rêves enfouis. Puis elle a adopté une nouvelle hygiène alimentaire.

Son psoriasis a régressé. Ses cheveux ont presque tous repoussé. Une seule plaque demeure, dénudée et rouge. Pour décrocher son nouvel emploi, Jacqueline a choisi de la dissimuler sous une perruque.

Le stress émotionnel échappe aux analyses de laboratoire

La plupart des gens considèrent qu'ils sont en bonne santé tant qu'ils n'ont pas mal quelque part. Tant que leurs analyses médicales et autres examens attestent un fonctionnement organique normal. Dommage qu'ils ne se préoccupent pas davantage du bon fonctionnement de leurs défenses immunitaires et de leur degré de stress émotionnel... Mais il est vrai que ces deux facteurs si décisifs pour la santé sont très difficilement décelables en laboratoire.

N'est-il pas étrange que, tandis que nous bénéficions de conditions d'existence et de confort infiniment meilleures que nos aïeux, nos taux d'insomnie, de déprime et d'hypertension soient beaucoup plus élevés qu'avant ? C'est que les stress émotionnel et existentiel (et l'alimentation erronée !) font désormais partie intégrante de notre vie ! Le stress de la compétition, des décibels, des embouteillages, du manque d'argent, de la pollution... Mais aussi le stress de l'insécurité, de la solitude, du désespoir.

Le stress moderne... Un ennemi insidieux, qui avance masqué mais n'en fait pas moins des ravages : une étude américaine démontre que plus de 50 % des décès survenant chaque année aux États-Unis sont dus à des maladies psychosomatiques.

Faites sortir la vapeur !

Vous ne pouvez pas imaginer la somme de déboires et de drames qu'une personne peut endurer sans tomber malade. Si consciemment ou inconsciemment elle sait évacuer le stress émotionnel que ces malheurs génèrent !

En revanche, l'individu qui ne « crache » jamais ses émotions et se cache derrière l'attitude « ça ne fait rien... », « ça passera... », est sûr, dans un laps de temps plus ou moins grand, de souffrir d'ennuis de santé !

• Ne refoulez plus vos souvenirs pénibles !

• Ne mettez plus le couvercle sur ce qui vous fait souffrir !

• Exprimez votre stress émotionnel. Évacuez-le, que ce soit par des mots, des larmes ou des cris, exactement comme une Cocotte-minute le fait avec la vapeur. Autrement, tout explose !

• *La parole est guérisseuse ! Parler de ses soucis et de ses problèmes – voire en pleurer – allège le fardeau qu'on porte, éveille l'espoir et renforce les immunités.*

En revanche, plus les émotions sont refoulées et « étranglées » et plus elles se « vengent » par les somatisations...

Le lien entre l'esprit et le corps

Il existe des maladies d'origine génétique, d'autres sont dues à l'usure de l'âge ou à une faible constitution. Mais celles qui nous « tombent dessus » et que nous prenons pour d'injustes punitions, infligées par un cruel hasard ? C'est souvent nous – par le refoulement de nos émotions, par des comportements nuisant à notre propre santé ou par une mauvaise hygiène de vie – qui les provoquons, qui leur préparons un terrain favorable ! « Et en plus, disons-nous, j'ai attrapé la grippe, un zona, une hépatite. » En plus, vraiment ? Ou à cause de nos comportements viciés ?

La maladie, tel un voyant rouge qui s'allume, survient pour nous dire : « Il ne faut plus continuer comme ça. » À nous de comprendre le message qu'elle nous délivre et de réduire la pression qui l'engendre.

Seulement voilà : nous sommes des millions et des millions à ne pas exprimer nos besoins, à ne pas oser hurler, dire ou seulement chuchoter : « Je me sens coincé(e)... Je ne supporte pas mon conjoint (ma conjointe)... mon travail... J'ai peur, je panique... Ça ne va pas, je me sens seul(e), abandonné(e) de tous... »

Or, en gardant le silence, nous aggravons encore notre stress. Et du coup, nous somatisons. Et ce sont nos conflits intérieurs, nos déboires sentimentaux et nos difficultés professionnelles qui « parlent » à notre place, qui « hurlent » sous forme de maladies psychosomatiques. Des maladies qui sont autant d'appels au secours !

Hélas, ces appels au secours sont rarement entendus ! Quelques personnes seulement savent établir un lien entre leur stress émotionnel refoulé et leurs problèmes de santé. Par exemple nous les entendons affirmer : « Chaque pépin ou critique me vaut une terrible diarrhée. Comme quand j'étais gamin, et que mon père me traitait d'incapable... » Ou encore : « Après chaque repas familial j'ai mal à la gorge. Toute la soirée "j'avale" sans rien dire, rentrant ma colère. Et le lendemain, c'est comme si les mots que je n'ai pas osé proférer la veille étaient restés coincés au fond de ma gorge et me brûlaient... »

Et si vous essayiez de comprendre à votre tour ?

Repérez votre « profil » de somatisation

À chacun sa façon de somatiser, aussi personnelle que les empreintes digitales. Il y a les hypersensibles qui « font » une crise de foie, une migraine ou un bouton de fièvre à la moindre contrariété. À l'autre bout de la chaîne on trouve les flegmatiques, les James Bond de la somatisation qui, apparemment inébranlables, peuvent résister à un déluge d'épreuves. Et entre ces deux extrêmes, les nuances sont infinies.

Le « profil » somatisateur qui nous est propre, nous pouvons le connaître en étant attentifs aux messages délivrés par notre corps. À travers le mal de dos, le corps peut nous murmurer que la vie lui paraît trop lourde à porter ; à travers les maux de ventre, qu'il a peur ; et à travers des brûlures d'estomac, qu'il en a assez de ravaler son amertume !

D'ailleurs, certaines expressions courantes établissent clairement la relation entre les émotions et les organes « correspondants ». Par exemple :

– en avoir gros sur le cœur ;
– garder quelque chose en travers de la gorge ;
– « ça me donne la colique » ;
– se faire un sang d'encre ;
– ou le célèbre « j'en ai plein le dos » !

L'hérédité, l'éducation, l'alimentation, les conditions d'hygiène et de travail ou encore les ruses de notre inconscient nous « orientent » vers la somatisation dans tel ou tel organe. Et, bien entendu, c'est le plus faible qui souffrira le premier.

En tête du palmarès se trouve le système digestif : on digère mal, on fait de l'aérophagie, des crises de foie, des brûlures d'estomac, voire des ulcères. Cette atteinte « privilégiée » du système digestif n'est en rien le fruit du hasard. C'est par l'intermédiaire de l'estomac et de l'intestin que, bébés, nous avons éprouvé nos premières sensations de plaisir et de déplaisir (la satiété et la faim).

D'autres souffrent de mal de dos, de la nuque ou de la région lombaire. Parfois c'est la peau qui devient la « cible » du stress interne : elle se couvre de boutons, d'eczéma, de psoriasis. À moins qu'une bronchite chronique ne soit « choisie » comme porte-parole de nos conflits intérieurs. Sans oublier le cœur, un organe prédisposé à l'expression émotionnelle, avec ses palpitations, arythmies et autres extrasystoles. Cherchez donc où se situe votre « choix » personnel.

Évaluez votre « vitesse de somatisation »

Là où certains réagissent au quart de tour, d'autres prennent leur temps. Pour déterminer ce qu'il en est pour vous-même, deux questions toutes simples suffisent.

- Quel événement stressant a précédé votre dernier torticolis, vos dernières palpitations cardiaques, troubles digestifs ou tout autre ennui de santé ?

- Combien de temps s'est écoulé entre cet événement et les premiers symptômes du mal ?

D'une part cela vous permet de saisir comment et pourquoi vous somatisez, pour quelles raisons votre organisme se fâche et sort de ses gonds. D'autre part vous pouvez évaluer votre capacité de résistance au stress. Mais surtout, en établissant une relation entre les événements stressants et les maladies organiques, vous devenez conscient du lien qui unit l'esprit et le corps. Or une telle démarche constitue le premier pas vers la guérison. Car en comprenant que les sécrétions hormonales liées au stress peuvent rendre malade, vous êtes mieux à même de déduire que l'élimination de ce stress émotionnel peut vous soulager et vous guérir !

Vous n'y croyez pas et pourtant… même les animaux somatisent !

Il nous suffit d'observer nos compagnons à quatre pattes pour nous convaincre que les émotions dominent leur comportement, les rendent heureux ou malheureux. Exactement comme nous ! Combien de chats ou de chiens ont délibérément choisi un comportement suicidaire à la suite d'une séparation ou du décès de leur maître ! Ils cessent de se nourrir, de courir et même de bouger jusqu'à en mourir…

Il y a quelque temps de cela, mon amie Lucile m'a téléphoné pour m'annoncer que sa jument perdait ses poils par plaques entières, refusait de s'alimenter et dépérissait à vue d'œil. Bien que vétérinaire, Lucile n'y comprenait rien.

– Est-ce que quelque chose a changé dans ses habitudes ou son environnement ? lui ai-je demandé.

– En fait je crois qu'elle s'ennuie, m'a expliqué mon amie. Jusqu'à une période récente, des chevaux voisins lui tenaient compagnie ; mais ils sont partis et je crois qu'elle en est très déprimée.

L'idée m'a paru saugrenue : un cheval qui déprime ?

Quelques semaines plus tard, après un concert à Rouen, je suis passée embrasser Lucile.

À travers la vitre de ma voiture, au loin, j'ai vu une image si belle et si insolite que je l'ai immortalisée sur la pellicule : la jument paissait tranquillement dans le pré… tandis qu'un mouton tout bouclé campait sous son ventre !

Lucile m'a raconté qu'en fait de mouton il s'agissait d'une brebis achetée pour tenir compagnie à sa jument. Visiblement, le bonheur de cette dernière était sans bornes. Tous ses poils avaient repoussé et sa robe était redevenue aussi fournie que brillante… Depuis, ces deux animaux ne se quittent plus ; elles se portent toutes les deux comme des charmes !

2

Maladies psychosomatiques et cahier des guérisons émotionnelles

Jadis on disait : « Quand le moral va, tout va. » Personne n'aurait pu expliquer pourquoi, mais nos grands-parents le répétaient sans cesse.

Ce vieil adage, la science baptisée du nom un peu barbare de psycho-neuro-immunologie en a confirmé le bien-fondé par des tests en laboratoire. Les chercheurs peuvent désormais suivre au microscope la naissance d'une sécrétion hormonale (suscitée par une émotion) et déceler son effet sur le système immunitaire.

Depuis ces découvertes, toute maladie générée par un choc psychologique ou une détresse morale est dite « psychosomatique ». Et les maladies qui entrent dans cette catégorie sont légion : brûlures d'estomac, ballonnements, mauvaise digestion, ulcères, colites, constipation, diarrhée chronique, dysfonctionnement cardiaque, hypertension, eczéma, démangeaisons, prurit, psoriasis, crises rhumatismales, migraine, dépression, obésité, boulimie, asthme, diabète, glaucome, règles douloureuses, énurésie, bégaiement, cancer, etc.

– Des maladies déclenchées par un choc affectif ? ricaneront certains. Par un traumatisme remontant à l'enfance ou par une mise à la retraite ? Il ne faut pas exagérer !

– C'est pourtant le cas, leur rétorqueront médecins, psychologues et psychothérapeutes. Une grande partie des maladies chroniques résultent bel et bien des contrariétés, du stress et des conflits émotionnels.

Essayons de comprendre le mécanisme de certaines d'entre elles…

Les colites, ulcères de l'estomac et du duodénum, brûlures, crampes et ballonnements

La vie émotionnelle du bébé est fortement liée à son système digestif : le sein maternel ou le biberon le calment et lui procurent du plaisir tandis qu'un retard de tétée le frustre, le met en colère. Et l'apprentissage de la propreté le rend fier ou honteux…

À l'âge adulte, les « habitudes émotionnelles » sont prises : la sphère digestive, nous l'avons dit, est celle qui somatise, qui souffre la première.

Par exemple, un stress qui traîne en longueur, dû à des conflits personnels ou professionnels, peut déclencher l'apparition d'un ulcère gastro-duodénal. La raison en est connue : le ressentiment, l'insatisfaction ou les déceptions engendrent des sécrétions trop abondantes d'acide gastrique. Et cela peut finir par une altération des parois de l'estomac, déclenchant un ulcère.

D'autres souffriront, dans les mêmes circonstances, de ballonnements, de météorisme, de crampes, de vomissements, suivant l'organe le plus fragile : gros ou moyen côlon, ou vésicule biliaire…

La diarrhée et la constipation chronique

Les psychosomaticiens constatent que, bien souvent, les personnes souffrant de diarrhée souhaitent « en finir » avec quelqu'un ou quelque chose, s'en débarrasser. Mais ils n'osent pas. Alors ils évacuent autrement... Et c'est le contraire, s'agissant de la constipation chronique : « Je ne céderai pas », dit l'esprit... et le corps « serre les fesses ».

Le cœur et le sang

Enfant, quand j'entendais ma grand-mère répéter : « Arrête de te faire du mauvais sang », je me demandais comment un sang pouvait être bon ou mauvais...

Désormais, je le sais : le stress et le chagrin incitent nos glandes à sécréter de l'adrénaline et d'autres « hormones du stress » ! Par voie de conséquence, la coagulabilité du sang augmente, et avec elle le risque de voir se former un caillot. Or, quand un caillot obture une artère coronaire, c'est l'infarctus !

J'ai vu un jour quelqu'un se faire ce genre de « mauvais sang » et en mourir presque instantanément. Aliza tenait à Tel-Aviv un petit restaurant à l'ambiance sympathique et aux prix raisonnables. C'était devenu le point de ralliement de tous les comédiens fauchés, dont je faisais partie. Dans ma mémoire restera gravé à jamais le visage d'un officier de l'armée qui entra un soir dans ce restaurant. Il s'approcha d'Aliza et lui annonça que son fils unique était mort sur le front. À peine une minute plus tard, Aliza tombait inanimée, terrassée par une crise cardiaque.

Oui, le chagrin peut tuer. Hélas, on ne peut pas toujours l'éviter, mais à l'inverse ouvrir son cœur à la joie est la meilleure des assurances vie !

L'hypertension

Une circulation bruyante, une sono branchée à fond chez le voisin, un lave-linge qui se met en route à minuit ou le chien d'à côté qui aboie sans cesse et voilà que notre tension artérielle atteint des sommets.

Un stress qui se prolonge peut, lui, élever la tension artérielle « pour de bon », c'est-à-dire de façon durable. Et combien de temps nos pauvres artères peuvent-elles résister à une telle surpression, surtout lorsque leurs parois sont encrassées par des plaques de cholestérol et par l'accumulation de graisse ? N'oublions pas que la rupture d'une artère peut déclencher une hémorragie fatale !

Préservons-nous des nuisances quand nous le pouvons ! À l'extérieur comme à l'intérieur...

Migraine, diabète, arthrite

Il est très mauvais de ne jamais se mettre en colère ! Le refoulement chronique de toute manifestation d'agressivité augmente la tension émotionnelle et favorise l'apparition de l'une ou l'autre de ces trois maladies.

Eczéma, dartres, urticaire, prurit

Notre peau est souvent le miroir de notre âme et de nos émotions : quand nous sommes timides, nous rougissons facilement... Quand nous avons peur, nous pâlissons...

La peau peut facilement se couvrir de prurit où de boutons à la suite d'une dispute conjugale ou d'un conflit professionnel, et de psoriasis après une très forte peur ou une profonde déception.

L'eczéma, lui, apparaît souvent chez les nourrissons privés de caresses. Ainsi que chez les adolescents (ce fut mon cas) stressés par un sentiment de culpabilité et par un manque d'assurance.

Angines et otites

Un fort sentiment de jalousie peut s'exprimer chez un enfant par des angines ou des otites à répétition.

Maladies physiques et guérisons émotionnelles

La guérison des maladies nécessite une alimentation saine, une bonne hygiène de vie, des soins adéquats et une meilleure compréhension de soi. Dans son livre intitulé *Transformez votre vie*, Louise Hay rappelle que chacune de nos maladies physiques relève aussi d'une cause émotionnelle probable. Celle-ci étant identifiée, reste pour guérir à acquérir et à pratiquer au plus vite de nouveaux schémas émotionnels.

Cahier des guérisons émotionnelles

Type de problème (par ordre alphabétique)	Cause émotionnelle	Nouveau schéma émotionnel à adopter
Aigreurs et brûlures d'estomac	Peur. Angoisse qui s'accroche.	Je respire calmement et profondément. Je fais confiance à la vie, je me sens en sécurité.
Allergies	Irritation envers la vie. À qui suis-je allergique ? Ou à quoi ?	Faire la paix. Le monde qui m'entoure est bienveillant et calme.
Alzheimer (maladie d')	Désir de quitter le monde. Incapacité de faire face à la réalité. *(Exactement le cas de ma mère)*	Ce monde est beau. L'univers est parfait. À chaque instant, tout arrive dans un ordre juste et harmonieux.
Anémie	Absence de joie et d'intérêt dans la vie. Peur de la vie. Sentiment de ne pas être assez bien.	J'exprime la joie dans chaque instant de ma vie. Tout m'intéresse. Je fais confiance à la vie.
Arthrite et rhumatismes	Sentiment de ne pas être aimé. Dévalorisation, ressentiment, amertume. Se sentir victime.	Pratiquer l'amour et le pardon. J'aime les autres comme je m'aime. Plus je laisse les autres libres et plus je me libère moi-même.
Asthme	Amour étouffant. Sentiment d'être étouffé. Pleurs refoulés.	Je me sens libre. Je prends désormais ma vie en charge.
Bégaiement	Insécurité. Insuffisante expression de soi. Ne pas avoir la permission de pleurer.	Maintenant je peux m'exprimer facilement, librement, communiquer dans l'amour avec les autres.
Calvitie	Tension. Peur. Besoin de tout contrôler.	Je me laisse aller au gré des événements. Je m'approuve et j'ai confiance en moi.

Constipation chronique	Être ancré dans le passé. Refus de se défaire des vieilles idées.	Je me libère des vieux schémas. Je laisse la vie et le renouveau couler librement à travers moi.
Démangeaisons	Désirs contrariés. Sentiment d'insatisfaction et de remords : « Ça me démange de partir ou de fuir. »	Je suis bien là où je me trouve. J'accepte la vie en sachant que tous mes besoins et désirs seront comblés.
Éczéma	Hypersensibilité. Personnalité blessée dans son identité.	Je me sens protégé(e). Personne ne me menace en tant qu'individu.
Excès de poids	Insécurité. Besoin de protection. Rejet de soi-même. Peur de perdre quelqu'un ou quelque chose. Émotions refoulées.	Je m'accepte, je m'aime et je m'approuve comme je suis et je me sens en paix et en sécurité où que je sois. Je suis en paix avec mes sentiments.
Fatigue	Ennui. Manque d'amour pour ce que l'on fait.	La vie m'intéresse. Elle me remplit d'enthousiasme et d'énergie.
Frigidité	Négation du plaisir. Croire qu'il est mauvais d'avoir des rapports sexuels.	Il est bon et sans danger de prendre du plaisir avec mon corps. Je me réjouis d'être une femme.
Impuissance	Tension. Culpabilité. Obsession de la performance sexuelle. Peur de la mère.	Maintenant, je vis ma sexualité avec aisance et joie. J'affirme et laisse agir librement ma force virile.
Insomnie	Peur. Manque de confiance dans la vie. Culpabilité.	Je quitte avec amour cette journée pour glisser dans un sommeil réparateur et paisible. À chaque jour suffit sa peine.

Type de problème (par ordre alphabétique)	Cause émotionnelle	Nouveau schéma émotionnel à adopter
Migraine	Ne pas supporter d'être sous pression. Résister au courant de la vie.	Je me détends, je me laisse aller dans la mouvance de la vie. La vie me procure, avec facilité et confort, tout ce dont j'ai besoin.
Nervosité	Confusion dans la pensée. Précipitation et anxiété.	Sérénité intérieure. À quoi bon se dépêcher ? Je poursuis ma route paisiblement.
Ongles (se ronger les…)	Frustration. Se ronger d'inquiétude. Rancune contre un parent.	Je me libère du passé. Je peux grandir. Je peux me prendre en charge avec aisance et joie.
Sinusite	Difficulté à « supporter » la présence de quelqu'un. Quelqu'un qu'on ne peut « sentir ». *(Rappelez-vous mes propres sinusites.)*	Je vis dans l'harmonie et la sérénité. Personne n'a le pouvoir de m'irriter.
Toxicomanie	Peur. Se fuir soi-même et ignorer comment s'aimer.	Je me retrouve. Je me fais confiance. Je découvre que je suis quelqu'un de bien et je prends plaisir à vivre.
Ulcère	Anxiété. Tension. Peur. Contrainte qui ronge. Je ne suis pas à la hauteur.	Rien ne peut m'irriter. Je suis en paix, calme et confiant(e). Je m'approuve. Tout est bien.
Yeux	Ne pas regarder la vérité de sa propre vie en face.	Je me crée maintenant une nouvelle vie à l'image de mes rêves.
Yeux (glaucome)	Refus de pardonner. Pression résultant d'anciennes blessures. Sentiment d'être submergé.	Je vois avec amour et tendresse. Je pardonne et laisse le passé s'en aller. Je dirige ma vie dans le calme.

Si vous ne trouvez pas de relation entre votre maladie présente ou passée et l'une des causes probables présentées dans la liste, vous pourrez découvrir par vous-même quels sont les sentiments et les pensées responsables de votre problème et les éliminer. En vous libérant alors du passé, en ancrant dans votre esprit des schémas de pensée positifs et en adoptant une alimentation saine et équilibrée, vous verrez que votre énergie de vivre sera au rendez-vous !

3

Comprendre la dépression

La dépression, c'est le manque d'espoir : « Il n'y a pas d'issue. » C'est le sentiment d'être enfermé, prisonnier de soi-même. Confiné dans une impasse pendant des mois, des années, voire toute une existence. Et se dire : « Ma vie n'a pas de sens, à quoi bon vivre ? »

La dépression se manifeste par la culpabilisation, par le constant dénigrement de soi, par des variations dans l'appétit (lequel s'accroît démesurément ou rétrécit comme une peau de chagrin) mais aussi par l'apparition d'autres symptômes psychosomatiques.

Certaines dépressions proviennent d'événements dramatiques survenus au cours de l'existence. D'autres semblent tenir à des raisons plus incertaines, à ce que les médecins appellent un « terrain ». Mais dans l'un et l'autre cas, la personne déprimée ne réagit pas face à l'adversité ou baisse les bras avant même que cette adversité se manifeste. Pour sortir de cet état, il est indispensable de revisiter son passé.

La dépression : une expérience révélatrice ?

Un divorce mal vécu peut pousser Françoise au suicide tandis qu'après la perte de son enfant – l'une des épreuves les plus douloureuses qui soient dans l'échelle de la souffrance humaine – Marie trouvera le moyen non seulement de survivre mais encore de se consacrer aux autres.

Pourquoi cette différence, cette inégalité devant l'épreuve ? Nous l'avons dit, la clé du mystère réside dans les expériences vécues autrefois par chacun. Enfant, Marie s'est vu reconnaître le droit de manifester (éventuellement par la colère) et de satisfaire ses besoins (amour, tendresse, attention, alimentation...) : sa confiance en elle, sa capacité de s'affirmer et de maîtriser sa vie s'en sont trouvées développées. Dès lors, à l'âge adulte, elle est à même d'affronter les drames de l'existence, de surmonter les pires chagrins et de s'en sortir. Mieux, dans chacune de ces épreuves elle semblera puiser de nouvelles forces.

En revanche, un enfant habitué à penser « ça ne sert à rien de réclamer, de toute façon je n'obtiendrai rien, et en plus je risque d'être puni... » se sentira, lui, impuissant et sans prise sur les événements. Si agir ou ne pas agir revient au même, pourquoi se démener ? À l'âge adulte, il aura tendance à perdre pied devant le moindre obstacle, à se dire : « À quoi bon lutter ? Ça ne sert à rien... »

Faut-il pour autant désespérer lorsqu'on n'a pas pu acquérir dès l'enfance cette merveilleuse sensation de confiance en soi ? Bien sûr que non, et ma propre expérience le prouve !

Un moment de désespoir, une grave maladie ou une dépression peuvent justement nous donner l'occasion de changer notre façon d'être, donc le cours de notre existence. De grandir et de jeter aux orties notre « impuissance passée » pour enfin donner la pleine mesure de nos moyens. À condition de ne pas garder au fond de soi ses griefs, ses colères et ses peines.

Ainsi, les événements les plus tragiques peuvent devenir aussi les plus riches de sens et les plus féconds !

Pour sortir de la dépression, il faut avant tout acquérir la conviction qu'on a le droit de satisfaire ses besoins, en se mettant en colère s'il le faut.

Rien n'est pire qu'une colère rentrée : en la refoulant, nous l'avons déjà dit, on finit toujours par la retourner contre soi-même. L'exprimer permet au contraire de revendiquer ses droits. D'indiquer aux autres ce que l'on ressent comme une injustice : « Alors là je dis non, ça suffit, je ne suis pas d'accord... » D'une certaine façon, la colère qui nous permet de réclamer notre dû est le contraire même de la dépression, qui, elle, est la manifestation d'un sentiment d'impuissance.

Pourquoi refréner ses sentiments profonds ?

Né libre, un bébé doit pouvoir exprimer toutes ses émotions sans entrave et se sentir aimé inconditionnellement par sa mère. Qu'il soit furieux, en larmes, triste ou souriant, il doit toujours être convaincu qu'elle l'aime et qu'elle l'accepte tel qu'il est.

Mais les mamans ont leurs propres problèmes. Peut-être même n'ont-elles pas été aimées sans condition par leur propre mère et reproduisent-elles le schéma. Et puis elles peuvent être déprimées, malades, distantes, absentes, angoissées... Auquel cas, lorsqu'il crie pour réclamer le sein, de la tendresse, ou demande tout simplement qu'on le change, le nourrisson constate qu'il provoque le mécontentement de sa mère, qu'elle le gronde ou risque même de le frapper. Dès lors, pour être à l'abri des punitions, il juge préférable de se tenir tranquille, de ne rien réclamer. Bref, il apprend à passer sous silence ses propres besoins et finit par se persuader qu'il doit subir les événements, sans réagir !

Certes, mais à l'âge adulte c'est de l'histoire ancienne, diront certains. Faux ! Souvent et inconsciemment, à l'âge adulte, nous continuons de fonctionner à partir des schémas émotionnels forgés dans nos jeunes années... Tout événement stressant de notre vie d'aujourd'hui fait écho à un moment difficile du passé, et sans que nous en prenions conscience nous ressentons le même sentiment d'impuissance et de renoncement.

– J'ai besoin qu'il me prenne dans ses bras, qu'il soit tendre, qu'il me dise des mots d'amour... Mais il n'en fait rien et, quand j'insiste, il me traite d'hystérique. Cela me met en colère, puis je laisse tomber...

– Il est entré après moi dans l'entreprise, et il n'y en a que pour lui. Je n'ose rien dire mais j'ai envie de tout casser...

– Chaque soir, c'est la même chose : le dîner n'est pas prêt et la maison est en désordre. Si je fais des réflexions, c'est le scandale. Alors je ne me fâche plus. Ça ne servirait à rien.

Passez donc en revue toutes les choses que vous aimeriez faire et dont vous vous privez ! La raison ?

Cela tient à ce que vous vous êtes convaincu que « pour ne pas déranger, être rejeté ou critiqué, il vaut mieux se tenir tranquille et ne rien réclamer ! Il est plus prudent de se taire que de se mettre en colère, etc. »

Mais à force de refouler votre exaspération et de vivre sans demander ni obtenir ce qui vous tient à cœur, vous voyez votre frustration émotionnelle s'aggraver... Vous résistez jusqu'à l'épuisement, puis survient la dépression.

Attention ! Une « déprime » passagère n'a rien d'affolant !

Tout a un rythme. La nature a ses hauts et ses bas, ses coups de chaleur et de froid, ses périodes de lumière et d'obscurité. De la même façon, il est normal que toute existence soit faite de moments de bonheur ou de tristesse, de soleil et de pluie, de calme plat et de tempête. C'est dire qu'il est impossible – et même anormal – de ne jamais connaître de « coups de blues » ou de dépressions passagères !

Ils peuvent provenir des événements tristes de votre vie, ou tout simplement de la saison ! Les mois sans soleil ont souvent un effet déprimant. Le rayonnement solaire accroît la sécrétion de la glande pinéale (laquelle produit l'hormone mélatonine) alors que la grisaille la réduit… et nous déprime (la lumiérothérapie essaie de pallier ce manque).

Mais là encore, les souvenirs d'enfance ou certains événements liés aux saisons peuvent également générer un mal-être : on est par exemple plus sujet à la dépression durant le mois de septembre (retour des vacances et rentrée des classes) ou à l'approche des fêtes (qui rappellent les absents).

En tout cas une chose est certaine : il est irréaliste d'espérer être toujours de bonne humeur. Mais en revanche, il est inquiétant d'être toujours morose…

La dépression chronique

Si la dépression épisodique fait partie de la « nature », quand les moments de déprime tendent à se renouveler fréquemment et que le « creux de la vague » dure de plus en plus longtemps, il n'est plus question de « déprimes passagères » mais bel et bien de dépression chronique.

Que se passe-t-il dans ce cas ? Une personne confiante, sûre d'elle, sait réclamer ce dont elle a besoin, tendre vers ce qui est essentiel à sa vie, tandis qu'une personne dépressive n'ose pas revendiquer. Mais alors, que fait-elle de tous ces désirs et colères refoulés, qu'elle n'ose pas orienter contre les autres, « pour ne pas les embêter » ? Elle les dirige contre elle et met en jeu sa propre santé. Et de surcroît, elle se sent coupable de son état dépressif ! Alors elle déploie des efforts surhumains pour agir comme si « tout allait bien ».

Nos stratégies pour faire croire que « tout va bien »

Quels comportements utilisons-nous pour nous voiler la face, donner le change et masquer notre état dépressif ?

– On se montre insensible, on affecte le détachement pour ne pas risquer de donner prise aux sentiments.

– Pour ne rien sentir, pour tenir la dépression « à distance », on nettoie avec obsession (les gens qui se rassurent en faisant le grand nettoyage de printemps dix fois par an). Ou l'on essaie de tout contrôler. On se montre fébrile. On croit ainsi mieux maîtriser la situation.

– On croit pouvoir éloigner la dépression par des manies, l'hyperaction, l'agitation. On vit à cent à l'heure et surtout on s'empêche de souffler, donc de se donner le temps de ressentir.

– On nie la dépression, on l'« ignore » par une récupération orale : on dévore compulsivement les aliments, médicaments, alcools, cigarettes ou drogues, qui anesthésient pendant un court moment la souffrance psychologique.

Voilà pourquoi nous sommes légion à sentir que « quelque chose nous manque », à entendre une voix intérieure nous répéter que « ça ne va pas » ! En effet, tant que nous chercherons :

– à nous mentir,

– à masquer notre dépression,

– à ignorer nos besoins émotionnels,

– à refréner nos colères comme nos larmes,

... nous souffrirons d'un « vide intérieur ». Et ce vide, nous chercherons en vain à le combler en nous gavant d'alcool, d'aliments ou de pilules !

Le piège des tranquillisants

Pour cicatriser nos blessures passées, il nous faudrait d'abord avoir le courage de les dévoiler au présent et de nous vider de leur venin. Malheureusement, on l'a vu, notre éducation et nos habitudes nous encouragent plutôt à une pudeur muette. Aussi, quand notre tension intérieure monte et menace de « tout casser », nous cherchons à la bâillonner à l'aide d'une « muselière chimique ».

Les tranquillisants, antidépresseurs, sédatifs, hypnotiques et neuroleptiques visent à enfermer notre esprit dans des prisons aux barreaux invisibles, certes, mais dont l'évasion devient de plus en plus difficile. Cet emprisonnement inutile – parce qu'il ne résout rien – peut même s'avérer dangereux.

Dans son livre intitulé *Les Maladies psychosomatiques*, Jacques Thomas affirme que « les pilules anti-stress prises trop longtemps peuvent finir par provoquer des insomnies, et une anxiété bien plus intense que les symptômes contre lesquels on voulait lutter au départ ».

En outre, selon le Dr Pradal, « l'usage prolongé des tranquillisants conduit parfois à des changements de la personnalité qui peuvent être plus graves que les désordres auxquels ils s'adressent ».

Et le Pr Zarifian d'ajouter, dans *Des paradis plein la tête* : « Plus on augmente la dose de substances ingérées, plus on engendre un phénomène de dépendance, c'est-à-dire l'impossibilité d'arrêter le traitement. Sous peine de voir recommencer, avec plus de violence encore, les symptômes "traités", ou plus exactement "gommés". »

Il est temps de recouvrer tous nos moyens, notre « puissance naturelle ». Ne laissons pas des « camisoles chimiques » nous entraver, nous priver des ombres et des lumières de la vie !

4

Comment sortir de la dépression

Nous ne sommes pas armés de la même manière face à la dépression. Certains individus la surmontent spontanément. D'autres n'y parviennent pas. Ils luttent pour « tenir » et « faire aller » aussi longtemps que possible, puis, quand le stress a épuisé toutes leurs réserves énergétiques – lorsqu'ils n'ont plus de ressort –, ils tombent en dépression profonde.

Dans *La Peur de vivre,* Alexandre Lowen confirme une opinion partagée par de nombreux psychologues et psychothérapeutes : pour sortir de la dépression, il ne faut ni la contrer ni la refuser. Au contraire il convient de l'accepter, d'admettre que quelque chose d'essentiel ne va pas. Ensuite il faut identifier le problème et le regarder en face. L'étape suivante consiste à se donner le temps de pleurer ce qui fait mal.

Bref, pour mieux dépasser la dépression, il ne faut pas, dans un premier temps, lui résister !

La dépression est un avertissement

Moi aussi, j'ai essayé de nier ma dépression, je me suis efforcée de faire comme si « tout allait bien ». J'avais peur d'admettre que quelque chose clochait. Car l'admettre, c'était logiquement en venir à me demander : « Qu'est-ce qui me fait mal ? »

Or, nous l'avons dit, plus on souffre de ses émotions et moins on a le courage de se demander pourquoi. Comme si nous redoutions de découvrir en nous des réactions dont nous ne serions pas fiers. Comme si un voyage au centre de nous-mêmes nous faisait craindre de voir surgir des revendications interdites… Or il est impossible de guérir sans se poser la question « pourquoi ? » et chercher à y répondre !

La maladie ou la dépression nous frappent parfois pour nous ramener dans le droit chemin. Pour nous obliger à ne plus nous mentir, à ne plus faire comme si de rien n'était.

Seulement voilà… À l'époque où est survenue ma dépression, je refusais de comprendre qu'elle me voulait du bien. J'imaginais mon état comme un puits empli de chagrin, un trou noir qui allait m'aspirer et m'anéantir. Alors, avec l'énergie du désespoir, je m'accrochais pour ne pas tomber au fond. Et moins j'acceptais d'admettre mon mal-être, plus j'allais mal…

Bien entendu, cette résistance stérile a épuisé toutes mes forces. Mais paradoxalement, c'est seulement lorsque je me suis laissée totalement aller à la dépression que ma guérison a pu commencer ! Lâchant prise, cessant de lutter, je me suis donné alors la permission de pleurer. Je me suis accordé le temps de m'occuper de moi. Et surtout, des questions essentielles commençaient à émerger.

– Pourquoi telle trahison, tel échec, tel mensonge me font-ils si mal ?

– Qui m'a trahie, qui m'a menti quand j'étais petite ?

– Quelle relation existe-t-il entre mon passé et ce que je vis à présent ?

– Suis-je réellement impuissante, incapable de traverser mes épreuves, si dures soient-elles ?

Peu à peu, j'ai retrouvé le courage d'affronter mes souvenirs douloureux. De revivre les sentiments de désespoir vécus pendant mon enfance, lorsque je n'avais personne à qui parler, personne pour me prendre dans ses bras et me dire « je t'aime ». Lorsque je me croyais nulle, convaincue de ne pas mériter l'amour.

Le schéma de la guérison

Au fil des mois, j'ai élaboré le schéma de ma guérison. J'ai découvert les étapes à franchir et qui peuvent permettre à chacun de laisser derrière soi cette conviction destructrice que « l'on ne peut pas s'en sortir ».

Face à la dépression, il est conseillé...

• De ne pas insister sur les « secoue-toi, réagis... » totalement inutiles et même pervers en pareille situation.

• D'avoir le courage d'aller au fond de soi et de se demander :

– Pourquoi l'épreuve présente est-elle si lourde à porter ?

– Y a-t-il dans mon passé des souvenirs me rappelant que l'on ne me faisait pas confiance, ou que je me croyais incapable de surmonter mes problèmes ?

– Quels événements lointains s'amalgament aux événements présents et les rendent insupportables à vivre ?

– Si j'ai tellement peur qu'il (ou elle) ne me quitte, qui donc m'a quitté(e) pendant mon enfance ?

– Quelles convictions négatives d'autrefois me font dire aujourd'hui : « Ma vie est finie... Sans lui, sans elle, je ne peux pas vivre... Je suis incapable de faire face, etc. » ?

• De répéter ce leitmotiv : « J'ose, je lâche ma peur, je lâche mes doutes. Je descends en moi, là où tout est calme et sérénité. »

• De se donner aussi le temps de pleurer les souvenirs douloureux du passé.

• De se donner celui d'exprimer sa colère.

• De regretter d'avoir pu douter de sa propre valeur.

• De mesurer la différence entre le « moi du passé » – l'enfant impuissant qui subissait sa vie – et le « moi d'aujourd'hui », c'est-à-dire l'adulte qui peut faire face aux événements les plus douloureux de l'existence. Autrement dit, il faut se convaincre de la réalité de son état adulte : la force et les capacités développées, l'expérience et les connaissances acquises. Donc se persuader qu'on a entre ses mains la capacité de vivre mieux qu'avant.

Quelques conseils à l'entourage des déprimés

• Épargnez un stress supplémentaire aux personnes déprimées : les « reprends-toi » ne font qu'accentuer un sentiment de culpabilité néfaste dans leur état.

• Une attitude sereine et chaleureuse permet au processus naturel de guérison de s'enclencher.

• Acceptez leur besoin de pleurer et de se sentir rejetés ou abandonnés, de demander de l'aide. Entourez-les de compréhension et d'attention constantes.

• Toute leur énergie étant épuisée, les déprimés n'ont plus envie de vivre. À ce moment-là, le suicide peut leur apparaître comme une échappatoire. Une situation devient intolérable quand on pense n'avoir personne avec qui la partager : dans ces conditions, comment déposer le fardeau et trouver le repos ? Soyez donc disponibles et donnez-leur l'assurance que vous êtes là pour les soutenir, et qu'ils peuvent compter sur vous !

Opter pour les « antidépression » plutôt que pour les antidépresseurs

« Nul ne se connaît tant qu'il n'a pas souffert », disait avec raison Alfred de Musset.

Sortir de la dépression et de la souffrance, ce n'est pas rejeter ou mépriser son passé. Mais au contraire...

• **S**'inspirer de ses précieuses leçons.

• **S**'accepter tel que l'on est.

• Tourner le dos aux regrets obsédants, à l'insatisfaction, à l'amertume, à l'inquiétude et aux pensées angoissées. C'est dire : le passé est le passé. Aujourd'hui est un nouveau jour.

• Découvrir les capacités enfouies en soi et restées en friche jusqu'alors.

• Regretter sincèrement toutes les années pendant lesquelles on ne savait pas s'apprécier à sa juste valeur.

• Accepter les hauts et les bas, les rires et les larmes de la vie.

• Savoir se relaxer. La relaxation permet de mieux se comprendre. De se mettre rapidement en contact avec ses émotions.

• Agir, bouger ! Surtout, ne pas s'immobiliser ! Car l'action est l'une des meilleures thérapies antidépression qui soient !

Mais attention : ne pas confondre « action » et « agitation » ! L'agitation est encore une fuite ; l'action, elle, vous fait coller au présent, vous remet en prise avec l'existence.

Et rappelez-vous que « quand le moral va, tout va ». Et que quand il ne va pas, rien ne va plus !

5

De la dépression au cancer

Olga était chaleureuse, volubile et cultivée. Dans une impasse paisible, au cœur de Paris, elle tenait depuis quarante ans un « petit temple » érigé à la beauté de la soie.

Ses amis l'appelait la « Femme de fer ». Non sans raison. Aidant elle-même ses livreurs à déplacer les lourds rouleaux de tissu et dirigeant son échoppe d'une main de maître, elle n'était jamais fatiguée.

À vrai dire, lorsque je lui rendais visite, c'était tout autant pour acheter ses merveilles soyeuses et chatoyantes que pour l'écouter parler – assise devant son vieux comptoir en bois – de personnages célèbres, d'étoffes somptueuses brodées à la main et de réceptions légendaires. En imagination, je me laissais emporter dans un monde où l'éclat du brocart rivalisait avec l'or de Damas et la brillance discrète des satins...

Un jour, un promoteur immobilier voulut racheter les vieux immeubles de l'impasse pour les remplacer par des parkings et des bureaux en béton. Olga se battit de toutes ses forces pour sauver son petit coin de paradis. Elle créa une association et lutta pied à pied pendant quatre ans. En vain. Le jour de la fermeture, désespérée, elle me lança : « J'ai perdu ma raison de vivre ! »

De fait, six mois plus tard elle était emportée par un cancer foudroyant des ovaires...

Démissionner de la vie, c'est accepter de la perdre

Nul ne peut « prouver » que le cancer soit – aussi – d'origine psychosomatique, certes. Mais répertoriez les cas qui vous entourent. En dehors des méfaits du grand âge, qui diminue naturellement les défenses immunitaires, combien de cancers surviennent à la suite d'un licenciement mal accepté, d'une rupture affective, d'un deuil ou d'une période d'angoisse intense ?

Ne plus s'intéresser à rien, se replier sur soi, c'est une forme de dépression qui précède souvent l'apparition de ce cancer à travers lequel nos milliards de cellules expriment leur mal de vivre. Une autre forme dangereuse de dépression est celle qui nous interdit d'« exhiber notre malheur », étant convaincus que de toute façon « personne ne nous aidera ».

Malgré son sourire fixe, à l'intérieur de la personne souffle la tempête. Au-dedans, les défenses immunitaires – désorientées par les messages contradictoires reçus (à l'extérieur « tout va bien, pas de lézard » et à l'intérieur « je suis impuissante, j'ai peur... ») – finissent par mal fonctionner, puis par « démissionner », elles aussi...

Au bout d'un temps plus ou moins long, épuisée, la personne se réfugie dans la maladie, et parfois une des plus graves : plus de sourires à exhiber, plus de conflits à résoudre...

Existe-t-il un « profil du cancéreux » ?

Autrement dit, existe-t-il des caractéristiques individuelles qui prédisposent à développer un cancer ? Oui, répondent de nombreux chercheurs. Par exemple :

– L'absence de lien profond avec l'un de ses parents ou les deux à la fois.

– Un événement traumatisant survenu durant l'enfance et qui a fait que l'enfant a perdu confiance en lui, ou en la vie, ce qui revient au même.

En grandissant, un tel individu se sentira toujours en situation d'échec. Il ne braquera ses projecteurs que sur les défaites et les déceptions de son existence. Et cela augmentera d'autant son sentiment d'impuissance face aux épreuves.

– Autre facteur aggravant : l'incapacité de l'individu à exprimer ses émotions, soit par peur de décevoir ou de blesser l'autre, soit parce qu'il est convaincu que les problèmes d'autrui sont plus importants que les siens.

Le célèbre cancérologue, le Dr Simonton, brosse ainsi le « portrait » d'un candidat au cancer : « Ces malades ont très souvent tendance à se sacrifier pour leur famille ou leur profession, enfin pour autrui. De ce fait, ils étouffent complètement leurs propres besoins et ne s'accordent pas suffisamment de plaisir. Il est primordial pour eux d'adopter une attitude radicalement différente, afin de pouvoir s'occuper d'abord d'eux-mêmes ! »

Le psychisme peut être un merveilleux médecin

Souvenez-vous de la question posée par Norman Cousins : « Si le désespoir peut me tuer, l'espoir ne peut-il pas me guérir ? »

C'est en chœur que les psychosomaticiens répondent par l'affirmative : un bon moral producteur d'« hormones du bien-être » est indispensable au rétablissement.

Si un psychisme perturbé « contribue » à créer une maladie physique, un psychisme apaisé « collabore » à sa guérison.

Donc, autant pour prévenir que pour guérir, il convient de soigner parallèlement le corps et l'esprit. Il ne sert à rien ou pas à grand-chose de s'acharner contre l'eczéma, le psoriasis, les ulcères, l'hypertension ou tout autre symptôme psychosomatique à grands coups de médicaments, en oubliant de traiter la souffrance psychique qui en est la cause.

On ne peut pas réduire l'être humain à son seul corps. Pour réussir une guérison durable il faut le soigner dans sa totalité, donc dans ses trois dimensions : physique, émotionnelle et spirituelle – nous y reviendrons largement en sixième partie. Contentons-nous ici de constater avec étonnement que la médecine contribue au contraire à « morceler » l'homme : on soigne un estomac, un rein, une articulation ou un cœur en oubliant complètement l'esprit qui les unit.

Seulement, comment soigner l'esprit ? Et comment mesurer son état de santé ? Le check-up, les radiographies, le scanner, le dopler représentent de fantastiques moyens d'investigation physiques et physiologiques, mais peut-on radiographier un esprit, échographier une âme ?

Les techniques de pointe ne peuvent pas remplacer le dialogue, l'écoute, le contact et la chaleur humaine. En faisant « du bien au moral », ceux-ci renforcent la confiance en soi et de ce fait améliorent le fonctionnement immunitaire !

La méthode Simonton

Le Dr Carl Simonton, fondateur de la méthode dite de « visualisation positive », a bien compris cette donnée fondamentale. Il traite ses malades dans leur globalité « corps-esprit » en conjuguant :

– une alimentation équilibrée,

– des exercices physiques (selon la capacité de chacun),

– des techniques de relaxation,
– un soutien psychothérapeutique,
– et sa fameuse méthode de visualisation.

La psychothérapie de soutien (individuelle ou en groupe) apporte au malade la preuve qu'il existe des personnes capables de l'écouter, de croire en lui et de l'aider à retrouver l'espoir. Cette démarche lui permet en outre d'évoquer librement ses déceptions et ses désillusions, de mettre au jour ses blessures passées et présentes sans crainte du ridicule. Sans peur d'être critiqué ou jugé. C'est alors qu'il réalise combien son sentiment d'impuissance passé lui a fait perdre – à tort – son espoir au présent… et comment ce désespoir a favorisé l'apparition de sa maladie.

Parvenu à ce stade, il acquiert peu à peu la conviction qu'il est capable de changer le cours de sa vie et de sa maladie.

Mais le moyen le plus puissant d'optimiser le traitement d'un cancer reste, pour Simonton, la « visualisation positive » : le malade se sent capable de vaincre sa tumeur. Il ne se contente pas des soins médicaux et des médicaments : il se « visualise » guéri. *Et il guérit.*

Car, de fait, les résultats sont probants. Après plus de vingt ans de pratique, les statistiques révèlent de nombreux cas de guérison ou simplement de longue rémission et d'amélioration de la qualité de la vie.

Comment fonctionne la visualisation positive ?

L'espoir constitue l'une des armes les plus efficaces dans la lutte contre les maladies. Cela est physiologiquement prouvé : les images d'espoir déclenchent dans notre cerveau une réaction hormonale capable d'améliorer et de réveiller des défenses fatiguées.

Nous savions déjà que les moments désagréables ou agréables de la vie font sécréter par nos glandes des hormones du stress ou du bien-être. Jusque-là, rien de nouveau. Mais voici l'étonnante découverte qui a permis le développement de la « visualisation positive » : des événements non réels, simplement « imaginés », peuvent eux aussi enclencher la fabrication d'hormones !

Difficile à croire ? Pas tant que cela. Vous pouvez le vérifier par vous-même. Imaginez-vous en train de goûter votre plat ou votre gâteau préféré. Ces mets sont-ils réels ? Non ! Et pourtant, vous en avez l'eau à la bouche ! Imaginez-vous en train de couper un citron, puis de mordre dedans à pleines dents. Ce citron est-il réel ? Non ! Seulement voilà, vous ne pouvez retenir un léger rictus à l'idée du jus acide qui pique vos muqueuses.

Visualisez-vous dans une étreinte amoureuse. Est-ce la réalité ? Que non pas ! Et pourtant, cela provoque une excitation sexuelle, une réaction organique immédiate...

La « visualisation positive » utilise cette étonnante faculté pour améliorer notre santé. Ainsi, si malgré vos problèmes vous réussissez à vous imaginer tranquille et heureux, vous prélassant au bord d'une lagune bleu azur, vos glandes ronronneront de plaisir et sécréteront les délicieuses hormones du « bonheur », aptes, nous l'avons dit, à revigorer vos défenses immunitaires.

Comment visualiser aux fins de la guérison ?

Les malades apprennent d'abord à bien se relaxer. Puis chacun invente son propre « scénario ». Il met en scène, visualise une histoire dont le déroulement lui permet de croire en sa guérison. Plus il est confiant, plus il imagine dans les moindres détails sa victoire sur la tumeur, et plus ses immunités se fortifient. Pourquoi ? *Parce que, en s'imaginant triompher de sa maladie, il fait sécréter par ses glandes des hormones qui les renforcent*. Et pour être efficace, chaque « film » doit se terminer par une *happy end* : la guérison.

Dans la visualisation, tout est permis et possible : des globules blancs de la défense se transformant en chevaliers vaillants, en chars d'assaut, en avions de chasse ou en requins gloutons. Tous capables de combattre et de détruire les cellules malignes.

Simpliste ? Peut-être... mais ça marche ! À la condition *sine qua non* – bien sûr – de *croire* sincèrement à la victoire. « Tricher » avec soi ne permet pas de réussir.

Cette méthode n'a rien de magique ni de compliqué. Elle est tout simplement naturelle, performante, et utile pour toutes les maladies sans exception (et aussi dans d'autres circonstances que nous étudierons en sixième partie).

Être fidèle à soi-même pour guérir

Dans son livre *Méditer pour agir*, Lawrence Leshan, célèbre psychothérapeute, affirme une chose que nous devrions tous méditer : « Vivre complètement selon son tempérament est l'une des armes les plus efficaces de la lutte contre le cancer. »

Il s'agit en somme de retrouver le vrai sens de son existence. De découvrir la raison pour laquelle on aimerait rester en vie, donc guérir. Est-ce pour :

- Vivre un grand amour ?
- Peindre ?
- Faire un long voyage ?
- Jouer au football ?
- Faire du théâtre ?
- Cultiver des roses ?

Il faut oser vivre ce dont on rêve intensément. Dans la mesure de ses possibilités, bien sûr. Rêver n'est pas délirer... sur la fortune de la reine d'Angleterre ou la présidence de la République... Mais dans le cadre de vos moyens, n'y a-t-il pas une foule de choses auxquelles vous renoncez parce que vous vous êtes mis dans la tête que vous n'aviez « pas le droit » ? Vous voudriez vous octroyer quelques heures par semaine pour faire de la tapisserie, parce que vous aimez cette activité et que ça vous détend, mais vous ne « pouvez » pas parce que vous « devez » consacrer tout votre temps à votre famille. Erreur ! Osez vous octroyer cette récréation, et votre famille s'en portera elle aussi beaucoup mieux, car vous serez de bonne humeur et agréable à vivre... Vous « voudriez » assister de temps à autre à un match de foot, mais vous ne « pouvez » pas parce que votre femme n'aime pas vos fréquentations sportives. Est-ce vraiment par de tels sacrifices qu'on prouve qu'on est un bon mari ?

En acceptant comme légitimes nos aspirations personnelles, nous ouvrons la porte au mieux-être et, en cas de maladie, à la guérison. Nous nous débarrassons des conflits intérieurs (« j'aimerais bien, mais je n'ai pas le droit... Je ne peux pas... ») et cela renforce nos défenses immunitaires.

La spiritualité pour guérir

« Au-delà du corps et de l'esprit, dit Simonton, il existe une autre dimension de la guérison : l'aspect spirituel. »

Ne croyez pas, si vous êtes athée, que cela ne vous concerne pas. La dimension spirituelle en question ne désigne pas, dans ce contexte, la croyance obligée en un dogme religieux. Vous pouvez remplacer le mot « spirituel » par d'autres qui vous conviennent mieux : « existentiel », par exemple.

Sachez qu'une guérison est d'autant plus profonde et durable qu'elle instaure un équilibre entre les trois dimensions de l'être : physique, psychique et spirituelle. (Cf. sixième partie.)

L'expression de la dimension spirituelle éveille en chacun de nous des ressources puissantes et inconnues. Elle nous donne accès à des forces de guérison qui dépassent nos connaissances actuelles. Enfin elle nous aide à vivre en paix avec nous-mêmes, notre entourage et l'univers tout entier !

6

Éviter le stress et les maladies psychosomatiques, c'est possible !

Voici une histoire charmante, racontée par Joan Borysenko dans *Penser le corps, panser l'esprit*...

Sur une plage, deux enfants ont chacun construit un beau château de sable. Lorsque la marée remonte et menace de tout engloutir, le premier enfant se bat de toutes ses forces pour sauver son chef-d'œuvre en péril. Il tente de le protéger en érigeant une digue de sable, mais en vain. Après une lutte acharnée, fatigué autant que déçu, il voit les vagues emporter son beau château.

Tout près de là, l'autre enfant – non moins fier de sa construction – essaie lui aussi de la sauver. Il creuse tout autour, pour canaliser les flots, des douves qui se trouvent vite submergées. Il comprend que la marée sera la plus forte. Il prend alors le parti d'en jouer et il élève de petits monticules, vite rasés par la mer. Reculant chaque fois pour en créer de nouveaux, il rit de plus en plus joyeusement.

Le premier enfant, se sentant impuissant, a quitté la plage en colère : malgré tous ses efforts, il n'a pu maîtriser la marée montante et sauver son château.

Le second, outre qu'il s'est beaucoup amusé, a tiré de la chose une leçon qui peut servir à tous : qu'il faut savoir « lâcher prise ». Déployer des efforts inutiles pour protéger nos châteaux de sable – qu'il s'agisse d'affaires à la dérive, de relations difficiles ou de situations malsaines… – est l'une des causes principales de notre stress.

Pour gouverner notre existence comme pour rester en bonne santé, il nous faut respecter trois principes.

- Garder le sentiment de maîtriser sa vie, mais en se montrant capable de s'adapter avec souplesse aux événements.

- Ne jamais chercher à exercer un contrôle trop rigide sur le cours de ces événements, car cela peut nous mener (à l'instar du premier enfant sur la plage) à gaspiller nos forces dans des entreprises stériles et forcément condamnées à l'échec.

- S'accrocher quand il le faut et lâcher prise au bon moment. Seule cette faculté d'adaptation permet de faire face aux défis de la vie.

Cette « fermeté souple », ou « force tranquille », est joliment décrite dans ces quelques vers que m'a envoyés mon ami Eddy Marnay, vers tirés d'un poème de Marc Aurèle :

Que Dieu me donne le courage
De changer ce qui peut l'être ;
La force d'accepter
Ce qui ne peut être changé ;
Et la sagesse de distinguer
L'un de l'autre !

Si nous ne pouvons pas changer les événements, changeons-nous !

« Accepter ce qui ne peut être changé » ne signifie pas abdiquer, se poser en victime, renoncer la mort dans l'âme. Car même lorsque nous ne pouvons pas modifier le cours des choses, il nous reste un grand pouvoir : celui de modifier notre propre attitude, nos propres réactions face aux « adversités » de la vie.

Il faut se dire que puisque c'est « comme ça » et que l'on n'y peut rien (séparation, trahison, licenciement ou dépôt de bilan...), on apprendra à *vivre avec*. Pas à son corps défendant ni dans le regret perpétuel, mais sincèrement. Avec un regard neuf. En tirant la leçon des événements et en puisant de nouvelles ressources dans ses ennuis mêmes. Prenons l'exemple le plus brutal qui soit : la perte d'un être cher. Passé le chagrin lancinant, ce décès peut et doit nous enseigner à mieux profiter de nos proches et à mieux les aimer dès maintenant, tant qu'ils sont encore là.

Face à une situation stressante, la règle d'or à se rappeler est la suivante : il existe un temps pour tout. Un temps pour agir et se battre tant qu'il est possible d'espérer une amélioration ou d'obtenir un changement. Puis un temps pour se faire une raison, pour tirer un trait lorsqu'il n'y a plus rien à espérer. (Cf. cinquième partie, chapitre 5.)

Savoir « trier » son stress

Une autre règle de vie est de savoir « hiérarchiser son stress ». Distinguer ce qui est important de ce qui ne l'est pas. Différencier les soucis « poids plume » des chagrins « poids lourd ». Apprendre à relativiser le désagrément d'une dent cassée, de la feuille d'impôts, d'un portefeuille ou de clés perdus, des embouteillages, de la voiture en panne…

Et garder du ressort pour faire face à une maladie grave, à la mort d'un proche ou bien au chômage, aux ennuis d'argent.

Refuser le sentiment d'impuissance

Nous avons vu que ce sentiment, qui consiste à estimer que nous n'avons aucune prise sur les événements, est extrêmement nuisible au bon fonctionnement de nos immunités.

Nous avons vu aussi que cette idée de « ne pouvoir rien faire » contre l'adversité découle très souvent du « sentiment d'impuissance » de l'enfance.

Mais répétons-le, aujourd'hui, c'est différent ! Dites-vous : quel que soit mon vécu antérieur, je peux influer sur le cours de mon existence. À présent je suis capable de prendre ou de reprendre mon destin en main.

Sortir de l'impasse du « tout ou rien »

Croire qu'il faut tout obtenir ou rien, que la vie est toute rose ou toute noire représente une forme d'exigence génératrice de stress intense. Pour sortir de ce stress du « tout ou rien », il faut déployer l'« arc-en-ciel des options ».

Exemple : nous n'avons pas envie de rester avec quelqu'un, mais nous avons peur de le quitter. Ce conflit nous use, nous fait dépenser une grande énergie en pure perte, et nous dévalorise à nos propres yeux. Car nous sommes aussi frustrés de rester que nous le serions de partir.

Pour sortir de cette impasse, nous devons comprendre que la palette de la vie ne comporte pas que le noir et le blanc, mais des couleurs nuancées à l'infini.

Que notre choix ne se résume pas au « tout ou rien » qui paralyse notre capacité d'agir. En sortir, c'est se libérer de cette fausse et stérilisante alternative, et découvrir qu'à chaque problème il existe de nombreuses solutions intermédiaires. Ainsi, dans l'exemple qui nous intéresse, on peut, au lieu de rester (tout) ou partir (rien) :

– négocier avec l'autre pour rester sous certaines conditions,

– partir pour mieux revenir après,

– partir, mais pas trop loin,

– s'offrir des vacances solitaires pour mieux vivre ensemble le reste de l'année,

– ou, au contraire, partir et se retrouver pour les prochaines vacances,

– rester, mais tout en prenant le temps de s'occuper de soi...

L'essentiel est de ne pas rester figé sur ses anciennes positions. De s'ouvrir. D'élargir ses horizons. De refuser d'être paralysé par le stress ! Et surtout, inutile de laisser tourner le « petit vélo » dans sa tête : la rumination est la chose la plus usante qui soit !

Ne pas écouter les oiseaux de mauvais augure

Pour garder confiance en vous, envers et contre tout, refusez-les : « Quand vas-tu enfin te trouver un travail stable ? Quand vas-tu cesser de papillonner avec des amourettes, et te marier ? Tu vas d'échec en échec... » Ne laissez pas l'opinion d'autrui vous diriger et vous handicaper, détruire l'estime que vous devez avoir pour vous-même.

Prenez conscience de toute cette richesse de connaissances que vos multiples expériences vous valent. Analyser vos échecs pour mieux rebondir vous rendra chaque fois un peu plus capable et plus fort. Chaque circonstance de votre vie recèle une précieuse leçon pour l'avenir. La découvrir, c'est agir sur cet avenir et donner chaque fois un peu plus de sens à votre existence !

Quelques minutes pour reprendre espoir

• Parlez gentiment à votre Enfant Intérieur. Autrement dit encouragez-vous et soutenez-vous. Découvrez vos qualités et vos capacités.

• Persuadez-vous que « tout passe, tout casse, mais tout recommence ».

• Accordez-vous quotidiennement plusieurs « minipauses » d'une ou deux minutes pour vous relaxer profondément.

• Offrez-vous chaque jour au moins trois choses ou moments agréables (voir sixième partie).

• Et à chaque coup dur, répétez dix, cent et mille fois s'il le faut : « J'ai suffisamment de ressources pour maîtriser la situation. Mes capacités m'ont déjà permis de surmonter bien des problèmes. Cette fois encore, elles vont me donner un coup de main. »

7

Mes fiches « antistress »

Le bon mécanicien évite la surchauffe de sa machine en lui ménageant des temps de repos et en la lubrifiant d'une bonne huile.

Et nous, comment entretenons-nous notre machine ? Lui donnons-nous assez de repos ? Le carburant adéquat ? L'huile dont a besoin chaque rouage de notre organisme ?

Notre existence est souvent stressante et les effets du stress, dont les maladies psychosomatiques, peuvent être destructeurs. Pour ne pas caler à la première occasion, apprenons à entretenir notre machine.

Voici quelques techniques susceptibles de soulager les petits ou grands moments de stress. Certaines sont à appliquer au quotidien et relèvent d'une saine hygiène de vie. D'autres sont plus particulièrement indiquées pour affronter des stress violents, voire des moments exceptionnellement durs.

Mes conseils pour dissiper un stress « poids plume »

- **Ménagez-vous des pauses.**
  Plus une personne est stressée, anxieuse, moins elle prend le temps de « décrocher », de souffler. Pourtant,

pour diminuer l'anxiété, il est crucial de savoir s'arrêter et de s'offrir une activité relaxante.
Ne serait-ce que dix petites minutes par jour :

– ouvrez grande la fenêtre et respirez à fond plusieurs fois,

– étirez-vous longuement, puis pratiquez une « minirelaxation » pour refaire le « plein d'énergie »,

– téléphonez à quelqu'un que vous aimez bien (vous vous sentirez tellement mieux après),

– lisez – même un court passage – d'un livre ou de votre journal préféré (cela aide à relativiser ses problèmes).

De telles activités rompront le cycle du stress mille fois mieux que toute pause cigarette, café ou alcool, qui ne nous vaut qu'une fausse détente et accroît en fin de compte le stress du système nerveux.

- **Secouez vos cellules.**
Moins nous bougeons et plus l'anxiété nous ronge. Dépenser son énergie physique, si petite soit-elle, permet de « cracher » un peu de sa tension.
Et n'oubliez pas de respirer à fond en pratiquant chacune de ces activités :

– faites un « circuit course » dans votre appartement ; tournez dix fois autour de la table, passez par la salle de bains, la cuisine et la chambre pour revenir à la salle de séjour,

– montez et descendez un étage de vos escaliers au moins cinq fois d'affilée,

– faites le tour du pâté de maisons en marchant très vite ou en courant.

Pendant ces « exercices », ne pensez qu'aux mouvements de votre corps, de vos jambes, et à l'ampleur de votre respiration.

- **Caressez votre chien ou votre chat.**
Caresser un animal procure du plaisir... et peut même abaisser la tension artérielle. Des statistiques américaines le prouvent ! Alors, si vous en avez un, caressez votre animal domestique, observez-le, parlez-lui, mettez-vous à quatre pattes pour jouer avec lui et votre taux de stress diminuera... c'est garanti !

- **Prenez une bonne douche !**
Se doucher à l'eau chaude puis à l'eau froide améliore la circulation sanguine, désintoxique l'organisme et déclenche la production d'endorphines et de catécholamines. Alors, quand vous êtes « énervé », offrez-vous la relaxation d'une bonne douche chaude, puis terminez avec un jet d'eau froide en remontant de la plante des pieds jusqu'à l'abdomen. La bonne humeur sera au rendez-vous !

- **Faites de petits sommes ou de courtes méditations.**
Des siestes ou des méditations de quinze à vingt minutes évitent la « surchauffe » du système nerveux. Mais attention, au milieu de la journée, une pause sommeil plus longue n'est pas indiquée.

– Fermez les yeux et laissez-vous aller (« lâchez prise ») pendant quinze à vingt minutes.

– Et faites-le, selon la saison, près d'une fenêtre entrebâillée ou grande ouverte.

Vous verrez, on se sent tellement mieux après...

- **Encouragez-vous.**
  Encourager un ou une amie stressé(e) nous paraît naturel. Alors pourquoi pas soi ? Pourquoi ne pas prendre l'habitude quotidienne de se soutenir ?
  Chaque fois que vous rencontrez une situation génératrice d'anxiété, répétez-vous des phrases de ce genre :

  – Je sais que ça ira, ce n'est pas la première fois que ça m'arrive !

  – La solution existe, alors du calme ! Une chose après l'autre !

  – Ça m'angoisse, mais ça ne m'empêchera pas de bien faire !

  – Je n'ai certes pas tellement envie de m'y mettre, mais après ça ira tout seul !

  Ces encouragements vous donneront la force d'agir.

Mes conseils pour soulager des stress « poids moyen »

- **Rions, c'est sérieux !**
  Le rire est un des meilleurs antistress et somnifères. Nous avons déjà vu, avec l'histoire de Norman Cousins, qu'il détend les nerfs et libère des hormones du calme et du bien-être : les catécholamines, les endorphines et les anandamides.
  Alors c'est tout simple.

  – Prenez l'habitude de regarder des cassettes vidéo et des films comiques. De lire des livres pleins d'histoires drôles.

– Efforcez-vous de trouver, dans chaque situation, le détail plaisant, inattendu ou saugrenu qui déclenche le sourire ou l'hilarité.

– Chaque fois qu'une situation vous affecte, vous inquiète, rire vous permettra de la relativiser. De prendre du recul. Imaginez votre patron, votre collègue ou votre concurrent avec un nez rouge, des moustaches vertes ou un caleçon de grand-père…
Au fur et à mesure que vous vous laisserez aller au fou rire, votre anxiété s'effacera !

- **La musique adoucit les mœurs.**

Les vibrations harmoniques d'un air de musique que nous aimons déclenchent une sécrétion hormonale induisant l'apaisement, la sérénité ou bien le dynamisme.

– Vous aimez Verdi, Wagner ou les chansons sur Paris ? Prenez le temps d'en écouter ! Et pourquoi ne pas esquisser quelques pas de danse ?

– Pour vous calmer encore mieux, asseyez-vous dans votre fauteuil préféré et écoutez un disque de jazz « cool », du chant grégorien ou une musique classique et solennelle. Rien de mieux pour se détendre ! Caresser une peluche ou votre animal favori augmentera encore cette détente.

– Chantez à tue-tête sous la douche ou dans votre baignoire : cette méthode permet de « cracher » l'anxiété.

– Dans la voiture, bougez (et chantez aussi) au rythme des chansons diffusées par votre station de radio ou votre cassette favorite. C'est bon pour le moral !

• **La relaxation court-circuite le stress.**

L'obsession psychologique et les dégâts physiologiques entraînés par le stress peuvent être court-circuités par la relaxation, la méditation ou la visualisation. Les techniques adéquates (cf. sixième partie) vous permettront d'exercer un plus grand contrôle sur votre système nerveux. D'ores et déjà :

– Ménagez-vous quotidiennement un temps pour pratiquer et perfectionner l'une de ces méthodes (et pourquoi pas plusieurs d'entre elles ?).

– Après avoir fixé votre choix, soyez assidu et pratiquez-la (ou pratiquez-les) régulièrement. S'élaborer un programme personnalisé soulage encore plus efficacement le stress !

• **Autosuggestionnez-vous !**

Lorsque l'anxiété devient par trop insupportable, plutôt que de vous décourager, dites-vous :

– Je ne suis pas parfait(e), mais ce qui compte c'est que je fasse du mieux que je peux !

– Du calme et pas de panique, ça ira !

– Je prends mon temps, je vais à mon rythme mais j'y arriverai !

Mes conseils pour conjurer des stress « poids lourd »

• **Ne ramenez pas tout à vous.**

Il suffit que le chef de service, le conjoint, le collègue ou l'ami(e) nous semblent un peu distants, et tout aussitôt nous fantasmons, nous nous mettons dans

tous nos états et c'est la crise. « Il » ne nous adresse pas la parole « parce qu'il va me renvoyer », « qu'il aime quelqu'un d'autre », « qu'il me prépare un sale coup » ...
Notre équilibre affectif s'en trouve complètement déstabilisé. Que faire ?
Soyez réaliste et réfléchissez un peu : vous n'êtes pas le centre du monde ! Il existe sûrement d'autres raisons, ne vous concernant pas, à son attitude. Imaginez-les.

– Peut-être une migraine, un conflit affectif ou un enfant malade ont-ils motivé sa mauvaise humeur.

– Notez d'autres raisons (sans rapport avec votre personne) qui ont pu générer ce « coup de froid » !

– Et, si vraiment vous restez persuadé que cette froideur s'adresse à vous, ne prolongez plus votre anxiété : demandez à la personne en question, franchement (et gentiment !), quel est le problème, et si vous y êtes pour quelque chose ou pas.

- **N'imaginez pas le pire !**

Plus une personne est anxieuse et plus elle imagine le pire. Anticiper les catastrophes est l'une des sources de stress les plus courantes : faites taire la folle du logis !
Demandez-vous sincèrement (et répondez-y par écrit)...

– Combien de mes sinistres pronostics se sont réalisés au cours des deux dernières années ?

– Donc combien de risques y a-t-il que mes sombres « prophéties » actuelles se vérifient dans les années suivantes ?

Contentez-vous d'assumer les situations présentes sans vous empoisonner la vie avec celles « supposées » terribles de votre avenir.

- **« Éteignez » vos cauchemars.**

L'image d'un atroce accident, le visage d'un être cher disparu après de grandes souffrances peuvent hanter l'imagination durant des semaines, des mois, voire des années, et générer un épouvantable stress. En pareil cas, voici la manière de procéder.

– Évoquez délibérément l'image qui vous perturbe.

– Au moment choisi, faites-la disparaître en sifflant, en claquant des doigts, en battant des mains, en entendant une sirène de bateau ou en écoutant un air de saxo (à vous de choisir !). Puis vérifiez que l'image en question s'est bien effacée de votre esprit. Si ce n'est pas le cas, choisissez un autre son ou un autre moyen pour y parvenir. Continuez jusqu'à ce que l'image s'efface réellement.

– À présent, recommencez l'exercice et entraînez-vous à faire disparaître l'image désagréable en la remplaçant sur-le-champ par la visualisation d'un visage ou d'une scène agréable et apaisante.

- **« Filmez » vos problèmes pour les relativiser !**

Plus votre stress est grand, plus vos pensées s'embrouillent. Dans ce cas, il est pour le moins difficile d'avoir une vision cohérente de la situation et de trouver la solution adéquate.
La visualisation permet de contrôler, puis de vaincre l'anxiété.

– Visualisez votre problème comme un film sur un écran de télévision. Comme dans une série télévisée, imaginez tous les détails, entendez distinctement les voix de tous les protagonistes de votre « feuilleton personnel ».

– Refaites défiler toute votre histoire à l'écran, mais cette fois avec l'aide de divers trucages…

- Faites-la défiler en noir et blanc.
- Trop vite ou trop lentement.
- En avance rapide puis en marche arrière.
- Faites marcher votre principal antagoniste comme Charlot.
- Grossissez l'image par un zoom avant jusqu'à ce qu'elle remplisse tout l'écran.
- Puis zoomez en arrière jusqu'à ce qu'elle devienne toute petite.
- Enfin, placez-vous au sommet d'une montagne et observez de loin, et de haut, votre histoire. Renouvelez l'expérience jusqu'à ce que vous preniez de la *distance* avec votre problème. Il aura alors perdu beaucoup de sa virulence !

Et si, malgré tous vos efforts, cette histoire vous stresse toujours autant, zappez ! Changez de chaîne et visualisez-vous dans le scénario de vos rêves !

- **Dialoguez avec vous-même.**

Quand vous étiez enfant, vos parents prenaient soin de vous, vous calmaient, vous protégeaient. Aujourd'hui, c'est à vous que cette tâche incombe si vous vous sentez stressé, anxieux, obsédé par un problème. Nous l'avons indiqué dès le premier chapitre : vous devez devenir votre propre « doux parent » !

– Prodiguez-vous les paroles apaisantes que vous voudriez entendre : « Je crois en toi… Je ne t'abandonnerai pas… »

– Réconfortez-vous en vous disant que vous avez les ressources et les capacités nécessaires pour vous sortir de l'embarras !

- **Méditez ou priez.**

  La méditation, le recueillement ou la prière peuvent opérer des changements profonds dans votre vie.

  L'éveil de votre énergie spirituelle vous donnera accès à des ressources puissantes et inconnues de vous jusqu'alors ! (Cf. sixième partie.)

Certaines de ces techniques peuvent vous paraître au début trop simples. Erreur : elles sont ludiques ! Et déjà le jeu en soi suppose de prendre ses distances par rapport aux difficultés de la vie. Vous découvrirez ensuite que la vie elle-même est un jeu et que ces techniques vous apprennent à bien le jouer.

Par ailleurs, la relaxation, la visualisation, le dialogue intérieur ou la méditation risquent également de vous sembler fastidieux. Un peu de courage, et de constance ! Avec l'habitude, ils deviendront aussi agréables qu'une séance de gymnastique corporelle qui au départ vous « barbait » copieusement et dont soudain vous tirez un grand bien-être.

Ah, bien sûr, il est plus rapide d'allumer une cigarette, d'avaler un whisky ou de se bourrer de friandises ! Seulement soigne-t-on le mal par le mal ?

QUATRIÈME PARTIE

Faux remèdes contre le mal de vivre ou comment nous nous empoisonnons la vie

Quand on ne trouve pas son repos en soi-même, il est inutile de le chercher ailleurs.

LA ROCHEFOUCAULD

Pour tromper notre « spleen » ou notre surexcitation, notre manque d'énergie ou nos complexes, pour nous donner contenance ou nous faire chaud au cœur, nous avons recours à ce que nous nommons affectueusement nos « petits plaisirs » : on fume une « petite cigarette », on se régale d'un « petit plat » ou d'un « petit verre »... D'autres vont plus loin : ils remplacent la tablette de chocolat par la tablette de médicaments, se consolent dans les bras de la morphine, noient leur chagrin comme leur lucidité dans un alcoolisme qui n'ose s'avouer ; à tout moment, ils peuvent compter sur ces « amis sûrs », enfermés dans le placard à alcools ou l'armoire à pharmacie.

Sur le moment, on trouve là une certaine satisfaction. Alors pourquoi ne pas continuer ? Et si après tout c'était le seul moyen d'adoucir notre pauvre condition d'êtres humains... Mais un beau jour, pour peu que nous soyons un minimum réalistes, nous nous rendons compte que nous sommes pris au piège : nos « petits plaisirs » se sont transformés en obsessions ou en nuisances – pour les autres comme pour nous-mêmes. Nos produits de « consolation » sont en fait ceux de notre « démolition », à la fois physique et psychologique. Attention : il est souvent difficile de faire machine arrière, car nous sommes devenus dépendants de nos mauvaises habitudes.

Il ne s'agit pas ici d'alourdir la mauvaise conscience des « accros » en tout genre. Je voudrais au contraire montrer qu'il y a dans ces dépendances des mécanismes plus compliqués qu'on ne le croit souvent : et donc qu'il ne suffit pas toujours de bonne volonté (« tu n'as qu'à faire preuve d'un peu de volonté ! » s'entend-on souvent reprocher par les « pères la vertu ») pour résoudre le problème…

Il ne suffit pas non plus d'employer la logique. Le fumeur sait bien que sa manie lui grignote les poumons. Le drogué sait bien qu'il fuit la réalité, et que donc il perd ses chances d'avoir prise sur elle. Mais la logique a peu de place ici puisque, on va le voir, l'être humain est capable de tomber malade… dans l'espoir de se faire du bien !

1

Méfions-nous des faux amis !

Ma mère cachait la tablette de chocolat toujours au même endroit, sous le livre de comptes, en haut du placard de la cuisine…

Certains soirs, incapable de résister à la tentation, je me glissais dans la cuisine endormie, grimpais sur une chaise, puis sur le rebord du buffet, avant de laisser mes doigts tâtonner fébrilement à la recherche du papier glacé. Le bruissement de l'emballage argenté sonnait à mes oreilles comme une musique céleste…

Oh, je me doutais bien que mon « forfait » serait découvert, mais la crainte de la punition ne suffisait pas à me retenir. J'aurais affronté toutes les punitions du monde pour la sensation de plaisir et de réconfort qui me parcourait lorsque, debout en équilibre instable, je croquais avec volupté dans les carrés de chocolat.

Je me souviens que ce plaisir nocturne avait presque toujours lieu le vendredi. Le vendredi, c'était chez nous le jour de la corvée, du grand ménage : le déjeuner à peine terminé, nous commencions par laver à grande eau la terrasse et les marches qui descendaient sur la rue.

Après la terrasse et l'escalier venait le tour de la maison : la poussière balayée, les chaises et les tabourets renversés sur la grande table, je m'agenouillais pour attaquer le carrelage à coups de brosse de chiendent. Je frottais au savon, puis je rinçais à l'eau claire. Bien qu'aveugle, ma mère supervisait soigneusement les opérations : et aussi longtemps qu'elle entendait la mousse pétiller dans le seau, je devais changer l'eau et rincer encore...

J'avais pourtant mes moments de répit, notamment lorsque je lavais le sol sous le piano. Assise par terre sous ce vaisseau noir, j'observais sa charpente de belles poutres blondes, qui formaient au-dessus de ma tête le toit d'une maison tout à moi. Je m'y sentais protégée, à l'abri, et je pouvais souffler.

De temps à autre, je raclais la brosse par terre pour faire croire que j'étais bien en train de travailler : mais en réalité, fermant les yeux, je me laissais aller à rêver tout éveillée, je me racontais une merveilleuse histoire, toujours la même...

Mon père rentrait du travail tout souriant. Ma mère, délicieusement parfumée, un tablier blanc imprimé de cerises rouges noué à la taille, lui ouvrait la porte. Câline, elle se pendait à son cou, lui disait combien il lui avait manqué. Et mon père l'embrassait amoureusement. Puis, se tournant vers moi, il me prenait dans ses bras en m'appelant son « petit cœur ». La tête de ma mère se penchait au-dessus de la mienne, ses boucles blondes flottaient comme un nuage doré. Je l'entendais avec ravissement me susurrer que j'étais la plus mignonne des filles, qu'elle m'aimait très fort...

Lorsque j'arrivais à ce point culminant de mon rêve, mon cœur chavirait de bonheur ! Et chaque fois, à ce moment précis, ma mère s'approchait sans bruit de ma cachette et découvrait la supercherie en poussant les hauts cris. J'avais commis le plus indigne des crimes : « Tromper une mère aveugle ! » Honteuse, je me remettais à briquer le carrelage, convaincue que je ne valais pas grand-chose, et surtout pas l'amour de la belle et vaporeuse maman de mes rêves...

Mais ce vendredi de corvée avait aussi son coin d'azur : quand la maison était enfin impeccable, quand tous les membres de la famille s'étaient baignés et habillés pour accueillir le shabbat[1], mon frère et moi recevions chacun un carré de chocolat. Un unique et minuscule carré ! Ma mère disait que le chocolat coûtait cher et que nous n'avions pas les moyens de nous en offrir davantage.

Cette récompense, je l'attendais dès le jeudi matin. Par anticipation, je pensais à la sensation gourmande qui m'envahirait lorsque je placerais délicatement le morceau de chocolat dans ma bouche... Mais lorsque ce moment arrivait, le petit carré fondait si vite sous ma langue que j'avais à peine le temps de le savourer.

Alors certains soirs, n'y tenant plus, je me faufilais sans bruit jusque dans la cuisine, je me perchais sur une chaise, puis sur le rebord du buffet, pour voler deux autres carrés de rêve... Chaque fois, je me faisais une promesse : quand je serais grande, je mangerais autant de chocolat que j'en aurais envie. Et personne, personne ne pourrait m'en empêcher !

Des années plus tard, je me suis rendu compte que j'avais – pour mon malheur – tenu cette redoutable promesse, au point d'être sujette à de véritables crises de boulimie.

Les gâteaux pour tromper la solitude

Enfant, je n'avais personne à qui confier ma détresse face à la maladie de ma mère, ou la peur que m'inspirait son caractère difficile. Alors, pour adoucir mon chagrin, je mangeais des gâteaux en cachette.

Et c'est ainsi que les pâtisseries et les friandises sont devenues mes « meilleures amies ». N'étaient-elles pas

1. Dans la religion juive, le jour de repos est le shabbat. Le shabbat dure du vendredi soir au samedi soir, le coucher du soleil déterminant son début et sa fin.

remplies de douceurs à mon égard ? Jamais elles ne se moquaient de moi ou de mon poids ! Jamais elles ne me méprisaient ! Le gâteau aux noix ne m'a jamais traitée d'« incapable ». Et quand je mordais à pleines dents dans le biscuit « noir et blanc » et que je sentais sous ma langue se mélanger la crème fraîche et le chocolat noir, combien la vie me semblait légère et douce... Oublié mon maudit carnet de notes, envolée cette sonate de Beethoven qui me donnait tant de peine ! Jusqu'aux disputes incessantes de mes parents et aux plaintes de ma mère qui s'estompaient, au moins pour quelques précieuses minutes.

J'ignorais bien sûr que ce péché mignon d'enfance occuperait ensuite une place « capitale » dans ma vie. Plus tard, à l'âge adulte, la veille de grands concerts ou d'émissions de télévision, j'ai senti en effet mes anciennes terreurs remonter à la surface. Je redevenais cette petite fille qui rentrait de l'école avec une mauvaise note en grammaire, le ventre tenaillé par une terrible angoisse. Alors, comme autrefois, par une sorte de réflexe, je puisais un peu de réconfort et de courage dans la nourriture.

Un réconfort dont je ne comprenais pas bien le mécanisme et dont je devais découvrir progressivement le caractère illusoire, et dangereux...

Pourquoi se gaver l'estomac, quand c'est le cœur qui a faim ?

Le secret de la boulimie, mais aussi de la plupart de nos dépendances – excès de boisson, abus de tabac ou de drogue, obsession du sexe comme du travail –, c'est cette confusion que nous opérons entre nos besoins affectifs et notre faim physiologique.

– Un café avec un morceau de chocolat noir et j'oublie le reste du monde, me disait souvent Chantal.

De fait, Chantal n'a pas eu la vie facile. Elle a pratiquement été élevée par son grand-père parce que ses parents voyageaient beaucoup et sortaient souvent. Par la suite, elle a choisi – pas consciemment, bien sûr – un mari qui la traitait comme l'avait fait son père : c'est-à-dire qu'il se montrait froid et distant, jamais disponible. Il s'était opposé à la venue d'un enfant et Chantal s'était résignée, à son corps défendant.

Puis vint le jour où son mari rencontra une femme « plus jeune et plus jolie »… qui ne tarda pas à tomber enceinte de lui. Après dix-huit ans de vie commune, il exigea le divorce. Et Chantal, seule, paumée et sans métier, lui accorda sa liberté.

Elle gagne à présent sa vie en vendant à quelques magasins des poupées de sa création. Depuis son divorce, elle a grossi de vingt kilos. Des kilos qui, croit-elle, la protègent contre cette vie dont elle a tellement peur…

Aujourd'hui, Chantal répète volontiers que les hommes, c'est fini, et qu'elle ne veut même plus entendre parler d'amour. Mais chaque fois qu'elle a besoin que quelqu'un la prenne dans ses bras en lui disant « je t'aime, je tiens à toi » – ces mots que son père lui a toujours refusés –, elle fait taire son envie et ses regrets en dévorant du chocolat noir avec son café. Et pendant une heure ou deux elle oublie…

Les régimes ? Une punition inutile

Comme Chantal, nous avons pratiquement tous notre « trompe-souci », notre baume magique, notre « drogue ». Mais pour peu qu'on nous pousse un peu, nous sommes disposés à reconnaître que ce sont là des palliatifs bien pauvres. Comment pourrait-il en être autrement ? Les boulimiques se remplissent la panse… alors que c'est le cœur qui crie famine ! Le vrai besoin affectif, toujours aussi lancinant, ne leur laisse pas de répit. Tant que notre faim d'amour, notre soif d'affection et d'attention ne seront pas comblées, nous continuerons à ressentir en nous ce mal-être, cette irrépressible sensation de manque.

Et c'est bien pourquoi la plupart des régimes draconiens sont voués à l'échec ! Aucune « bonne résolution » ne peut tenir longtemps : on aura beau se condamner au pain sec et à l'eau, se punir (une fois de plus !) à coups de menus infects, rien n'y fera ! Au bout de quelques semaines, voire de quelques mois pour les plus courageux d'entre nous, nous recommencerons à dévorer de plus belle. Quoi de plus normal, puisque notre faim affective est toujours là !

Tant que nous ne trouverons pas le moyen de la soulager, de consoler nos émotions blessées, nous ne sortirons pas de ce schéma : toute notre vie, nous nous empoisonnerons à petit feu, quelle que soit la substance choisie.

Je sais de quoi je parle, je suis passée par là. Lorsque j'étais enfant, seules les pâtisseries avaient le don d'anesthésier un peu la douleur profonde causée par le manque d'affection. Naturellement, à l'âge adulte, la nourriture est restée mon seul refuge. Ma compagne des jours mauvais. Pourtant, grâce à la médecine naturelle, et pendant de très nombreuses années, j'ai réussi à me libérer de ma prison boulimique. En tout cas, je l'ai cru... Mais j'avais gardé en moi une grande fragilité, une fêlure. Le mal n'était pas éradiqué. Et lorsqu'une accumulation d'événements tragiques dans ma vie a réveillé cette blessure et l'a mise à vif, je suis retombée dans la même ornière : j'ai recommencé à me consoler avec la nourriture.

Pourtant, cette « rechute » a eu le grand mérite de m'ouvrir les yeux : j'ai compris que pour arrêter le processus il fallait que j'aille plus loin en moi, afin d'identifier clairement mes besoins affectifs oubliés, et aussi que j'apprenne à les exprimer et à les combler ! Tout cela sans renoncer bien sûr à l'aide précieuse apportée par une nourriture saine et biologique... Mais j'avais acquis la conviction que pour se débarrasser d'une dépendance il fallait comprendre le mécanisme émotionnel qui est à son origine.

2

Comprendre nos dépendances pour mieux les combattre

Pour mener victorieusement une bataille, dit un proverbe chinois, il faut connaître ses propres forces, mais aussi bien connaître son adversaire. Autrement dit, si nous voulons éviter les pièges que nous tendent nos dépendances, nous devons commencer par comprendre leur fonctionnement.

Souvent, nos dépendances trouvent leur source dans notre toute petite enfance. On en revient toujours là : à ce temps où, malgré leur amour, nos parents ou nos éducateurs n'ont pas su nous apprécier tels que nous étions.

Encore une fois, il ne s'agit pas de crier haro sur des parents qui, à quelques exceptions près, ne souhaitent que le bonheur de leur progéniture… même lorsqu'ils traitent leur enfant de « cancre » ou de « bon à rien » ! Le problème, on l'a vu, c'est que les enfants croient dur comme fer que les parents savent tout et qu'ils sont les plus forts et les plus intelligents. Incapables de mettre en doute leur parole, les enfants grandissent avec la certitude de ne pas être « aussi doué que le frère », « aussi débrouillard que le copain », « aussi jolie que le souhaitait maman… »

Et c'est ainsi que doucement mais sûrement les petites phrases parentales, souvent lancées à la légère, finissent par peser comme des boulets dans leur cœur !

Bien sûr, le temps passe et les souvenirs s'estompent... Mais les enfants devenus adultes conservent une mémoire inconsciente du dénigrement dont ils ont été l'objet. Et ce sont eux, désormais, qui, chaque matin, devant la glace de leur salle de bains, s'accablent de reproches : « Tu es trop grosse... Trop petit... Trop mou... Pas assez intelligent... Pas belle... »

Faut-il pour autant en vouloir à nos parents jusqu'à la fin de nos jours ? Leur faire porter le chapeau de toutes nos manies, de tous nos complexes ? Évidemment non ! Nous l'avons dit dès le début de ce livre : ils ont fait de leur mieux. D'ailleurs pourquoi ne pas l'avouer ? Nous-mêmes, en toute bonne foi, nous continuons d'employer la même méthode avec nos gamins...

En agissant de la sorte, tous les parents s'imaginent stimuler leurs enfants. Alors qu'au contraire, plus une personne se sentira acceptée *telle qu'elle est* – c'est-à-dire avec ses défauts comme avec ses qualités –, plus elle aura de chances de révéler et de confirmer ses talents personnels.

Et ces talents, chaque être humain en est doté à profusion ! À nous de ne pas les laisser en friche.

Pourquoi par exemple se polariser sur les insuffisances en grammaire ou en mathématiques de votre enfant, si par ailleurs il ou elle se passionne pour la géographie, le sport ou la musique ? De même, pourquoi se dévaloriser soi-même à plaisir (« je n'ai aucune qualification, je ne suis douée pour rien ») quand on sait préparer de bons plats, bricoler, peindre, inventer, rire aux éclats, coudre, soigner les enfants, ou écouter celui qui est dans la détresse ? Au lieu de faire éclore nos nombreuses qualités, nous vivons dans une perpétuelle inquiétude, voire l'angoisse de ne pas être « assez bien ». Quoi d'étonnant ? C'est l'essentiel qui nous fait défaut : le sentiment de s'apprécier et de croire en soi-même !

Pour avancer malgré tout, pour tenir le coup, nous avons bien trouvé une solution, ou plutôt une fausse solution : nous avons refoulé ces complexes le plus loin possible, dans les méandres de notre inconscient. Peine perdue ! Car ce malaise continue d'agir à notre insu, en traître. Chez certains, il ne génère qu'un peu de tristesse, une vague mélancolie. Mais pour beaucoup d'entre nous, il se transforme en un véritable mal-être et notre existence nous semble insupportable.

Alors, pour moins souffrir, notre inconscient est obligé de tricher : il invente des palliatifs ou des sources de consolation – ainsi naissent nos dépendances. Voilà comment, dans l'espoir d'anesthésier notre mal de vivre, nous ne trouvons rien de mieux que de recourir à des substances ou à des comportements dangereux pour notre santé !

Nos dépendances : des formes multiples, une même origine

Les enfants en bas âge que nous étions trouvaient une sensation de sécurité affective et de bien-être dans la nourriture, et par extension dans tout ce qui était lié à la bouche : ils tétaient le sein, suçaient leur pouce ou une tétine.

Adultes, par une sorte de réaction instinctive, nous conférons aux plaisirs buccaux le pouvoir de calmer notre stress. Alors, nous nous empiffrons, nous « bibe-ronnons » de la bière ou du whisky, nous tirons sur une cigarette, nous ingurgitons des litres de café, des médicaments ou de la drogue. Nous engloutissons, nous nous gavons de n'importe quoi pour ne plus penser, pour ne pas sentir. Pour oublier quelques minutes ou peut-être quelques heures nos « imperfections », nos échecs, nos déceptions, et tous les tracas de la vie. Pour ne plus avoir à dire « ma vie est vide ».

Cela dit, cette « fringale » ne se calme pas toujours par voie orale. J'en connais qui choisissent à la place d'enfourner des dossiers. Accumulation de responsabilités, horaires surchargés ? Qu'importe ! Ces « bourreaux de travail » ne peuvent pas s'arrêter : « On a licencié mon collègue et je suis seul à me taper tout le boulot, ça ne peut pas continuer comme ça ! » se plaignent-ils. Mais ils continuent... Pouvoir se dire constamment « débordé », n'est-ce pas la meilleure façon de se masquer le vide de son existence ?

Plutôt que de se surmener, d'autres préfèrent s'enivrer dans un tourbillon de sorties, de réceptions ou de voyages. À moins qu'ils ne se livrent à une débauche de sexe. Chemins apparemment opposés, mais le principe est exactement le même. « Qu'importe le flacon pourvu qu'on ait l'ivresse ! »

D'autres encore, pour étouffer un cri intérieur, pour se sentir moins seuls ou tout simplement pour se sentir exister, se « procurent » par tous les moyens une dose supplémentaire d'adrénaline : ils sautent en parachute, conduisent à tombeau ouvert, flambent leur argent aux courses ou dans les casinos, fauchent dans les magasins... Bref, ils se donnent des « sensations fortes ». En vain ! Car ces faux remèdes ne font pas taire la voix critique qui nous rabaisse sans cesse. C'est même tout le contraire qui se produit...

Le piège infernal

Le problème de tous ces dérivatifs, c'est qu'on finit par s'y accrocher. Et lorsqu'on s'aperçoit qu'ils minent la santé, il est très difficile de s'en débarrasser. On peut alors parler de dépendance physique et psychologique.

Quand surviennent les orgies boulimiques, quand nous fumons à la chaîne ou qu'aucune journée ne peut se concevoir sans consommation d'alcool, il faut nous rendre à l'évidence : nous sommes dépendants. Et, de grâce, ne nous croyons pas plus forts que les autres ! Nous avons toujours tendance à considérer que ce sont eux, les autres, qui sont « accros ». En ce qui nous concerne, c'est toujours le même refrain plein d'assurance : « J'arrête quand je veux ! » Mais de préférence le surlendemain ou le temps d'un week-end...

Par définition, la personne dépendante est celle qui ne peut pas se passer de sa « drogue » ou de ses comportements « consolateurs ». Sans le savoir, elle en a besoin pour compenser son manque de sécurité intérieure, de confiance et d'estime de soi. Elle ne voit pas, au moins au début, qu'elle est tombée dans un piège terrible : car loin de se consoler comme elle se l'imagine, la personne dépendante se punit avec une sévérité exemplaire !

Ce piège est d'autant plus redoutable qu'il fonctionne avec une double détente. Le premier contact est une caresse : vite, une bricole sucrée ou salée, une cigarette, un verre, un tranquillisant, une dose de drogue... On croit se donner du plaisir ! Et sur le moment, le plaisir ressenti est indéniable.

Mais en réalité, ce n'est qu'un leurre. Après avoir mordu à l'hameçon, la personne va suivre sa véritable intention inconsciente, son entreprise de démolition et de dévalorisation : elle se met à culpabiliser et se couvre de reproches. « Pourquoi as-tu recommencé ? » « Tu es nulle, tu ne fais que des bêtises... » Et après le bref moment de jouissance, la voilà redescendue au trente-sixième sous-sol, à broyer du noir ! Après la caresse, les coups de cravache !

Le mécanisme est aussi cruel qu'imparable : puisque au fond d'elle-même la personne se croit « nulle », elle s'imagine alors mériter des punitions. Elle se sert de ses « mauvaises habitudes » pour se faire souffrir, pour se dévaloriser... et finalement – eh oui ! – pour se punir et justifier les critiques qu'on lui adressait jadis.

Pourquoi un tel acharnement contre soi ? Tout simplement parce que les individus dépendants ne croient pas avoir le droit de réclamer l'attention et l'amour. Ils ont pris l'habitude de taire leurs besoins, malgré les frustrations et les colères intérieures que cela engendre.

Dans ces conditions, quelle solution leur reste-t-il ? N'osant pas « cracher » cette colère contre les autres, ils ne trouvent rien de mieux que de la diriger contre eux-mêmes ! D'où la conclusion suivante, qui devrait nous alarmer un tant soit peu : les comportements de dépendance sont précisément des actes de colère contre soi. *Des actes d'autopunition !*

Notre devoir : réparer une ancienne injustice

On comprend mieux à présent pourquoi la plupart des personnes « bien en chair » ne réussissent pas à perdre durablement du poids. Et pourquoi de nombreux gros fumeurs, des alcooliques, des consommateurs de tranquillisants ou des drogués essaient en vain de mettre fin à leur schéma de dépendance. Ils ont beau jurer périodiquement « je ne recommencerai pas », ils replongent quelques heures après.

La raison de cette rechute nous apparaît désormais clairement : tant qu'ils continueront à douter d'eux-mêmes, tant qu'ils auront peur de ne pas être « à la hauteur », ils poursuivront leur entreprise d'autopunition. Plutôt que de s'accepter et de croire enfin en leur valeur, ils se barricaderont derrière le capitonnage des kilos, les nuages de fumée de cigarette ou l'étourdissement procuré par l'alcool ou les médicaments...

Cela signifie qu'il est inutile de s'insulter, de se traîner dans la boue : « Tu n'as pas de volonté, tu n'es qu'un faible... » Une telle attitude ne réussirait qu'à renforcer la mauvaise image que nous avons déjà de nous-mêmes. Loin de nous acheminer vers l'élimination de nos dépendances, cette « démolition » de soi nous pousse à re-manger, à acheter un autre paquet de cigarettes, de nouvelles tablettes de tranquillisants, une autre bouteille…

Le piège s'est refermé : manque d'affection, d'où manque de confiance. Tentative de combler le vide par les dépendances ; puis sentiment de culpabilité, dévalorisation et non-respect de soi, qui provoquent des rechutes à répétition. Il faut à tout prix briser ce cercle vicieux ! Trouver la sortie et croire enfin en soi. Pour cela, relevons trois principes de base, trois impératifs.

1) Il nous faut faire la guerre aux jugements négatifs que nous ressassons. Ne pas essayer de laisser tomber l'alcool pour déclarer : « Vous voyez que je suis quelqu'un de bien », mais au contraire se dire : « Je suis quelqu'un de trop formidable pour avoir besoin de m'enivrer… »

2) Nous devons décider que le traitement que nous nous infligeons est injuste. Il est injuste de chercher à se punir de la sorte. Il faut se persuader qu'au contraire nous méritons la santé et le respect de soi.

3) Et si la dépression pointe le bout du nez, refusons de replonger dans les poisons. Battons-nous pour briser nos mécanismes de « frustrations-dépendances ». Ne nous laissons plus avoir comme des nigauds par ces sirènes qui nous chantent : « Encore une fois, ça ne peut pas faire de mal… » Pour retrouver notre dignité, nous avons le droit – et le devoir ! – d'exprimer notre détresse, de pleurer ou de crier devant un ami, afin d'évacuer notre spleen, dans le respect de notre santé physique et morale.

Comment agir ?

Pour rompre la logique de nos dépendances, il faut attaquer le mal à sa source, c'est-à-dire, on vient de le voir, éradiquer ce manque de confiance qui nous mine. Le secret pour devenir maître de sa vie réside dans cinq postulats incontournables.

1) Cessons de perpétuer les critiques de jadis. Apprenons au contraire à nous accepter, à nous aimer tels que nous sommes.

2) Dans cette optique, admettons de ne pas être « parfaits » et de ne pas posséder certaines qualités très estimées de nos parents : nous en avons beaucoup d'autres ! Pourquoi les passer sous silence ?

3) Arrêtons de confondre le passé et le présent ! Établissons une différence nette entre le sentiment d'impuissance passée de « nous enfants », et les capacités actuelles de « nous adultes ».

4) Faisons table rase des « je ne suis pas... » que nous trimbalons derrière nous comme autant de vieilles casseroles. « Je ne suis pas un littéraire » ; « j'ai une intelligence moyenne » ; « la grammaire n'est pas mon fort » ; « je n'ai jamais été très organisé » ; « je ne finis jamais ce que j'ai commencé » ; « je ne suis pas adroit de mes mains »...

5) Ayons confiance en nous-mêmes et répétons souvent ceci : aujourd'hui, je décide de m'apprécier, de me respecter, de me soutenir, tel(le) que je suis. Avec mes points forts et mes points faibles. Car attention : il ne s'agit pas de nier ses défauts ni de se fixer pour but la perfection. Celle-ci, nous le savons, n'est pas de ce monde !

Conseils pour se libérer des schémas de dépendance : boulimie, cigarettes, médicaments, alcool...

L'apprentissage du respect et de la revalorisation de soi constitue notre meilleure *stratégie d'ensemble* contre les dépendances. Mais nous avons aussi besoin d'armes concrètes qui nous permettent de faire face au jour le jour, chaque fois que l'adversaire se présente.

Méfions-nous de cette idée reçue selon laquelle il « suffit d'un peu de volonté » pour arrêter. C'est peut-être vrai pour les plus forts d'entre nous. Mais pour les personnes dépendantes, c'est parfaitement illusoire puisque précisément leur volonté est « noyautée », manipulée par l'inconscient : en secret, elle complote pour leur nuire. Elle est la complice inavouée de leur désir inconscient de prouver qu'après tout elles ne valent pas grand-chose et ne méritent pas le bonheur.

Nous ne pouvons donc pas compter à 100 % sur notre volonté. Il nous faut d'autres appuis efficaces.

La stratégie « anti-dépendance » la plus efficace est celle qui, outre l'appréciation de ses qualités et l'acceptation dans l'humour de ses travers, inclut :

- une hygiène de vie naturelle,
- une alimentation vivante,
- l'expression émotionnelle (cinquième partie),
- l'automassage,
- les sports et la respiration profonde,
- les techniques de détente : relaxation, pensée positive, visualisation, méditation (sixième partie),
- les activités artistiques.

Et toujours, soyons préparés à soutenir l'arrivée de la vague dépressive, de ces heures de solitude ou d'ennui qui nous poussent à la perpétuation de nos schémas de dépendance. Restons toujours assez vigilants pour traquer les moments qui les déclenchent.

Dans ces instants de grande vulnérabilité, efforcez-vous de procéder comme suit : au lieu de vous mettre aussitôt à consommer, respirez calmement en massant votre plexus solaire.

1) Posez-vous avec insistance les questions :
– Qu'est-ce qui me gêne ?
– De quoi ai-je peur ?
– Suis-je furieux contre quelqu'un ?

2) Prenez le temps de vous répondre en toute sincérité. Identifiez les émotions ressenties à ce moment précis et acceptez d'avoir peur, d'être en colère ou triste. C'est en comprenant la raison d'être de vos émotions que vous leur permettrez de s'effacer doucement. Vous serez alors moins sous pression, et le soudain désir de céder à votre « drogue » personnelle s'estompera.

Chacun, en s'observant, en affirmant la connaissance de soi, pourra trouver les « trucs » les mieux adaptés à son histoire personnelle.

Comment a maigri Mireille ?

Très brune, ronde, bien enveloppée, Mireille rêvait depuis longtemps de maigrir – sans succès.

Nous étions assises l'une à côté de l'autre lors d'une conférence qui traitait du sujet suivant : « Quand on n'ose pas exprimer sa colère contre une figure parentale, on la retourne contre soi. » La colère non exprimée induit des dépressions et des comportements de dépendance qui sont en réalité – répétons-le – des actes d'autopunition.

Le conférencier nous conseilla d'identifier la personne contre laquelle nous nourrissions des colères non exprimées.

Mireille lança sans hésiter :

– Ma mère !

En effet, elle en voulait beaucoup à sa mère de l'avoir poussée à devenir infirmière, puis à se marier avec un garçon qu'elle n'aimait pas. Elle n'avait jamais pu réaliser son rêve de faire du théâtre, malgré un talent qui ne demandait qu'à être développé. Elle avait étouffé ses regrets et son ressentiment en se réfugiant dans les excès alimentaires…

Après les grandes vacances, de retour aux cours, j'ai vu soudain une femme mince, blonde, les cheveux coupés court, me sauter au cou pour m'embrasser. J'ai reculé, d'abord interloquée, puis incrédule :

– Mireille ?

– Elle-même.

J'ai émis un sifflement admiratif :

– Comme tu es mince ! Tu es superbe ! Comment astu réussi ?

– Pendant des années, je n'ai pas eu le courage d'avouer à ma mère ma colère : alors j'ai bâillonné ce sentiment et compensé en mangeant sans arrêt. Et je grossissais à vue d'œil. Mais cet été, j'ai décidé d'en finir ! De dire à ma mère tout ce que j'avais sur le cœur !

– Quoi ? Vous avez dû avoir une scène terrible !

– C'est-à-dire que je ne l'ai pas fait… réellement. Ma mère ne comprendrait pas. Je l'ai fait en imagination. Chaque fois que la faim me torturait ou qu'à table je ne pouvais plus m'arrêter d'engloutir des montagnes d'aliments, je me suis autorisée à l'« engueuler ». Je l'imaginais assise à côté de moi[1] et je lui criais ma colère accumulée depuis des années. Tu ne me croiras pas, Rika, mais c'est magique ! Après chaque bonne « engueulade » je n'avais plus envie de m'empiffrer !

Les règles d'or de l'estime de soi

Mireille a trouvé « sa » solution. Elle a compris qu'en cédant à notre « drogue » nous ne donnons pas satisfaction à notre vrai manque émotionnel : nous lui « fermons le clapet ». Si bien que, une fois dissipé l'effet anesthésiant de notre substance favorite, nous recommençons aussitôt, sans jamais résoudre notre problème.

Mais comment s'étonner de notre erreur quand depuis l'enfance nous nous sommes habitués à tromper le vrai besoin ? À l'enfant qui pleure, ne donne-t-on pas

1. Cf. cinquième partie, « technique de la chaise vide ».

souvent la tétine ou des sucreries alors qu'il ne demande qu'un peu de tendresse ? Et aujourd'hui, nous aurons beau gaver notre organisme : tant que nos besoins affectifs ne seront pas comblés, ils continueront à nous torturer.

Pour inverser la vapeur, prenez dès aujourd'hui la décision de vous « cajoler ».

• Les marques de tendresse et de compréhension ne sont pas réservées aux enfants. Les adultes aussi en ont besoin. Tous les jours !

• Allez-vous enfin cesser de vous dévaloriser intérieurement en raison des échecs du passé ? Dites-vous avec une réelle compassion : « À chaque instant de ma vie, je fais de mon mieux. Même si parfois cela se révèle ensuite être une erreur. »

• Refusez aussi toute dévalorisation, tout manque de respect venant d'autrui ! Lorsqu'on vous marche sur les pieds, réagissez !

• Lorsque le besoin d'une substance ou la dépression vous déchirent, résistez à la panique. Dites-vous que cette douleur est passagère, que le besoin va se calmer et bientôt disparaître !

• Ayez confiance en vous-même. Croyez dur comme fer que vous êtes capable de survivre aux coups durs : vous êtes plus fort(e) que vous ne le pensez !

• N'hésitez pas à vous faire des compliments. Chaque fois que vous réussissez une chose, même apparemment « sans importance » – une belle tarte, la peinture de votre portail, le lavage de votre voiture –, dites-vous : « C'est bien. Je suis content(e) de moi. J'ai fait du bon boulot. » Pourquoi vous priver de renforcer ainsi votre estime personnelle ?

• Pour guérir le « cœur qui souffre », prenez le temps de vous poser certaines questions essentielles, afin de donner un sens à votre vie :

– Pourquoi suis-je sur cette terre ?

– Pour quelle raison ai-je envie de vivre ?

Et répondez-vous avec sincérité !

Souvenez-vous : les émotions sont comme les muscles. Celles dont on se sert le plus souvent deviennent les plus fortes. Si vous les laissez à l'abandon, c'est tout votre organisme qui en pâtira. Vous courez le risque de tomber dans la dépendance ou de vous réfugier dans un autre faux remède, très en vogue : la maladie…

3

Tomber malade est une « solution », pas forcément la meilleure !

Architecte de métier, femme discrète et fidèle, Agnès s'entendait à merveille avec Luc, son mari. Leur vie de couple était exemplaire. Ensemble, ils avaient bâti leur maison de campagne. Et comme ils partageaient la même passion pour la mer, ils avaient effectué plusieurs voyages lointains à bord d'un bateau à voile.

Mais voilà : Agnès, arrivée à la quarantaine, tomba éperdument amoureuse d'un autre homme. L'ayant appris, Luc traversa des crises de désespoir d'une grande violence. Lui si calme et si réservé menaçait à présent de se suicider... Quant à Agnès, elle était incapable de prendre une décision : devait-elle rester fidèle à son mari ou suivre sa nouvelle passion ? Des deux côtés, on la pressait de faire son choix, on la soumettait à un chantage affectif. La pauvre Agnès en perdait la tête. Une inflammation aiguë et une opération des ovaires sont tombées « à point » : l'hospitalisation puis la convalescence ont reculé d'autant le moment de la décision déchirante. Inconsciemment, mon amie s'était ainsi ménagé une porte de sortie et un temps de réflexion.

Ignorant à l'époque les principes de la somatisation, je me souviens de mon étonnement : comment Agnès avait-elle réussi à tomber malade au « bon moment » ?

Aujourd'hui, je sais qu'il existe des cas où la maladie peut nous apparaître comme la meilleure des solutions. Un jeu plutôt risqué…

Les « bénéfices » de la maladie

C'est ma formation de « conseillère de santé holistique » (dans le champ des maladies psychosomatiques) qui m'a véritablement éclairée sur les « bienfaits » que peuvent nous apporter les maladies.

Notre formateur, le psychothérapeute Rémy Filliozat, nous demanda un jour, avec sans doute un peu de provocation, de citer au moins quatre avantages pour une personne de tomber malade !

Désarçonnés par cette question insolite, nous avons commencé par protester :

– Quel avantage peut-on avoir à tomber malade ? C'est forcément négatif…

Mais Rémy insista, visiblement sûr de son fait. Les participants échangèrent quelques regards perplexes, et chacun fit appel à son expérience personnelle. Peu à peu, on entendit dans la salle des remarques d'approbation, et même des éclats de rire…

Rémy avait raison ! Nous avons soudain réalisé que la maladie pouvait effectivement présenter quelques avantages non négligeables… Chacun d'entre nous a dressé sa liste, qu'il a ensuite confrontée à celle des autres pour établir un catalogue commun dont je vais vous livrer l'essentiel. Certains des « avantages » qui suivent vous feront sans doute sourire, car il y a fort à parier que vous vous reconnaîtrez dans l'un ou l'autre. Cela ne doit pas vous empêcher de dresser votre propre liste exhaustive, en toute sincérité. Nous verrons qu'elle vous sera d'une grande utilité pour mieux comprendre votre fonctionnement comme vos besoins.

Pour plus de clarté, nous avons regroupé les « bénéfices » de notre liste sous quatre catégories principales, selon leur nature.

• Grâce à la maladie, je peux remédier à ma pénurie affective.
– Je me sens tout à coup aimé, important.
– Je bénéficie enfin de l'attention dont je suis privé d'habitude. Ou bien je m'autorise à demander la tendresse que je n'ose pas solliciter en temps normal.
– On s'occupe de moi, je suis comme un coq en pâte.
– Je reçois la visite de mes proches.

• La maladie est aussi synonyme de repos. En tombant malade :
– J'arrête de travailler, je « souffle ».
– Je peux m'occuper de moi, de mon bien-être personnel, sans culpabiliser.
– Je m'autorise à déléguer certaines responsabilités. Je « lâche prise ».

• Sans oublier ces « petits riens » qui ont une si grande importance...
– Le réveil ne sonne plus.
– Je reste en robe de chambre, je n'ai plus à me maquiller.
– Ouf ! Je ne vois plus la tête de mon chef ou de mes collègues de bureau.
– Je reçois des coups de téléphone compatissants, des bouquets de fleurs ou des cadeaux.
– Je feuillette des magazines, des catalogues ; je passe la journée à bouquiner ou à paresser sans me sentir coupable.
– Je n'ai pas à descendre la poubelle...

• Certains « avantages » de la maladie signalent une colère intérieure.
– Qu'on me fiche la paix !

– Qu'ils fassent la vaisselle à ma place !
– Je fais suer les autres.
– J'em... tout le monde.

L'un des participants, médecin et dermatologue, a ri en écrivant l'un de ses « bénéfices » :
– Je fais un pied de nez à mon hôpital.

Mon Dieu, faites que je tombe malade !

Bon, c'est entendu, me direz-vous, il est doux de rester au lit, bien au chaud pour regarder la télévision pendant que les autres courent au travail sous la pluie et dans le froid. Mais de là à souhaiter ou même à « programmer » sa maladie pour s'offrir ce luxe ! Difficile à croire...

Et pourtant, les exemples ne manquent pas...

Voilà quelques mois, je bavardais à Jérusalem avec mon père. Comme je lui demandais de me raconter quelques-uns de ses souvenirs d'enfance, il réfléchit un moment, puis son visage s'éclaira d'un sourire malicieux :

– Je me rappelle une prière que je faisais chaque jour quand j'étais petit. Avant de m'endormir, je me mettais à genoux et je demandais en fermant les yeux : « Mon Dieu, faites que je tombe malade. »

– Hein ? me suis-je écriée. Mais pourquoi ?

– Pour être dans ses bras, m'a-t-il répondu avec nostalgie. Dans les bras de ma mère...

Le regard fixé sur un point invisible, il a ajouté :

– Elle était toujours débordée. Elle devait s'occuper de ses six enfants, de mon père, des poules, du jardin potager... Harassée, elle ne prenait le temps de nous bercer que lorsque nous étions malades.

On ne sait pas assez que les marques physiques d'affection – plaisir des câlins ! – sont absolument vitales pour le bon développement d'un être humain. Il y a quelques années, des médecins ont constaté un taux de mortalité supérieur à la moyenne parmi les nourrissons placés dans certains hôpitaux ou orphelinats. Ces bébés étaient pourtant bien soignés sur le plan médical, ils étaient changés et nourris. Mais des enquêtes minutieuses ont pu établir la cause de leur mortalité élevée : ils dépérissaient par manque d'un véritable entourage chaleureux.

Quand un bébé sent qu'il ne compte pour personne, qu'il lui manque cet amour qui stimule sa croissance, il peut décider qu'il n'a plus envie de vivre !

Caresser la joue d'un nourrisson, tapoter ses petites fesses, lui parler tendrement, c'est aussi nourrir son cœur. Il se sent aimé, désiré, important. Il a envie d'exister et de grandir !

Ce qui est vital pour nos enfants serait superflu pour nous ? Non, bien sûr ! À l'âge adulte, l'être humain a tout aussi besoin de cette nourriture affective. Du premier au dernier jour de notre existence, nous avons besoin d'amour ! Et pas seulement d'un amour éthéré et platonique ou, au contraire, de l'acte purement sexuel : il nous faut des étreintes, des embrassades, des mains tenues, des caresses, du vrai contact physique ! Toutes choses que souvent, par pudeur ou par orgueil, nous n'osons pas quémander auprès de nos proches.

Alors nous nous sommes mis en tête que nous pourrons obtenir de l'attention par le biais de comportements mettant en péril notre santé ! Autrement dit : nous nous faisons du mal en croyant nous faire du bien…

Bichonnez-moi !

Les enfants ne sont pas idiots. Il ne leur a pas fallu bien longtemps pour se rendre compte que leur entourage semblait s'intéresser davantage à leur sort lorsque apparaissaient des symptômes de maladie. Un brin de fièvre, et le câlin du soir se prolonge, se fait plus tendre. Un séjour à l'hôpital, et les parents sont plus enclins à offrir le cadeau refusé pendant des mois. Toutes ces prévenances liées à notre santé se sont naturellement inscrites dans notre mémoire inconsciente. Pourquoi, devenus adultes, ne serions-nous pas tentés de nouveau par les « bienfaits » de la maladie ?

Nous trouvons-nous confrontés à une pénurie affective ? Ou bien avons-nous peur de réclamer un repos pourtant nécessaire ? Une seule réponse s'impose à notre inconscient : tomber malade ! La maladie en soi ne nous effraie même pas : la souffrance psychologique et le manque émotionnel, à moins que ce ne soit la fatigue, sont si forts que nous sommes prêts à en passer par là s'il le faut. Pourvu que l'on s'occupe un peu de nous !

Des moyens d'apaiser son besoin d'attention

Ce type de réaction est beaucoup plus répandu que vous ne le croyez ! Pourquoi ? Parce qu'à la base de beaucoup de nos comportements, même des plus rationnels, il y a notre *soif d'attention*. Réfléchissez un moment à la question suivante : lorsque vous étiez enfant, de quelle manière vous faisiez-vous remarquer de vos parents ?

En étant tout simplement vous-même ? Alors c'est formidable, rien à dire : vous êtes certainement aujourd'hui une personne remarquablement équilibrée.

Mais, par exemple, si vous ne vous sentiez apprécié qu'avec un bon carnet de notes, il y a fort à parier que ce schéma émotionnel vous « colle à la peau » : vous ne croyez mériter le respect qu'en décrochant un « bon diplôme », en donnant l'image de l'employé modèle ou de la parfaite femme d'intérieur...

Un autre exemple ? Si jadis on vous a appris que suivre ses propres désirs était un comportement égoïste, il existe de fortes chances pour qu'adulte vous continuiez de faire la sourde oreille à vos besoins les plus essentiels : « Je m'occuperai de moi plus tard... » Et pour qu'on dise du bien de vous, vous n'allez pas hésiter à vous sacrifier pour votre famille ou pour votre entreprise, jusqu'à l'épuisement.

Pour obtenir considération et appréciation, nos stratégies ou nos habitudes émotionnelles sont nombreuses. Voici les plus communes.

• Nous courons sans cesse après un diplôme, de l'argent ou toutes sortes de conquêtes et de possessions.

• Nous endossons le rôle du « sauveteur », prenant en charge les problèmes de toute la famille... Ou bien nous devenons des bourreaux de travail. Nous avons alors le chic pour n'être souffrants que le week-end (sans compromettre nos responsabilités professionnelles), quitte même à pourrir les rares vacances familiales en guise de représailles inconscientes...

• Au contraire, nous baissons les bras, nous nous déclarons impuissants devant les conflits de la vie. Nous cherchons alors quelqu'un pour nous prendre en charge... Jusqu'à revendiquer nos souffrances et nos maladies comme nos seules qualités.

La maladie peut paraître la seule solution

Faute d'exprimer nos « faims de tendresse », nous nous enfermons dans des comportements aberrants et nous finissons par oublier qu'ils minent notre santé. Ils nous poussent à nous fatiguer, à en faire trop. Heureusement, quand nous dépassons les bornes, le corps crie : « Pouce », et la maladie nous contraint au repos.

Bien entendu, personne ne choisit consciemment de tomber malade ! Mais face à la souffrance psychologique – « je ne vais pas m'en sortir... il n'y a pas d'issue... je n'en peux plus... » – *la souffrance physique fait figure de moindre mal*. Soyons clairs : si vous voulez seulement éviter une réunion délicate au bureau le lendemain, vous n'allez pas « décider » d'avoir 40° de fièvre ! Vous n'allez pas « fabriquer » une hernie juste pour couper au repas de famille du dimanche ! Mais si votre travail vous expose à un stress prolongé, si vous subissez le poids d'une situation familiale tendue, alors votre organisme risque – à force – d'avoir des ratés ou carrément de « caler ». Tandis que vous vous entêtez à « tenir le choc » et que vous épuisez toutes vos forces psychiques, votre taux d'immunité diminue, et c'est la maladie.

Pendant toute mon enfance, j'ai entendu parler du bras paralysé de ma tante Gita. À l'hôpital, les médecins qui l'ont longuement examinée n'ont trouvé aucune explication satisfaisante. À la maison, son membre engourdi était soigné à coups de piqûres et de massages. Dov, mon oncle, faisait la vaisselle et les courses à la place de sa femme, et l'entourait d'attentions.

Fait étonnant : au bout de quelques mois, le bras de Gita allait mieux. Alors Dov, soulagé, cessait de s'occuper d'elle, il attendait qu'elle fît la cuisine, les courses. Peu après, le même symptôme réapparaissait, et Gita devait recommencer ses traitements...

À l'époque, le phénomène me paraissait inexplicable : aujourd'hui, je suis persuadée que ma tante ne savait pas comment demander à son mari la tendresse et l'attention dont elle avait besoin. Sans le savoir, pour combler ce vide, et pour transmettre ce message, elle a supporté la paralysie chronique de son bras. N'est-ce pas cher payer ?

Si, bien sûr. Et pourtant les choses peuvent aller encore plus loin. Inconsciemment, nous utilisons notre pauvre corps pour « faire payer » notre détresse à notre entourage. Certains désespérés vont même jusqu'à la tentative de suicide : ils veulent prouver leur désespoir aux autres ! Et les « punir » de n'y avoir pas prêté davantage attention... Percer enfin la chape d'indifférence... Quitte, ironie cruelle, à recevoir seulement à titre posthume l'attention sans laquelle ils disent ne pas pouvoir vivre !

Mais j'entends déjà les cohortes de malades maugréer : « Mettre mon ulcère ou mon calcul rénal sur le compte d'une mesquine vengeance, ou d'un simple désir de se faire remarquer, c'est faire bien peu de cas de ce que j'endure ! Je ne suis pas masochiste : si seulement je pouvais, je préférerais aller me promener plutôt que de rester alité à souffrir ainsi... »

Dès que l'on parle de réaction « psychosomatique », les gens s'imaginent que l'on met en doute la réalité de leur douleur physique et que l'on traite leur cas à la légère.

Or c'est exactement le contraire ! Insister sur le caractère psychosomatique des maladies, c'est les prendre on ne peut plus au sérieux, puisque, au lieu de se contenter de traiter les symptômes visibles, on s'efforce de comprendre leur origine, afin de supprimer le mal à la base. C'est donc par définition favoriser un traitement en profondeur, par opposition à une intervention qui ne se ferait que sur la partie émergée de l'iceberg.

Psychosomatiques ou pas, vos maladies ne sont jamais négligeables : elles signifient clairement que vous avez besoin d'être *soigné*. Mais pour que ces soins soient réellement efficaces, j'affirme qu'ils devront prendre en compte non seulement la situation physique, mais aussi la dimension émotionnelle...

Les « nœuds » émotionnels sont capables de provoquer en nous des pathologies morbides. Et notre inconscient – nous l'avons dit – peut même opter pour la maladie comme issue de secours, comme moyen d'assouvir les besoins affectifs. Seulement c'est là une solution boiteuse, et dangereuse à long terme.

En fait, nos dépendances, comme la maladie, nous procurent un « effet soupape » : la pression qui pèse sur nos émotions refoulées se trouve un peu apaisée. Le problème, c'est que, dans les deux cas, notre organisme paie les pots cassés…

Mais si l'on vous disait qu'il est possible de garder les « bénéfices » de la maladie sans en subir les inconvénients ? En somme, si vous aviez le choix, pourquoi ne pas faire l'économie de la maladie ?

4

Garder les « bénéfices » de la maladie... sans tomber malade

Il doit bien exister d'autres moyens que la maladie pour apaiser notre besoin d'attention et nos frustrations émotionnelles. Il est urgent de trouver des solutions saines qui nous comblent affectivement sans demander de lourdes contreparties.

La première chose à faire, c'est d'identifier avec précision nos besoins physiques et émotionnels. Ensuite, apprenons à réclamer satisfaction !

La psychologue et psychothérapeute américaine Marge Reddington raconte ainsi son histoire :

« Du jour où j'ai compris que j'avais utilisé la maladie afin que ma famille et mon mari s'occupent de moi, j'ai décidé d'arrêter ce terrible processus. Mais comment obtenir que l'on s'occupe de moi sans pour autant tomber malade ? Comment préserver les "bénéfices" sans payer le prix fort ?

« J'ai réfléchi et j'ai trouvé la solution.

« Un beau matin, j'ai empoigné le téléphone pour parler à l'une de mes meilleures amies. Je lui ai demandé :

« – Chérie, si j'étais malade, tu viendrais me voir ?

« – Bien sûr ! me répondit-elle. Quelle question !

« – Tu m'apporterais des fleurs ?

« – Mais oui, bien sûr ! Tu m'inquiètes, qu'est-ce qu'il y a ?

« – Tu resterais à papoter avec moi une heure ou deux ?

« – Trois heures, si tu veux, mais dis-moi ce qui se passe...

« – Eh bien, lui dis-je, je ne suis pas malade, je vais même très bien. Simplement, pour rester en forme, pour prévenir mes coups de cafard, j'ai besoin que tu viennes passer une heure ou deux avec moi ! »

Cela vous paraît simple ? Tant mieux ! C'est précisément la démarche qu'il nous faut entreprendre auprès de tous ceux qui nous entourent. D'ailleurs pourquoi faire compliqué ? La maladie étant un absurde détour, nous allons trouver un sain raccourci ! Pourquoi le « vous en bonne santé » n'aurait-il pas le même droit à l'affection que le « vous malade » ? Vous aurez tout à y gagner : d'abord vous vous épargnerez des symptômes morbides et leur cohorte de souffrances. Puis les soutiens que vous recevrez seront de vrais témoignages d'affection, forts, revigorants, et non de simples gestes de compassion pour mal-portant. Vous en tirerez une plus grande confiance en vous.

La démarche adoptée par Marge Reddington fonctionne très bien ! Elle démontre que nous pouvons demander gentiment à nos proches qu'ils s'occupent de nous – ou au contraire qu'ils nous laissent tranquilles – avant d'être acculés à la maladie.

Comment recevoir l'aide dont vous avez besoin ?

Mettez en œuvre les trois règles suivantes.

1) *Demandez ce qui vous manque avec gentillesse et franchise*. Je suis toujours étonnée par ces personnes qui se plaignent de ne pas recevoir suffisamment d'amour de leur mari ou de respect de la part de leurs supérieurs

hiérarchiques et qui, lorsque je leur pose la question : « Mais le leur avez-vous au moins demandé ? », ont l'air tout surpris et m'avouent que non !

2) *Trouvez un moment où votre besoin ne contrarie pas les besoins de l'autre.* Inutile de vous exposer à un refus catégorique dû à de mauvaises circonstances extérieures.

3) *N'attendez pas la dernière minute !* Occupez-vous de vos besoins avant de tomber malade !

La leçon tahitienne

Avant mon départ pour Tahiti, Téva, l'animateur-vedette de la radio locale, m'a téléphoné. Ensemble, nous sommes convenus d'un rendez-vous. Mais à mon arrivée à Papeete, j'eus la surprise d'être interviewée par le directeur de la station.

– Et Téva, où est-il ? lui ai-je demandé.

– Téva est « fiou », m'a-t-il répondu.

J'ai pensé qu'il s'agissait de quelque fièvre locale. Quoi qu'il en soit, ne voulant pas montrer mon ignorance, je n'ai rien ajouté. Deux jours plus tard, Téva, micro en main, a refait surface pour m'interviewer à l'hôtel.

– Alors, Téva, guéri ?

– Oui, ça va beaucoup mieux !

– Mais au fait, de quelle maladie s'agit-il ?

Téva a éclaté de rire :

– Tu ne connais pas la coutume tahitienne ?

– Non !

– Eh bien, quand un Tahitien a du vague à l'âme, qu'il se sent mal dans sa peau, il annonce à la famille et à ses collègues qu'il est « fiou ». Et pendant un, deux ou trois jours, les autres s'occupent de lui... ou lui fichent la paix. Pendant ce temps, ils se partagent ses tâches. Bien entendu, une fois la forme retrouvée, c'est à lui de prêter main-forte à ses parents ou amis « fious ».

Le système me parut admirable, mais il y avait cependant une faille :

– Comment faites-vous pour distinguer les vrais « fious » des tire-au-flanc ?

Téva répondit sans sourciller :

– Les Tahitiens sont conscients que le fonctionnement du système repose sur la bonne foi de chacun !

Le contrat d'« assistance familiale réciproque »

Et si nous prenions modèle sur les Tahitiens ?

Évidemment, commençons à petite échelle. Je vous vois encore mal annoncer à votre collègue de bureau : « Je me sens un peu cafardeux, je vais prendre trois jours, tu n'as qu'à t'occuper de mes dossiers en cours… » En revanche, le système « fiou » peut fonctionner merveilleusement bien au sein de la famille. Chacun de nous peut – et devrait – établir un accord d'« assistance réciproque » au sein du cercle familial. Lorsque le besoin s'en fait sentir, on doit pouvoir annoncer : « Aujourd'hui, ça ne va pas du tout, je suis vidé(e), j'ai besoin de silence et de solitude… » ou bien « de votre soutien et de votre amour ».

Le contrat est simple mais doit obéir à des règles strictes :

1) *On énonce franchement et gentiment le pourquoi de sa demande.* « Le patron (collègue, cousine, guichetière de la poste, voisin du premier…) a été odieux ! », « les embouteillages (courses, enfants, bruits) étaient insupportables… » Même si vous n'avez pas de raison précise, dites-le : « J'ai un coup de blues, je ne sais pas pourquoi… » Votre entourage admettra mieux d'entendre cette confidence que de vous voir faire la tête pendant toute la soirée.

2) *On précise la nature de l'aide demandée.* « Je voudrais que tu me prennes dans tes bras… dis-moi que tu

m'aimes… que je compte pour toi… Ne dis rien et reste un peu avec moi… Peux-tu faire la vaisselle… les courses… me sortir au restaurant (au cinéma)… » Ou bien : « J'ai besoin d'avoir la paix, de ne parler à personne. »

3) *On fixe la durée.* « Peux-tu (voulez-vous) m'aider maintenant… ce soir… aujourd'hui… cette semaine… ? »

Essayez, vous verrez, c'est magique !

On aide plus facilement un conjoint (ou sa mère, son père, son enfant) qui s'ouvre honnêtement, qui précise la nature de l'aide dont il a besoin et surtout sa *durée.*

Vous allez me dire : « Et si j'ai envie qu'ils m'aident tout le temps ? »

Mais est-ce bien réaliste ? Quand et comment vos proches répondront-ils à leurs propres besoins ? Revendiquez vos droits, mais ne tombez pas dans l'égoïsme et la mauvaise foi.

Un tel contrat semble facile à mettre en application. Et pourtant, dans la vie de tous les jours, que faisons-nous lorsque la coupe déborde ? Nous geignons, nous poussons des cris, nous dévalorisons les autres sans préciser la nature de notre besoin ni sa durée : ce type de réaction ne fait que rebuter les membres du cercle familial. Si vous leur jetez à la figure : « J'en ai assez, vous êtes tous des égoïstes… Je suis seul à tout faire… Personne ne pense à moi… », vous risquez d'obtenir l'effet inverse de celui que vous souhaitez. Plus vous crierez, moins vous serez entendu(e) !

Le contrat d'« assistance familiale réciproque » permet de résorber les conflits avant qu'ils n'explosent. La durée du « break » étant fixée, votre entourage se partagera plus aisément vos tâches. La nature du besoin étant établie, vos proches sauront mieux y répondre. Avec d'autant plus d'empressement qu'ils garderont en mémoire qu'à leur tour, lorsqu'ils seront « fious », ils bénéficieront du même droit d'être soutenus et respectés par les autres…

Le pire égoïsme, c'est de ne pas se soigner

Pour ne pas avoir recours à la maladie, il faudrait commencer par s'occuper de soi. Le problème, c'est que, dans nos familles comme dans notre société, on nous rabâche que s'occuper de soi, c'est « égoïste » !

Dans ces conditions, comment répondre à ses besoins propres sans culpabiliser ?

Dans son livre *J'ai choisi de vivre*, Jean-Jacques Berreby écrit en substance : « Chacun de nous a le droit (et le devoir) de s'occuper de ses propres besoins, avant de devenir une charge pour les autres… Le plus grand service qu'on puisse rendre à ses proches, c'est de rester en bonne santé. Pour cela, nous devons constamment nous poser la question : " De quoi ai-je besoin pour me sentir bien ? " Prendre soin de soi, ne pas devenir une charge pour les autres, c'est donc le contraire de l'égoïsme ! »

Un bon moyen, pour commencer, c'est d'établir la liste des « bénéfices » que vous obtenez de vos maladies.

Notez-les avec franchise, humour et précision.

Cette liste vous indiquera :

– quel type d'aide demander,
– à qui la demander.

Elle vous permettra :

– d'évaluer la durée de chaque service demandé.

Comme Marge Reddington, vous pourrez établir vos nouvelles « stratégies santé » :

– à qüi demander une aide d'ordre domestique ?
– qui pourra venir papoter avec vous, ou vous sortir un peu ? Vous dire un mot gentil ?

Les besoins de chacun de nous sont spécifiques. À vous d'établir vos priorités et les stratégies pour les obtenir. Et de préférence avant que vous ne tombiez malade !

Agissons avant que « ça casse »

Beaucoup de personnes qui sont tombées malades et s'en sont sorties avouent volontiers qu'elles ont tiré de cette épreuve de substantielles leçons.

– La maladie nous coupe de nos occupations habituelles, nous permet de prendre du recul, de faire le tri, de distinguer l'essentiel du futile.

– La maladie nous fait prendre conscience de ce qui nous manque et nous renseigne sur les moyens de nous le procurer.

– La maladie nous pousse à mesurer notre désir de vivre. Elle nous encourage, dans l'avenir, à prendre mieux soin de nous.

– La maladie nous offre l'occasion d'acquérir une nouvelle maturité. D'explorer notre univers intérieur et de découvrir qui nous sommes réellement, quel est le sens de notre vie.

Mais franchement, est-il bien nécessaire de courir le risque de léser provisoirement ou à jamais sa santé pour obtenir tous ces « bénéfices » ?

Faut-il attendre un congé « longue douleur » pour accepter le fait que la plupart de nos maux proviennent d'un mauvais fonctionnement émotionnel, d'une mauvaise hygiène de vie et de l'absence d'évacuation du stress ?

La plus sûre des préventions – et aussi la plus sûre des luttes antidépendance – passe par l'apprentissage de la gestion de nos ressentis. C'est là que nous trouverons le vrai remède – efficace, durable – à notre mal de vivre tant physique que moral.

CINQUIÈME PARTIE

Les émotions qui guérissent

Par les larmes, la douleur s'épuise et s'exalte.

OVIDE

1

La prison émotionnelle

Quand ma mère me trouvait insupportable, parfois au lieu de s'emporter contre moi elle choisissait de m'ignorer, et c'était pour moi la pire des punitions.

Son visage blêmissait, elle devenait de marbre. J'avais beau lui parler, lui poser des questions, elle ne répondait pas. Écrasée par ce silence et par le sentiment d'une forte culpabilité, j'avais l'impression d'être la plus détestable créature de l'univers. Mortifiée, je rasais les murs, j'essayais de faire le moins de bruit possible, tout en cherchant désespérément le moyen d'obtenir son pardon.

Une fois, alors que j'avais douze ou treize ans, ma mère refusa de m'adresser la parole pendant dix longues journées ! J'en souffrais tellement que j'ai fini par me jeter à ses genoux en la suppliant :

– Maman, je t'en prie, parle-moi. Tu peux me punir ou me battre autant que tu veux, mais parle-moi !

Intérieurement, pourtant, et malgré mon désir fou de l'entendre à nouveau, je me suis détestée.

Ne supportant pas de me savoir aussi faible, à la suite de cet incident je me suis juré de devenir « forte ». De ne plus jamais céder à mes sentiments et de ne plus pleurer devant elle ni devant personne d'autre !

À partir de ce jour et pendant plus de quarante ans, je n'ai jamais montré une larme ni manifesté une plainte devant qui que ce soit.

J'avais choisi de ne plus montrer mes sentiments – que j'associais immanquablement à des faiblesses – et je serrais les dents en camouflant mes peurs et mes douleurs. J'étais intimement persuadée que cette pose crispée de soldat au garde-à-vous figurait la meilleure façon d'affronter la vie.

Quelle dramatique erreur ! Refuser de s'émouvoir, de rire, de pleurer, c'est se condamner à vivre une « ombre » d'existence !

Le dressage à l'« abstinence émotionnelle »

De nombreuses générations ont été marquées par ce qu'on peut appeler une « abstinence émotionnelle ». Quand j'étais enfant, on disait souvent chez nous : « À trop prendre un bébé dans ses bras, on finit par lui donner de mauvaises habitudes... » Un comble ! Comme s'il pouvait être dangereux de prendre goût à la tendresse !

Je constate tous les jours que ce genre d'attitude est largement répandu. Combien de personnes se déclarent gênées par les embrassades ? « Je ne suis pas bisous » ou « je n'aime pas les gens collants... », disent-elles. Et nous-mêmes, sans être aussi grincheux, ne sommes-nous pas soudain gênés lorsque deux amoureux s'embrassent passionnément sous nos yeux ? Lorsque deux personnes piquent un fou rire dans un restaurant, toutes les tables alentour ne se sentent-elles pas plus indisposées que réjouies ? Dans la rue, un regard trop appuyé est aussitot perçu comme une preuve d'indiscrétion...

Je connais de nombreuses familles dans lesquelles on ne parle jamais de sentiments. On n'ose pas. Ou bien on considère que cette « pudeur » est une nécessité de la vie en commun. Quoi qu'il en soit, on évite de poser des questions trop personnelles, on ne sait plus communiquer. Et un beau jour, on s'aperçoit que les jouets, les blousons ou les jeux vidéo remplacent chez de nombreux parents les « je t'aime » dont l'enfant a tant besoin…

Combien d'entre nous ont grandi en s'entendant répéter des commandements tels que :

– Un garçon ne pleure pas !
– Arrête de rire comme une idiote !
– C'est vilain de faire une colère !
– Tu me casses les oreilles avec tes cris et tes sauts !
– Il ne faut pas avoir peur comme une poule mouillée !

Ce lent dressage à la dissimulation émotionnelle commence – pas dans toutes les familles, heureusement ! – très tôt dans l'enfance. Comme si on craignait de « ramollir » l'enfant. On voudrait le transformer en un « battant », un « teigneux » qui fera son trou dans la vie…

Peu à peu, dans ces familles, l'enfant qui tend les bras, qui réclame de l'amour, comprend que son attente sera déçue et qu'il va en souffrir. Alors il s'invente des « ruses » pour ne plus avoir mal : de même qu'il retire sa main de la flamme pour ne pas se brûler, il prend l'habitude de « retirer ses émotions » chaque fois qu'il craint d'être ignoré ou rejeté. Progressivement, il s'enferme lui-même dans une prison émotionnelle.

Rien ne sert de nier ses émotions

Au fond, ce système fonctionnerait à merveille s'il n'y avait un « hic » de taille : les besoins émotionnels que nous n'avons pas pu exprimer ne se sont pas purement et simplement volatilisés. Les émotions possèdent leur propre autonomie, elles constituent même notre partie de personnalité la plus vigoureuse et la plus indépendante. Interdites, étouffées ou ignorées, elles se rebellent et prennent un malin plaisir à nous rappeler leur existence par le biais de comportements « incompréhensibles ». Telle personne se plaindra de ses sautes d'humeur : « Je ne sais jamais comment sera la journée. Tantôt je me sens jeune et dynamique et tantôt vieille et déprimée. » Telle autre regrettera son manque d'assurance : « J'ai plein de bonnes idées, et dans ma tête je sais bien les expliquer, mais il suffit que je sois devant mon supérieur pour que je me mette à bafouiller… »

Pourquoi ces « ratés » ? Tout simplement parce que les émotions enfouies dictent à notre inconscient ces réactions étranges. En les muselant, on ne réussit qu'à vivre dans la négation du moi émotionnel. Cette obstination à ignorer la partie essentielle de son être est d'ailleurs parfaitement absurde : vivre sans ses émotions, c'est vouloir rouler en voiture sans carburant ou cuisiner sans feu !

Sans compter que les risques sont énormes. Plus nous hésitons à reconnaître l'existence et le rôle des émotions, plus les couches émotionnelles épaississent, plus ce dépôt durcit et devient difficile à détartrer.

Renoncez à l'idée que vous pourrez mettre impunément de la distance entre vous et votre vie intérieure. Car sous l'apparence lisse et imperturbable que nous essayons d'afficher se cache une agressivité grandissante, conséquence directe d'un stress émotionnel non évacué.

Gare aux émotions maquillées !

Vous allez me dire que je grossis le trait, que nous ne sommes pas tous des monstres d'insensibilité apparente. Et que d'ailleurs un certain sang-froid dans la vie n'est pas forcément une mauvaise chose. Le flegme n'est-il pas après tout une forme de sagesse ? Qui plus est, quel avantage concret gagne-t-on à exprimer ses émotions ? Vous allez me parler de votre voisine qui pleure sans arrêt et qui n'a pas l'air de s'en trouver soulagée ; ou bien de votre cousin Bertrand qui ne décolère pas et qui, selon la logique Rika, devrait être le plus « libéré », le plus épanoui des hommes… alors qu'il est insupportable. Il y a encore votre amie Juliette qui s'angoisse pour un rien et qui ne se prive pas de le dire : elle vous « bassine » de ses peurs et phobies depuis des années ! N'est-ce pas la preuve qu'exprimer ses émotions ne résout rien, et qu'il s'agit même d'une pratique très perturbante ?

Vous auriez probablement raison sans l'existence de ce que j'appelle les « émotions de remplacement » (et que l'analyse transactionnelle[1] nomme les « sentiments parasites »).

De quoi s'agit-il ? Nous avons vu à plusieurs reprises comment notre milieu, notre éducation, nos parents pouvaient nous contraindre à bâillonner nos émotions.

En fait, dans bien des cas, cet étouffement est *sélectif*. Dans certaines familles, on dira par exemple : « Les garçons ne pleurent pas. » Mais en revanche, l'expression d'une émotion « virile » comme la colère sera tolérée, encouragée même : on se réjouira de voir que l'enfant ne se laisse pas marcher sur les pieds.

Dans une autre famille, au contraire, la colère sera interdite : « Arrête, tu fais de la peine à maman. » Ou plus subtilement, elle sera ignorée. En cas de crise de son enfant, la mère dira : « Ce n'est rien, il est juste fatigué. » Dans d'autres milieux, ce sont les débordements de joie qui seront difficilement tolérés : « Arrête de faire le fou, tes cris empêchent papa de travailler… »

Mon cousin Élie, lui, n'avait pas droit à la tristesse. « Ne fais pas cette tête de six pieds de long ! » Mais il pouvait tempêter comme il voulait… Il en a d'ailleurs usé et abusé pendant plus de trente ans, jusqu'à ce qu'une crise cardiaque l'emporte au beau milieu d'une grandiose colère !

Vous avez compris ce qui se passe : dans certaines situations, les enfants apprennent à ne pas exprimer l'émotion qui naît naturellement dans leur cœur. Ils

1. L'analyse transactionnelle est une approche psychologique moderne, étudiant la relation de l'individu avec lui-même et autrui. Son fondateur est le Dr Éric Berne, célèbre psychanalyste.

réagissent alors par une *émotion de remplacement* qui, elle, se trouve acceptée ou encouragée par les parents.

C'est ainsi que face à un incident qui devrait nous mettre en colère, nous réagissons par un coup de fatigue ou par la peur… Au lieu d'être fous de joie, nous nous imposons le calme… Ou bien, confrontés à un événement triste, nous nous mettons en colère…

Une telle substitution n'a rien de bénéfique, on s'en doute. Bien au contraire, le « remplacement émotionnel » se révèle extrêmement néfaste à la santé.

Imaginons qu'une agression extérieure fasse naître en vous une poussée de colère – émotion parfaitement appropriée en l'occurrence. Mais pour une raison quelconque, vous vous interdisez cette colère, vous la refoulez dans l'inconscient, et vous réagissez comme on vous y a autorisé : vous pleurez. Les larmes que vous verserez pourront vous faire croire que vous avez éliminé l'émotion. Eh bien, il n'en est rien ! Vous ne serez vraiment soulagé qu'après avoir exprimé l'*émotion juste*. Des torrents de larmes ne peuvent pas évacuer la colère inconsciente qui bout au fond de vous. Pour l'éliminer, la nature a prévu tout un éventail de manifestations : les cris, le poing sur la table, la voix forte… mais pas les larmes.

La tension produite par chaque émotion ne peut être déchargée que par les comportements prévus à cet effet par la nature (le lecteur peut se reporter au « tableau des émotions » de la première partie). Il ne sert à rien de tricher : le « remplacement » d'une émotion s'avère tout aussi néfaste que son refoulement.

Reste à résoudre un problème, une question que vous vous posez certainement : « Comment savoir si j'exprime une "vraie" émotion ou bien un simple substitut ? »

Il existe heureusement un signe permettant de détecter de façon certaine la présence d'une « fausse » émotion : sa répétition. Telle personne pleurera pour un oui ou pour un non, ignorant que ses larmes ne peuvent pas soulager la colère qui gronde au fond d'elle… Telle autre, soupe au lait, prendra l'habitude de claquer les portes, sans savoir que ses colères cachent au fond une grande tristesse et ne permettent pas de l'évacuer.

Lorsqu'il y a concordance entre l'émotion ressentie et son expression, au contraire, nous nous sentons aussitôt soulagés, apaisés. Le stress étant « sorti » réellement, nous n'éprouvons pas le besoin de recommencer de sitôt.

En revanche, lorsqu'on exprime un « sentiment de remplacement », on reste « sous tension ». Le stress est toujours là, et l'organisme recommence ses tentatives d'expulsion. Sans succès, évidemment : si vous vous grattez le genou droit quand c'est l'épaule gauche qui vous chatouille, ça risque de vous démanger longtemps…

Alors prenez garde : il ne suffit pas d'exprimer une émotion, encore faut-il être sûr que ce soit la bonne. Ne criez pas contre vos proches à longueur de semaine en prétextant : « J'élimine ! » Ne restez pas sur votre lit à pleurer sans raison des nuits entières en vous disant : « J'évacue et demain je serai en forme ! » Vous ne « récupérerez » que si votre tristesse est authentique. Si vos peurs ou vos colères persistent après « expression », si leurs manifestations ne vous soulagent pas, alors il s'agit sûrement d'une émotion de remplacement. À vous de découvrir celle qui se cache sous ce masque…

Les « collectionneurs de rancœurs »

Autre erreur courante et aussi néfaste dans le traitement de nos émotions : l'habitude qui consiste à encaisser les rancœurs sans sourciller… jusqu'au jour où on explose. L'analyse transactionnelle appelle cette accumulation de sentiments négatifs la « collection de timbres ».

Imaginez que votre meilleure amie ne vous rende pas visite alors que vous êtes cloué(e) au lit par une sciatique. Vous lui en voulez terriblement : « Elle exagère, quand même ! Elle n'a pas d'excuse ! » Pourtant, vous ne lui dites rien... Puis cette amie attend la toute dernière minute pour vous inviter à l'anniversaire de son mari. Vous ne dites toujours rien mais intérieurement vous enragez : « Je note, je note. Je m'en souviendrai... »

Dès lors, chaque fois que vous la voyez, chaque fois que vous lui parlez au téléphone, vous scrutez son visage, vous analysez la moindre inflexion de sa voix, en quête d'une moquerie voilée, d'un mensonge... Et quand on cherche, on trouve !

À ce stade-là, vous êtes « à point » : la moindre étincelle peut mettre le feu aux poudres ! Et ça ne tarde pas. Une cousine vous rapporte une réflexion désagréable que cette amie aurait faite à votre sujet. Cette fois, c'en est trop, la coupe est pleine ! Vous vous autorisez à exploser de colère, à « lui dire son fait » : vous rompez toute relation, mettant fin à votre amitié...

Tous les « collectionneurs de rancœurs » obéissent aux mêmes règles, avec des aménagements personnels, relatifs essentiellement au seuil de tolérance. Telle personne s'autorise à pousser un « coup de gueule » au bout de dix contrariétés ; telle autre aura besoin de trente vexations pour enfin « vider son sac » tandis qu'une troisième attendra cinq ans d'humiliations pour casser le téléviseur et divorcer !

Les « collectionneurs de rancœurs » commettent l'erreur de ne pas réagir incident par incident. Attention ! Il ne s'agit pas de sauter à la gorge de votre supérieur hiérarchique s'il s'est montré injuste à votre égard ! Mais si cette injustice vous étouffe, vous devez la faire « sortir », au besoin chez vous, en criant, tempêtant dans un endroit isolé. (Nous verrons bientôt tous les moyens de se libérer d'une colère « rentrée ».) Et après... vous aurez le loisir d'étudier la façon d'exprimer calmement votre déception à votre supérieur. Tandis que si vous laissez le débit s'accumuler, encore et encore, vous allez exploser furieusement un jour : votre patron jugera cette « crise » déplacée, et vous aurez tout à y perdre professionnellement.

Sans compter que la rancœur est avec la haine le sentiment le plus nuisible à la santé. Nous devons apprendre à les éliminer au fur et à mesure.

Trouvez la clé de votre prison !

Célibataire, sans enfant, Michèle est directrice financière d'un grand groupe immobilier. Cet après-midi du 24 décembre, elle est particulièrement fière : l'arbre de Noël qu'elle a préparé pour les enfants de ses collaborateurs a remporté un franc succès.

Pourtant, en rentrant le soir chez elle, Michèle ne se sent pas dans son assiette. Un poids lui pèse sur la poitrine, puis une « boule » lui serre la gorge et soudain elle éclate en sanglots... Depuis quelque temps, Michèle redoute ces chutes d'humeur qui apparaissent sans crier gare, accompagnées d'une terrible migraine qui la tient au lit pendant deux jours, rideaux fermés.

Mais ce soir de Noël, Michèle en a assez ! Elle veut comprendre ce qui la fait souffrir ainsi ! Patiemment, elle remonte le cours de sa propre histoire, reconstitue le puzzle de son passé : ses deux fausses couches, la certitude de ne plus jamais pouvoir donner vie à un enfant et la conviction de ne pas pouvoir obtenir l'amour d'un homme... Michèle constate que ses accès de dépression interviennent précisément au moment des fêtes familiales, le soir de Noël ou le jour de son anniversaire.

Mais bientôt, derrière les sanglots, une colère remonte comme une lame de fond et l'étouffe. Une colère énorme ! Contre l'injustice de son passé, contre sa solitude ! Elle se met à vociférer, à taper dans un coussin, criant qu'elle ne mérite pas cette situation... Après avoir exprimé cette authentique colère, Michèle se sent fatiguée... mais cette fois, elle n'a pas de migraine ! Elle s'endort une demi-heure et se réveille en pleine forme.

Depuis, Michèle expulse régulièrement sa colère et coupe court ainsi à ses dépressions comme à ses maux de tête !

Les meilleures clés pour sortir de notre prison émotionnelle… ce sont encore nos émotions. Comme le bâton qui dirige le sourcier vers l'eau souterraine, elles doivent nous servir à détecter les problèmes et à remonter dans le passé. Lorsque vous ressentez une souffrance, une mélancolie ou une anxiété diffuse que les circonstances immédiates ne suffisent pas à expliquer, essayez de suivre le fil de vos ressentis.

Chaque année, Claude voyait avec angoisse arriver l'automne. Elle se sentait mal, n'avait envie de rien et devenait nerveuse… Tout cela sans raison précise. Jusqu'au jour où elle a pris conscience des souvenirs douloureux rattachés à cette période de rentrée des classes : lorsqu'elle était enfant, ses camarades d'école l'appelaient la « bâtarde », car elle était la fille d'une mère célibataire et d'un père inconnu… Par la suite, elle avait occulté ces souvenirs pénibles, mais elle en avait gardé la douleur.

Fabrice, quant à lui, déprimait à l'arrivée des vacances. Il avait beau partir au bout du monde, découvrir les paysages les plus somptueux, rien n'y faisait : ses périodes de congé lui faisaient horreur. Jusqu'à ce qu'il comprenne que les vacances étaient restées associées dans son esprit à un rejet : lorsqu'il était enfant, malgré ses refus et ses larmes, ses parents l'expédiaient chaque été en colonie de vacances…

Mais nombreux sont ceux qui ne savent pas interpréter leurs réactions. Alors ils s'inquiètent de ces comportements, qu'ils jugent « bizarres ». C'était le cas de Jenny, native du Colorado, dont j'ignore par quel hasard elle est venue s'installer à Paris. Elle tient aux Puces un stand de jouets automates où je me rends de temps à autre. Lorsqu'elle est triste, elle me dit avec son charmant accent américain :

– J'ai le *blues*.

Invariablement, je lui réponds :

– Exprime tes émotions, Jenny !

Un jour, excédée, elle m'a rétorqué :

– Exprimer mes émotions, c'est bien joli... encore faut-il que je puisse les identifier ! Je suis souvent envahie par une souffrance diffuse, une angoisse incompréhensible... Mais où se cachent mes réelles émotions ? Comment les reconnaître et comment les exprimer ?

– Mais, Jenny, ces états d'âme cafardeux ne te « tombent » pas sur la tête sans raison. Ils résultent de souvenirs douloureux dont tu refuses de prendre conscience. Et ne compte pas qu'ils disparaissent avant que tu aies fait ce travail !

Ne souffrez jamais dans le vague, sans comprendre pourquoi ! Cherchez à connaître la raison de vos réactions pénibles et « incompréhensibles ». Pourquoi certaines époques de l'année vous font-elles mal ? Pourquoi êtes-vous tétanisé, paralysé, dès que quelqu'un s'emporte devant vous ? Pourquoi vous sentez-vous outré et anormalement bouleversé à chaque manifestation de mauvaise foi ? Au lieu de dire pour la énième fois : « C'est tout embrouillé dans ma tête... je n'y comprends rien... », cherchez dans votre passé la personne ou l'incident qui vous a cruellement déçu, au point que vous ne supportez plus la moindre fourberie.

Chaque fois que vous réagissez d'une manière excessive à un comportement ou à une situation, sachez qu'au plus profond de vous vit un souvenir pénible qui lui ressemble. Ce souvenir, il faut le sortir de la « clandestinité », le faire revenir à la surface. Non pas pour vous complaire dans sa contemplation, mais pour le pleurer ou le crier – quitte à avoir encore plus mal sur le moment – afin d'en être débarrassé pour toujours !

2

É-li-mi-nez !

– À quoi bon exprimer mes émotions ? Pleurer n'empêchera pas mon mari de déserter la maison ! explose Cécile.

De la même façon, vous aurez beau taper du poing sur la table, vous ne changerez pas la décision de votre fille de partir avec un garçon que vous n'aimez pas ! Hurlez tant que vous voudrez, vous ne ferez pas revenir un ami disparu…

Espérer le contraire serait une grave erreur. Vos pleurs, vos cris ou vos colères ne vont pas changer vos proches ni le cours des choses. Il ne s'agit pas de cela mais de votre santé, physique et morale. Il ne faut pas confondre *le besoin physiologique d'éliminer le stress* pour conserver son équilibre avec un désir chimérique d'infléchir le destin.

Non, pleurer ne fera pas revenir votre mari volage. Mais vos larmes évacueront efficacement la douleur accumulée depuis son départ ! Crier n'annulera pas un licenciement injuste, mais cela vous permettra d'éliminer la tension née de cette injustice.

Nous ne le répéterons jamais assez : chaque événement stressant incite nos glandes à sécréter des hormones qui peuvent nuire à notre organisme. Impossible de revenir sur l'événement en question, mais nous pouvons en revanche expulser ces hormones et préserver notre santé en exprimant complètement notre ressenti.

Et c'est justement ce que nous ne faisons pas ! Nous encaissons chaque jour des doses plus ou moins massives de frustrations, sans prendre le temps de les éliminer. Nous accumulons le stress au fil des semaines, des mois, voire des années, et la « Cocotte-minute » finit par exploser : nous tombons malades. Dans les pires des cas, cela peut nous conduire à l'hôpital psychiatrique, au suicide ou au meurtre !

Personne ne niera que pour rester en bonne santé, il nous faut vider quotidiennement nos vessies ou nos intestins. Mais des millions d'individus ignorent encore à quel point nous souffrons de notre « rétention » d'émotions.

Pire, nous croyons que « c'est mal » de pleurer quand nous sommes tristes, ou de crier quand nous sommes en colère. Alors, pour retenir les émotions qui ont envie de sortir, nous mobilisons une grande énergie musculaire et psychique. Celle-ci s'avère relativement efficace... à cela près qu'elle paralyse dans le même mouvement notre tube digestif, notre circulation sanguine ou notre système nerveux. Nous nous crispons : l'ensemble de l'organisme se grippe, et nous somatisons...

Et si, au lieu d'attendre le pépin, nous trouvions le moyen de purger régulièrement notre partie émotionnelle, de « vider notre sac » ?

Faire le ménage dans sa tête

Un soir, Sébastien, le jeune fils de mon amie Anita, refusait catégoriquement de se brosser les dents.

– Sébastien, lui dit sa mère, va te laver les dents.

– Mais, maman, je les ai déjà brossées hier...

Ce mot d'enfant incite l'adulte à sourire, qui sait combien cette hygiène corporelle quotidienne est nécessaire et bénéfique. Mais que fait cet adulte de ses émotions non exprimées ? Leur « toilette » quotidienne est tout aussi indispensable ! Lorsque nous avons dit les choses, crié, tremblé ou pleuré, nous pouvons tourner la page sans conserver ni rancune ni regret.

Chaque jour, après le dîner, vous débarrassez la vaisselle et vous ramassez les miettes de pain afin de trouver place nette pour le repas suivant. Vous ne laissez pas les assiettes sales s'amonceler. Eh bien, traitez votre partie émotionnelle avec le même soin : elle aussi a besoin d'un « dépoussiérage » régulier.

Demandez-vous chaque soir, ou au moment de la journée que vous aurez choisi : « Qu'est-ce qui me tracasse ou m'oppresse ? Pourquoi ai-je encore des ressentiments à l'égard de telle ou telle personne ? Je n'ai peut-être pas tourné la page sur cet accroc de la semaine dernière ? Est-ce que je regrette d'avoir dit telle chose, de ne pas avoir dit telle autre ? Et si je faisais un peu le ménage dans ma tête ? »

Si je vous conseille de le faire quotidiennement, ce ménage, c'est que je sais trop bien comme nous sommes tentés de nous dire après une contrariété quelconque : « Bah, dans quelques jours, ce sera oublié... » Plusieurs semaines, voire quelques mois passent, puis on pense : « Je ne vais pas remettre cette vieille histoire sur le tapis... » Et on l'enterre !

Mais la tension engendrée par cette « vieille histoire » subsiste et elle vient alourdir vos « dettes émotionnelles », ces émotions empilées que l'on n'a pas osé sortir et qui finissent par se durcir, par « s'enkyster » au point que le décrassage va devenir de plus en plus difficile. L'« élimination émotionnelle » quotidienne vise au contraire à assurer la fluidité énergétique de l'organisme.

Les Japonais ont compris l'importance de cette hygiène émotionnelle. Dans un grand nombre de leurs usines, à côté des toilettes ou de la salle de douche, ils ont installé une salle de « défoulement », où les employés stressés peuvent venir taper sur un punching-ball – sur lequel ils ont collé éventuellement la photo de leur supérieur ou de toute autre personne de leur choix !

S'exprimer sans nuire à autrui

Pourtant, dans la plupart des cas, les émotions continuent à faire peur. Trop de gens les considèrent comme une meute de chiens qu'il faut tenir fermement en laisse. Les lâcher ? D'accord, mais où s'arrêteront-elles ? « Ne vais-je pas pleurer sans fin… ou me mettre à tout casser, voire à frapper des gens ? »

Quel dommage que ces gens ne sachent pas faire la différence entre « exprimer ses émotions » et se « laisser emporter » par elles ! Ce que je prône, c'est une bonne *gestion* de nos sentiments, pas une sorte d'*hystérie* qui vous ferait perdre la tête. Ce genre de crise de nerfs pathologique ne survient précisément que lorsque vous tardez trop à éliminer le stress.

Si vous en voulez à la vie, à votre voisin, à votre percepteur, ou à Dieu… peu importent les noms que vous inscrivez sur votre liste, il existe un ensemble de règles et de techniques qui encadrent l'évacuation émotionnelle, vous permettant de sortir la vapeur sans vous faire du mal, et sans en faire aux autres.

Règles élémentaires de l'expression émotionnelle

• Le droit de tout ressentir

Commencez par revendiquer le droit de tout ressentir. Si vous décidez de vraiment respecter votre personne, cela implique que vous ne faites plus de tris arbitraires entre sentiments « autorisés » et « interdits ». Vivez dans la vérité de vous-même et acceptez toutes vos émotions.

• Le droit de tout dire... avec la manière

Revendiquez le droit de tout dire, avec cette réserve de taille qu'il ne faut pas juger l'autre. Ne dites pas : « Tu *es* moins que rien... tu *es* un salaud... tu *es* impossible... » Interdisez-vous de porter des jugements visant la personne dans sa globalité ! D'abord parce que vous n'avez pas autorité pour formuler de telles accusations. Ensuite parce que vous ne réussirez qu'à « braquer » votre interlocuteur, qui se sentira contesté dans son identité même.

Cernez votre émotion, ciblez précisément la critique : « Quand tu arrives en retard... quand tu ne tiens pas parole... quand tu cries... cela me rend triste, me fait peur ou me met en colère... » Vos remarques mettent alors en cause uniquement des comportements précis. Votre interlocuteur ne se sent pas visé globalement, et vous disposez de points concrets sur lesquels le débat peut s'engager. Au lieu d'ouvrir subitement un gouffre entre vous, vous avez signalé une faille ponctuelle, en proposant de jeter par-dessus une passerelle réparatrice. (Nous reviendrons sur ce point très important dans le chapitre intitulé « Comment communiquer avec l'autre ».)

• Interdiction d'agresser autrui

N'agressez pas votre interlocuteur, vous n'obtiendrez rien de positif. Croyez-vous que gifler votre percepteur soit un bon moyen d'obtenir des délais pour le paiement de vos impôts ? De même, il n'y a pas de plus grande lâcheté que de se venger sur sa femme ou ses enfants du stress de la journée ! Lâcheté parfaitement inutile : vous n'aurez pas fait entendre vos récriminations à qui de droit, et en plus vous aurez créé une situation familiale conflictuelle...

La règle absolue de l'expression émotionnelle est la suivante : *ne jamais agresser une personne physique*, ni un animal, ni même des biens communs. En revanche, comme nous allons le voir un peu plus loin, vous pouvez vous « défouler » sur certains objets prévus à cet effet.

• Choisissez le bon moment

Le meilleur moment pour vous exprimer est celui qui suit l'incident. Et pour une efficacité maximale, vous devriez le faire devant la personne concernée. Même si celle-ci n'admet pas ses torts, le seul fait d'oser dire votre désaccord – ou de donner « vos impressions » – opère un nettoyage émotionnel réel et augmente le respect de soi. Vous ne serez pas travaillé intérieurement par la rancune ou les regrets.

Il est cependant des cas où vous serez contraint de différer votre « expression ». Lorsqu'il s'agit par exemple d'un supérieur hiérarchique, car alors vous risquez de mettre inutilement en péril votre sécurité professionnelle. Vous pouvez également vous refréner lorsque les personnes en cause sont vos parents, âgés ou malades, qui pourraient souffrir de votre « déballage ». Une telle « séance de choc » pourrait s'avérer bénéfique à vous comme à eux, mais elle est à manier avec d'infinies précautions.

Cela ne vous empêche pas d'exprimer vos émotions de manière symbolique – nous allons y revenir en détail – et surtout sans trop attendre ! Faites en sorte que votre « délai » ou « ajournement » ne se transforme pas en « atermoiements » puis en « renvoi *sine die* ».

• Allez au bout de votre expression émotionnelle

Une larme au coin de l'œil ne suffit pas à vider sa tristesse, une pointe d'exaspération dans la voix ne saurait évacuer la colère. Et si vous décidez de frapper sur des coussins pour vous libérer, ne les tapotez pas ! Allez-y à fond ! Assumez votre expression émotionnelle jusqu'au bout !

• Pensez à votre bien-être personnel

Ne vivez plus dans l'illusion que vous avez le pouvoir de changer l'autre en lui faisant peur ou pitié… Contentez-vous d'exprimer *vos* émotions pour évacuer *votre* propre stress. Vous « crachez » vos tensions non pas pour impressionner la galerie mais bien *pour préserver votre santé* !

Le « contrat familial pour l'expression émotionnelle »

Nous avons souvent tendance à considérer la famille comme une sorte de cocon où les plus « renfermés » d'entre nous ont enfin toute liberté pour exprimer leurs émotions, par opposition à un milieu professionnel qui nous contraint nécessairement à plus de réserve. Dans ce lieu privilégié qu'est la famille, on s'autoriserait davantage à être soi-même…

C'est en partie vrai, mais en partie seulement. Car il ne faut pas oublier que ce milieu privilégié est aussi celui qui a le plus d'impact sur nous. Vous pouvez vous accommoder au besoin de la mine bougonne d'un collègue de travail, mais la grogne d'un membre de la famille vous touche, vous implique personnellement. Si les choses tournent au vinaigre dans l'entreprise, vous avez toujours le recours de donner votre démission : il vous sera plus difficile de « tourner la page » sur femme et enfants...

Pourtant, il faut absolument s'exprimer dans le cercle familial. Ne pas se dire : tant que ça ne « casse » pas, tout va bien... Ce serait oublier le tribut que prélèvent sur le moral des situations conflictuelles apparemment anodines : « faire la tête » pendant plusieurs jours ou tout encaisser sans réagir sape notre énergie et finit par affaiblir nos immunités.

Dans ce lieu si crucial pour l'épanouissement, on se laisse souvent piéger par une certaine routine de fonctionnement : « Chez nous, on ne s'est jamais beaucoup parlé » ; « de toute façon, les parents n'écoutent jamais » ; ou « notre fils ne nous dit rien, nous avons l'impression qu'il est seulement en visite à la maison. » On se persuade qu'il faut laisser aux autres leur espace d'intimité, et l'on finit par découvrir que l'on vit avec des quasi-étrangers.

Dans le cadre de la formation des « conseillers de santé holistique », nous nous sommes posé la question suivante : « Pourquoi ne pas imaginer un nouveau mode de vie familial, basé sur la vérité et l'expression de ses émotions, dans le respect des besoins de chacun ? » Nous avons élaboré une sorte de charte destinée à favoriser une cohabitation plus harmonieuse.

Dans chaque famille, on pourra décider que le dimanche après déjeuner, ou à un autre moment choisi dans la semaine, on mettra tout à plat sur la table. On abordera ouvertement tout ce qui ne va pas. Cela ne signifie pas qu'une solution surgira forcément sur-le-champ, mais au moins les choses seront dites, le problème soulevé.

Le « contrat familial pour l'expression émotionnelle » est nécessaire car il autorise l'évacuation, il la rend acceptable par tous. Grâce à ce contrat, nous pouvons enfin oser dire ce que nous avons sur le cœur. « Je n'ai plus envie de cacher toute ma vie ce que je ressens » ;

« moi, j'ai envie de pleurer et je n'ose pas : ça m'ennuie de devoir me cacher pour pleurer » ; « moi, j'ai envie de crier, et j'aimerais le faire sans que vous rouspétiez... »

Une excellente solution consiste à aménager dans la maison une pièce ou un coin où tous les membres de la famille pourraient à tour de rôle expulser leur trop-plein de stress.

Imaginons que vous rentriez à la maison après une journée harassante. Dans le cadre du contrat, vous pourrez annoncer : « J'ai une grande rage à évacuer. Je vais me retirer dans mon coin et vous savez que ça peut faire du bruit. Merci de me laisser tranquille un moment ! »

Sans accord préalable, il est normal que ce type de comportement puisse déranger les autres membres de la famille. Mais la convention passée, même ceux qui semblent gênés au départ finiront par vous dire : « Je peux y aller à mon tour ? Moi aussi, j'ai envie de crier et de me défouler. Je ne tiens plus... »

Les enfants seront sans doute les premiers à vous emboîter le pas car le côté ludique de cette nouvelle habitude familiale les enchantera. En outre, ils ont moins de « couches stressantes » à évacuer et sont donc plus ouverts à ce type d'exercice.

Les femmes oseront probablement se lancer plus vite que les hommes, car elles sont traditionnellement plus en contact avec leurs émotions. Les hommes, enfermés dans leur carcan éducatif (« les garçons ne pleurent pas »), auront plus de mal à s'exprimer librement. Mais il y a un début à tout : un jour, ne pouvant plus supporter le chaudron qui bout dans leur cœur, ils découvriront à quel point cette pratique soulage la tension. Oubliant leurs réserves initiales, ils joindront le « club de l'expression émotionnelle ». Et c'est toute la famille qui en profitera !

La « chaise vide » ou la méthode la plus imaginative

Si on peut toujours donner des conseils et des « recettes », il reste que chaque personne choisira son propre mode d'expression émotionnelle, selon son tempérament, selon le moment et le type de problème. Il est bon de tâtonner, d'essayer plusieurs méthodes avant de trouver « la sienne », ou « les siennes ».

On l'a vu, l'expression émotionnelle la plus naturelle et la plus libératrice de stress reste bien sûr celle qui s'effectue sur-le-champ, devant la personne intéressée. Mais lorsque nous avons besoin d'éliminer des ressentiments anciens, concernant des personnes décédées ou devant lesquelles nous ne parvenons pas à parler, la méthode de la « chaise vide » s'impose. Très puissante, elle est issue de la gestalt-thérapie, créée par le psychologue et psychothérapeute Fritz Perls.

• Asseyez-vous en face d'une chaise vide.

• Imaginez, visualisez sur cette chaise la personne à qui vous voulez vous adresser : votre mère, votre père, votre patron, votre conjoint(e)...

• Parlez-lui. Dites-lui sans détour tout ce que vous avez sur le cœur : faites face à votre interlocuteur, respirez profondément en essayant de vous détendre autant que possible. À présent, rappelez les situations et les souvenirs douloureux. Décrivez vos sentiments blessés.

• N'oubliez pas que le but de cette méthode (et des autres !) est de restaurer votre assurance et votre dignité. De vous transformer de victime en personne libre, capable de mener sa vie comme elle l'entend.

• Parlez, dialoguez avec l'« autre », criez (très libérateur !) mais ne gémissez pas !

• Ne soyez pas une victime plaintive : « Pourquoi m'as-tu fait ça... ? » Ce serait rester dans le registre des regrets. Même si la situation relève du passé, dites plutôt : « Je n'accepte plus que tu me tyrannises... » ; « tu n'as pas le droit de me traiter comme ça... » ; « je suis une personne qui mérite le respect... »; « je suis en colère parce que tu as fait telle chose... » Parlez surtout de ce que vous ressentez.

• Sachez qu'il est tout à fait normal d'avoir peur, d'être blessé ou de se mettre en colère contre ses proches. Ne vous culpabilisez pas à ce sujet. Vous avez cru longtemps que vous emporter devant eux serait leur manquer de respect. Et vous avez laissé s'accumuler année après année des couches de rancœur, de tristesse ou de colère.

• Au nom de l'amour et du respect que vous portez à vos proches (et à vous-même), parlez, pleurez et criez vos véritables sentiments.

• Pour crever l'abcès d'un conflit récent, une seule séance suffit généralement. Mais évacuer d'anciennes couches endurcies nécessite généralement plusieurs séances.

• Ne retenez rien ! Laissez tout sortir ! Au fur et à mesure de votre expression, sentez la douleur du passé vous quitter doucement. Imaginez qu'elle ne reviendra plus. C'est alors que vous pouvez dire à votre « interlocuteur » : « C'est bon ! Allez, c'est fini ! Je te libère de ma rancœur. Je te laisse partir... »

La « méthode bataka » ou l'expression la plus sonore

N'oublions jamais que le stress psychologique se transforme en tensions musculaires et physiques. Pour les évacuer, il convient donc de se dépenser physiquement, avec ses poings au besoin !

Vous avez envie de « tuer » quelqu'un ? Vous sentez que vous allez « tout casser » ? Au lieu d'agresser une personne, attaquez-vous donc à un vieux matelas ou à un coussin !

• Installez-vous devant un coussin assez volumineux, un matelas, un paquet de chiffons, un punching-ball ou une porte capitonnée.

• Tapez avec vos poings, avec une raquette de tennis ou une bataka. La bataka est un gros bâton de bois, genre batte de base-ball, mais dont l'extrémité est enrobée d'une dense couche de mousse qui amortit efficacement les coups. Cet instrument est vendu spécialement pour l'expression émotionnelle un peu partout aux États-Unis.

• Frappez de toutes vos forces en exprimant verbalement vos émotions : « Tu n'as pas le droit de me traiter ainsi… » ; « j'ai le droit de vivre heureux… » ; « j'en ai assez d'entendre… » ; « je veux être respecté… »

• Si le cœur vous en dit, donnez des coups de pied dans le coussin ou le matelas…

• Ne tapez pas « poliment », du bout des doigts ! Allez-y carrément ! Sortez de vos gonds, éliminez ! Cognez et criez de bon cœur, jusqu'à ce que vous soyez fatigué.

• Très souvent, une telle expression émotionnelle se termine par une bonne crise de larmes. Laissez-vous pleurer jusqu'au terme de votre émotion !

• Il va de soi que vous vous exprimez de préférence seul chez vous, ou après avoir demandé à vos proches de ne pas intervenir, conformément au « contrat familial ». Si les réactions des voisins vous inquiètent, calfeutrez un coin spécial pour ce « toilettage émotionnel » ou criez dans un coussin, ou encore « hurlez » sans émettre de son : expirez violemment, comme pour pousser des cris puissants, mais sans donner de la voix.

• Lorsque vous tapez et criez, veillez à respirer du ventre pour ne pas bloquer le diaphragme.

• Mon amie Judy, la psychothérapeute américaine, avait coutume de dire : « Il vaut mieux agresser un coussin que de trimbaler sa déprime (ou son rhume !) trop longtemps. » Les jours de grande déprime, recommencez plusieurs fois s'il le faut, jusqu'à ce que la tension se dissipe vraiment et que l'énergie revienne au galop !

La « casse d'assiettes » ou l'expression la plus spectaculaire

Mina, une journaliste israélienne en poste à Paris, m'a raconté un jour que dans sa famille on gardait précieusement les assiettes ébréchées. Quand la tension entre parents et enfants devenait trop forte, on demandait : « Qui a besoin de casser des assiettes ? » Et ceux qui le désiraient pouvaient se défouler à moindres frais. Aujourd'hui, chaque fois qu'elle en a l'occasion, elle achète aux Puces des piles de vieilles assiettes sans valeur, et « quand à la maison la moutarde nous monte au nez, nous les cassons à tour de bras : quel formidable défouloir ! »...

Vous avez le choix : ou bien casser vos assiettes une à une, en vous réjouissant crescendo de ce fracas à répétition. Mais à mon avis, en cas de grand stress, rien n'est plus soulageant, plus magistral que de jeter une pile entière d'assiettes et de la voir voler en éclats ! Hélas, on ne peut pas se permettre de les lancer dans la rue depuis le cinquième étage... Mais rien ne vous empêche de le faire en rase campagne !

Toutefois, attention, souvenez-vous que chaque évacuation émotionnelle doit observer une règle absolue : elle doit être assumée jusqu'au bout. Et si vous choisissez la « casse d'assiettes », sachez qu'assumer jusqu'au bout signifie ramasser les débris de porcelaine ou de céramique...

« Piquer une crise » ou l'expression la plus intense

Dans son livre *Deviens ton propre médecin*, le Dr Tal Schaller conseille de « piquer une crise » afin de se libérer de l'anxiété et de la colère refoulées. Les enfants hurlent, pleurent, trépignent ou se roulent par terre quand quelque chose ne va pas. Instinctivement, ils purgent ainsi les tensions de leur corps. Quelques instants plus tard, ils reprennent leurs jeux, pleins de vitalité.

Quand rien ne va, quand nous croyons que l'horizon est bouché, nous pouvons nous soulager en prenant modèle sur nos enfants.

- Hurlez, trépignez et pleurez en agitant toutes les parties de votre corps.
- Mettez « toute la gomme », exprimez-vous avec une intensité maximale, sans toutefois vous cogner ni vous faire du mal. De même, ne forcez pas trop votre voix par des cris perçants : criez du ventre, de votre centre.

La plupart des personnes associent l'expression émotionnelle intense à la folie ou à la violence. Vous savez bien, vous, qu'il s'agit d'une « folie » toute contrôlée. Essayez pourtant de vous y livrer à l'abri des regards indiscrets : inutile d'effrayer vos voisins ou votre concierge par d'apparentes crises de démence ! Et n'oubliez pas que, pour ne pas les gêner, vous pouvez crier « sans le son ».

Remarquez combien, après cet exercice, votre sang coule avec plus de force et de chaleur dans vos veines. Vous vous sentez régénéré et dynamique !

La « bataille de polochons » ou l'expression la plus ludique

Dans son livre *Le Corps messager*, Isabelle Filliozat suggère quant à elle une bataille de polochons. Celle-ci assainit efficacement l'ambiance lorsque le taux de frustration mutuelle grimpe dangereusement au sein de la famille.

• Ce jeu peut se jouer à deux, quatre ou six personnes.

• Chacune envoie ses oreillers à toute volée en criant à toute force ses « vérités ».

• Dans le cadre du jeu, les mots durs sont autorisés, à condition que les deux « camps » soient d'une virulence égale.

• L'expression physique accompagnée de l'expression vocale élimine beaucoup de tension et permet à tous les participants de terminer dans le rire !

Les expressions émotionnelles les plus classiques

• **Écrivez.** Tenez un journal dans lequel vous racontez tout ce qui vous arrive, en vous attachant particulièrement à transcrire les émotions que les épisodes de la journée ont éveillées en vous. Cet exercice clarifie vos idées et vous sensibilise à vos « fluctuations intérieures ».

Au cas où ce dialogue de soi à soi vous paralyserait, vous pouvez aussi écrire des lettres – que vous choisirez d'envoyer à destination ou pas !

• **Enregistrez.** Si vous n'aimez pas écrire, exprimez-vous devant un magnétophone. L'enregistrement de votre voix, avec ses hésitations et ses tremblements, vous dévoilera avec précision où se trouve votre point douloureux.

N'hésitez pas à enregistrer vos pensées les plus intimes : vous pourrez toujours effacer la bande.

• **Racontez** à haute voix, à un proche ou à vous-même, une scène difficile, blessante.

• **Courez :** autour du pâté de maisons ou dans la forêt.

• **Hurlez :** dans la voiture (vitres fermées de préférence !). Poussez des cris en vous promenant dans les bois, comme le préconisait Georges Hébert, éducateur et promoteur d'une hygiène de vie naturelle, dès le début du siècle. À l'époque, on ne parlait pas encore de « libération émotionnelle », mais cette pratique rencontrait déjà un beau succès. Rien de tel pour « oxygéner » votre organisme !

• **Massez-vous :** le ventre et le plexus solaire avec le poing fermé, en un geste circulaire.

• **Expirez :** faites-le de façon ample et sonore après chaque contrariété, pour vider le trop-plein de stress.

Le « sanglot long » ou l'expression la plus touchante

Quand nous sommes tristes ou que nous avons peur, tout notre corps se raidit et se place sous tension. Les pleurs sont le moyen le plus ancien pour relâcher cette tension. Dans son livre *La Peur de vivre*, le Dr Alexander Lowen parle de ces convulsions ou sanglots qui « dénouent l'estomac et libèrent la tension viscérale et musculaire ». Grâce à ces pulsations qui parcourent notre corps, le stress de la blessure ou de la peur ne reste pas verrouillé en nous. Et comme nous « démobilisons » les énergies employées à « retenir nos larmes », nous nous trouvons immédiatement après beaucoup plus dispos et revigorés.

Encore faut-il que ce soient de « vrais » sanglots ! Les pleurs superficiels, eux, peuvent être sans fin : loin d'éliminer la tension, ils nous laissent plus esquintés et désespérés qu'avant.

Le soulagement ne se produit que lorsque les sanglots viennent du plus profond de l'être. Quand, émergeant de l'abdomen, ils secouent tout notre corps ! Cette intensité, cette profondeur allègent ou font disparaître la tristesse et le chagrin. De surcroît, on a la sensation de se tendre la main à soi-même : avec compassion et tendresse, on va chercher au plus intime ces émotions qui hésitaient à se manifester, on les encourage, on leur donne la permission de sortir au grand jour.

Lorsqu'il vous arrive un événement douloureux, un de ces « crève-cœur » qui vous laissent pantelant, n'hésitez plus : laissez couler votre douleur jusqu'à la lie. *Vous n'êtes pas en train de « céder » à la souffrance, vous vous en libérez !*

L'« oreille amicale » ou l'expression la plus chaleureuse

Nous avons tous besoin d'un soutien moral, de cette écoute que peut nous apporter une personne accueillante, capable de nous écouter sans forcément nous accabler de conseils – à moins bien sûr qu'on ne soit venu en chercher auprès d'elle.

Nous avons besoin d'une « oreille amicale » qui puisse tout entendre sans juger ni critiquer. Grâce à cette neutralité bienveillante, nous nous trouvons confirmés dans la légitimité de nos « ressentis » et de nos expressions.

Hélas, je sais combien il est difficile de trouver une telle qualité d'écoute ! Et c'est bien pourquoi nous avons tendance à nous renfermer en nous-mêmes, à nous résigner au fait qu'« on est toujours seul ». Quelles barrières, quelles craintes faut-il faire tomber avant de vider son sac devant quelqu'un, même lorsque c'est un(e) ami(e) ! La personne sera-t-elle suffisamment disponible, et ne va-t-elle pas s'empresser de trahir mes secrets ?

Pour surmonter ces problèmes et profiter d'une main tendue, il ne faut pas se contenter de vœux pieux, mais s'organiser. Pour découvrir à qui et comment l'on peut demander de l'aide…

Dans son livre *J'ai choisi de vivre*, Jean-Jacques Berreby propose à chacun de passer en revue son réseau de relations familiales, affectives, sociales ou médicales pour établir un « agenda » de premier secours.

Il raconte comment, en face de chaque nom et numéro de téléphone, il a inscrit le talent particulier ou la connaissance utile de chaque personne, mais aussi – et c'est très important – les meilleures heures d'appel et de disponibilité. Il peut ainsi trouver, parfois au bout de trois ou quatre appels, les paroles de sympathie, de soutien et d'espoir dont il a besoin.

Qui plus est, le seul fait de vous fabriquer cet agenda suffira à vous prouver qu'au fond vous n'êtes pas si seul au monde. Qu'il y a autour de vous beaucoup de personnes valables et prêtes à vous aider…

Mais veillez à la réciprocité ! Ne vous installez pas dans la position de demandeur recevant perpétuellement l'aide d'autrui. Votre « oreille amicale » pourrait se lasser de jouer les bons Samaritains et commencer à vous considérer comme une charge. Si vous voulez que s'instaure une vraie relation d'égalité, soyez aussi disponible pour l'autre ! Soyez à son écoute le jour où il a besoin de vous.

Récompensez-vous !

Vous avez besoin d'encouragements ! Après chaque libération émotionnelle, offrez-vous une petite récompense : un disque, une belle balade, une voix amie au téléphone, un bain parfumé, etc.

Mais ne trichez pas : exprimez-vous d'abord ! Vouloir remplacer votre expression émotionnelle par un bain ou un cadeau ne vous servira à rien. Tant que le stress ne sera pas bel et bien évacué, vous ne serez pas apaisé… et vous ne profiterez pas de votre récompense !

3

Victime ou bourreau ?

S'il est tellement important d'apprendre à bien gérer nos émotions, outre pour des raisons de santé, c'est qu'elles modèlent notre caractère et par conséquent notre façon de réagir dans chaque situation délicate de la vie.

Quel est *votre* caractère ? Quel genre de personne êtes-vous ? Avez-vous tendance à sous-estimer vos capacités et à vous imaginer que les autres savent mieux que vous ? Ou bien êtes-vous au contraire un monsieur ou une madame « J'ai-toujours-raison » ? Avez-vous l'impression d'être supérieur aux autres ? À moins que vous ne puissiez résister à l'envie de voler au secours d'autrui… alors même que l'autre ne vous demande rien ?

Le psychologue et psychothérapeute Karpman a établi un « triangle dramatique » dont les pointes figurent les rôles préférentiels que nous adoptons face à la vie et aux autres, en particulier lorsque les choses tournent mal et que nous sommes en état de stress.

• La victime

Une personne se place dans le rôle de victime lorsque, de manière répétitive, elle sous-estime ses capacités. Se sentant inférieure aux autres, elle quémande sans cesse leurs conseils. Elle attend qu'on l'aide à résoudre tous ses problèmes. La « victime », semblable à un enfant, tient pour responsables de ses déboires ses parents, les autres, la malchance ou le hasard.

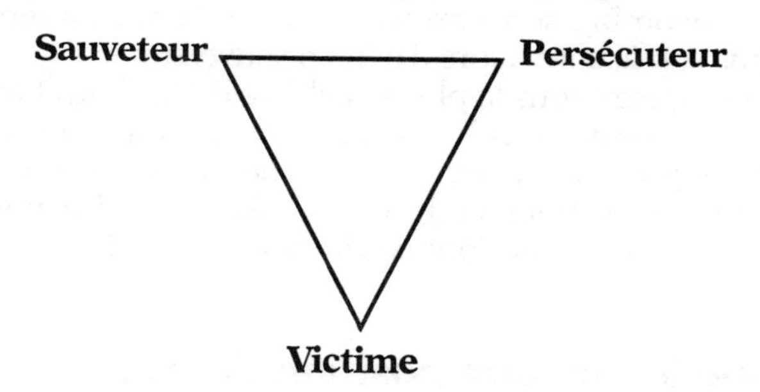

• Le persécuteur

Une personne se conduit en persécuteur lorsqu'elle dit ou pense souvent : « Je suis plus forte (plus rapide, maligne, instruite) que toi » ; « C'est moi qui ai raison » ; ou « Tu ne sais rien faire ». Le persécuteur cherche à rabaisser et à contrôler l'autre pour se valoriser lui-même.

• Le sauveteur

Une personne devient sauveteur lorsqu'elle lève les yeux au ciel en disant : « Qu'est-ce que tu ferais si je n'étais pas là ! » ou : « Il faut toujours que je l'aide. » Sous prétexte de vouloir du bien à l'autre, le sauveteur cherche en réalité à renforcer la dépendance de sa victime et à se donner une image valorisante.

Attention ! Ne me faites pas dire ce que je n'ai pas dit. Ceux qui affirment avoir envie de « donner aux autres l'amour qu'ils n'ont pas reçu » ne sont pas forcément d'affreux manipulateurs. Ils font effectivement le bien autour d'eux. À condition toutefois de ne rien imposer, d'agir toujours dans le respect de l'opinion et des désirs de l'autre.

En revanche, si quelqu'un apporte son aide en croyant savoir mieux que l'autre ce qui est bien pour lui ; s'il encombre son « protégé » de ses bonnes intentions, sans son accord, alors il agit en sauveteur.

Rappelez-vous la phrase célèbre d'Abraham Lincoln : « Vous n'aidez pas les hommes en faisant pour eux ce qu'ils pourraient faire eux-mêmes ! » Notre sauveteur peut même pousser le « zèle » jusqu'à faire pour les autres ce dont ils n'ont pas la moindre envie…

Quelle est votre position de vie ?

Nous ne sommes jamais tout « victime », ni tout « bourreau », ni tout « sauveteur ». Mais nous pouvons essayer de découvrir quels sont nos comportements habituels à l'égard des autres. Vous voulez savoir où vous vous situez ? Imaginez que vous vous trouviez soudain agressé – ne serait-ce que verbalement – par quelqu'un. Quelle est votre réaction ?

1. Vous cherchez aussitôt à savoir pourquoi la personne se conduit de la sorte (position ⊕ ⊕).

2. Votre sang ne fait qu'un tour, vous rendez coup pour coup (position⊕⊖).

3. Vous tournez en rond, vous ne pensez qu'à « ça » et vous êtes mal (position⊖⊕).

4. Vous préférez ne rien répondre : « Ça n'en vaut pas la peine, et puis l'autre ne vaut pas la peine que je lui réponde » (position⊖⊖).

Dans le cas où votre réponse est répétitive, coutumière, elle représente ce qu'on appelle *votre position de vie*. Selon l'analyse transactionnelle, en effet, les liens que nous établissons avec les autres dépendent essentiellement de la valeur que nous nous accordons, et de la place que nous nous octroyons dans l'existence.

On distingue quatre « positions de vie ». L'individu adopte la sienne très tôt, selon que les parents et l'entourage familial ont répondu plus ou moins favorablement à ses besoins d'enfant. Cette position va conditionner sa pensée et les relations qu'il entretient avec lui-même comme avec les autres :

Les quatre positions de vie

1. **Je suis OK et tu es OK.**
Position ⊕ ⊕.

2. **Je ne suis pas OK et tu es OK.**
Position ⊖ ⊕.

3. **Je suis OK et tu n'es pas OK.**
Position ⊕ ⊖.

4. **Je ne suis pas OK et tu n'es pas OK.**
Position ⊖ ⊖.

• Je suis OK et tu es OK (⊕ ⊕)

Cette position de vie est sans conteste la plus constructive. La personne a confiance en ses capacités. Elle s'estime, tout en respectant l'autre. En conséquence, elle est agréable, sympathique, spontanée et pleine de joie de vivre. Honnête avec elle-même comme avec autrui, elle vit dans l'amitié, s'efforce de créer la meilleure harmonie entre elle-même et le monde.

Les quatre positions de vie	
Position ⊕ ⊕ Je suis OK et tu es OK.	Position ⊖⊕ Je ne suis pas OK. et tu es OK.
– La personne est d'accord avec elle-même, avec l'autre, avec la vie. – Elle est bien dans sa peau. – Elle se respecte comme elle respecte autrui. Lorsqu'un problème surgit, elle coopère avec l'autre pour trouver une solution suffisante pour les deux parties.	– La personne se dévalorise, mais survalorise l'autre. – Elle est mal dans sa peau, persuadée que les autres « valent mieux qu'elle ». – Elle attend que les autres trouvent des solutions, refusant de prendre des responsabilités.
Position ⊕ ⊖ Je suis OK. et tu n'es pas OK.	Position ⊖⊖ Je ne suis pas OK. et tu n'es pas OK.
– La personne se survalorise, et dévalorise l'autre. – Agressive, elle répète : « Je suis mieux que toi », « c'est ta faute ». – Elle veut imposer son avis, et il est difficile de parvenir à un accord satisfaisant avec elle.	– La personne se dévalorise et dévalorise l'autre. – Elle est mal dans sa peau, croyant que « c'est notre faute. Nous ne valons rien ». – Pessimiste et défaitiste, elle refuse les responsabilités.

- **Je ne suis pas OK et tu es OK (⊖⊕)**

Cette position de vie est celle d'une personne se sentant inférieure aux autres. Sous-estimant ses capacités, elle fuit les responsabilités. Elle a l'impression que les autres savent mieux qu'elle : elle a peur des conflits et ajuste ses opinions sur celles d'autrui. Elle cherche toujours à faire plaisir à tous.

- **Je suis OK et tu n'es pas OK (⊕⊖)**

Cette position de vie est celle d'une personne se croyant supérieure aux autres. Envahissante, ne parlant que d'elle-même, elle ne se préoccupe pas du sort des gens dans son entourage. Elle ne supporte pas d'avoir tort. En cas de réussite, c'est toujours grâce à son action ; en cas d'échec, c'est forcément la faute des autres ! Violente ou critique, cette personne devient fatigante pour son entourage.

- **Je ne suis pas OK et tu n'es pas OK (⊖⊖)**

Cette position de vie est celle d'une personne qui démissionne devant la vie. Déprimée, fatiguée, elle n'a plus la force d'agir. Elle n'a pas davantage confiance dans les autres. Elle ne s'intéresse à aucun projet, éprouve les plus grandes peines du monde à prendre une décision. Résignée et amère, elle croit que « c'est la faute de tout le monde » et qu'il n'y a plus rien à faire.

Bien entendu, là encore, chacun de nous ajoute sa propre couleur à ces quatre positions de vie et les variations sont nombreuses. Sans compter que notre propre position peut changer selon les circonstances de l'existence... Tel employé de bureau, effacé et peu sûr de lui au travail (position ⊖⊕), va compenser en tyrannisant le soir sa femme et ses enfants (position ⊕ ⊖). Ou bien ce grand directeur, dominateur au bureau (position ⊕ ⊖), se sentira soudain mal à l'aise devant l'agent qui le verbalise pour avoir grillé un feu rouge (position ⊖⊕).

Pourtant, en dépit de ces indéniables variations, sachez que lorsque vous êtes fatigué, stressé ou malade, vous vous réfugiez toujours dans la position que vous avez adoptée pendant les premières années de votre vie.

Vous avez sans doute repéré dans le tableau ci-dessus la position qui vous correspond le plus. Sachez que ce schéma de comportement n'a rien de définitif. Il ne s'agit pas de se dire « je suis comme ça et c'est tant pis » mais de prendre conscience de certaines attitudes, à seule fin d'y remédier, et d'évoluer vers la position ⊕⊕.

Si vous ne vous aimez pas, pourquoi les autres vous aimeraient-ils ?

Les quatre « positions de vie » dépendent, on l'a vu, de l'image que nous nous sommes faite de nous-mêmes. Or trop souvent nous nous dévalorisons, nous manquons de sécurité intérieure, ce qui nous conduit à chercher une valorisation et une sécurité auprès des autres. Nous avons déjà eu l'occasion de dire combien une telle démarche s'avère vaine. Chercher sa propre sécurité auprès des autres ou grâce à des biens extérieurs est illusoire : la personne que vous aimez peut vous quitter ou tomber malade. Vous vous entendez bien avec votre chef, votre banquier ou vos voisins, mais demain peut-être seront-ils remplacés, ou déménageront-ils. Et si le chômage vous frappait ? Et si le feu ou l'inondation ravageait votre maison ? Et si une guerre éclatait ? Autrement dit, tous ces appuis extérieurs sur lesquels vous faites reposer votre bien-être peuvent s'effondrer du jour au lendemain !

La seule solution à ce problème, c'est de trouver ou de retrouver *sa propre sécurité intérieure*. De s'occuper de soi sans crainte d'être égoïste ! Un arbre ne peut pas être robuste s'il n'est pas nourri par ses racines ! Eh bien, il en va de même avec nous autres humains : pour être solides, nous devons être nourris par notre propre amour, par l'intérieur, à la source.

Et d'ailleurs, comment aimer autrui si l'on ne s'aime pas soi-même ? Comment le comprendre, si on ne se comprend pas soi-même ? Comment prétendre lui offrir de l'aide, si on ne s'est pas aidé soi-même ? Quand on est bien dans sa peau, il est plus facile d'accepter l'autre et de trouver ce qu'il a de meilleur en lui.

On le voit, s'aimer soi-même, c'est déjà modifier spectaculairement sa relation avec son entourage, en la plaçant sur la base d'une saine égalité.

Ne pensez *pas uniquement* à vous ! Mais pensez *d'abord* à vous !

En renonçant à vos besoins propres, vous croyez souvent réaliser un compromis pour vous rapprocher de l'être aimé. Vous vous trompez ! Votre « sacrifice » contribue au contraire à vous éloigner de lui.

Comment ? Imaginons que vous adoriez le théâtre, mais en étant convaincue que votre partenaire déteste ce genre de sortie. Si vous renoncez à votre distraction « par amour », sans même parler de votre désir, vous faites courir un risque à votre couple. En effet, chaque fois que vous ratez une bonne pièce, vous devenez plus maussade et de « mauvais poil » à l'égard de votre compagnon. Celui-ci, de son côté, constate votre froideur sans la comprendre, alors qu'il a besoin de votre affection. Il en conclut que vous l'aimez moins, ou plus du tout. À son tour, amer, il ne vous parle pas. Peu à peu, le fossé grandit entre vous, et tout cela parce que, croyant agir au mieux, vous avez renoncé à tort à vos envies, sans en discuter.

• Plus vous écoutez vos besoins, plus vous serez aimant et agréable pour vos proches. Plus vous serez épanoui, plus la joie et l'harmonie régneront autour de vous.

• Celui qui n'est pas heureux, comment peut-il communiquer le bonheur à autrui ?

« Lâche-moi les baskets ! »

Pour améliorer votre relation à l'autre, une des règles de base consiste à le « laisser vivre ».

Trop souvent, nous avons tendance à vouloir que les autres suivent nos directives. Cela part peut-être d'un bon sentiment : nous avons envie de les voir partager avec nous ce que nous croyons sincèrement utile et bénéfique. Mais nous oublions que, en leur imposant ce que nous jugeons « bon pour eux », nous les étouffons. Vous trouvez sain et démocratique de lancer « tiens, voilà ce qu'il te faut » à quelqu'un qui n'en a cure ? Pour finalement le culpabiliser quand il décide d'agir autrement ?

Pas de bonne relation avec autrui si nous ne faisons pas l'effort d'évoluer vers la position de vie ⊕ ⊕ : « Je me fais confiance et je te fais confiance. » Si nous manquons d'estime pour nous-mêmes, ou bien si au contraire nous méprisons notre interlocuteur, nous serons enclins à nous complaire dans des relations malsaines…

– Nous agissons en victime pour que l'autre nous prenne sous son aile protectrice.

– Nous agissons en persécuteur dans l'espoir de soulager notre angoisse par la domination de l'autre, et de regonfler notre ego par son humiliation.

– Nous agissons en sauveteur : nous nous valorisons en nous occupant de l'autre malgré lui (« je veux simplement t'aider », « c'est pour ton bien »).

Vouloir aider sincèrement notre mari, notre femme, nos enfants, nos amis ou collègues, c'est leur apporter toutes nos connaissances sur un sujet qui leur pose éventuellement un problème, puis... leur ficher la paix!

Acceptez l'autre tel qu'il est! Tout comme vous, il fait à chaque instant du mieux qu'il peut. Cessez de vouloir à tout prix le changer ou décider à sa place.

Vos gestes parlent autant que vos paroles

Les termes de « victime » ou « bourreau » peuvent paraître durs et extrêmes, mais ils désignent des rôles décelables dans notre vie quotidienne, dans nos faits et gestes les plus anodins. Nous avons tous rencontré de ces couples où l'un des partenaires a l'habitude de couper la parole ou d'agir à la place de son conjoint. Vous posez une question à l'un et c'est l'autre qui répond, ou qui torpille son partenaire par toute une série de mimiques ironiques. Il y a là une forme de persécution légère, inconsciente sûrement, mais qui blesse la victime en lui faisant croire qu'elle n'est pas en mesure de répondre correctement, ou que son opinion est sans importance.

Respecter chaque individu, c'est aussi lui laisser son temps de parole et d'expression propre. « Réduire » quelqu'un au silence, c'est l'empêcher de s'ouvrir, de s'épanouir, de s'exprimer.

Et n'oubliez pas que l'expression ne se transmet pas seulement par la parole: nos gestes, nos comportements disent à l'autre précisément ce que nous pensons et sentons à son sujet.

La position du corps, du cou ou l'inclinaison de la tête expriment nos sentiments mieux que des mots. Un regard droit ou « en biais », le visage qui rougit ou pâlit légèrement, un sourcil dressé, un sourire « en coin » ou forcé, une mâchoire qui se contracte, des doigts qui

« pianotent » – autant de signes qui peuvent être aisément interprétés par l'interlocuteur. Celui-ci, parfois de façon purement intuitive, sentira alors votre gêne, votre désapprobation ou votre mépris.

Il faut donc accueillir et accepter l'autre sincèrement, en joignant le geste à la parole ! Et accepter l'autre, ce n'est rien d'autre que de l'aimer comme soi-même, ni plus ni moins, mais entièrement ! Quand bien même il ne penserait pas ou n'agirait pas comme nous le souhaiterions. Chaque personne doit vivre sa propre vérité, suivre sa propre voie !

Ne croyez pas qu'en adoptant ce genre d'attitude vous allez vous transformer en saint-bernard ou qu'il va vous pousser une auréole sur la tête ! Ce que je vous souhaite seulement, c'est de ne pas rester prisonnier d'un de ces rôles – victime, bourreau ou sauveteur – qui vous éloignent d'un vrai bien-être en vous enchaînant à une relation de dépendance affective.

Si nous voulons réussir notre alchimie émotionnelle, il est essentiel d'améliorer notre communication avec l'autre. C'est sur ce terrain en effet que naissent à la fois les grands malentendus qui nous empoisonnent l'existence, et ces bonheurs de complicité capables de nous transporter de joie.

4

Comment mieux communiquer avec l'autre

Rémy Filliozat venait d'écrire en lettres majuscules sur le tableau : LE MESSAGE « TU » TUE !

Nous étions une cinquantaine de personnes à nous regarder sans comprendre. Que signifiait cette formule ?

Rémy s'expliqua :

– Chaque fois que vous pointez le doigt sur quelqu'un pour lui dire « tu devrais faire ceci », « tu devrais faire cela », « tu n'es pas bien », « comment oses-tu ? », vous tuez la communication avec lui.

– Comment ça ?

– Parce que, au lieu de le responsabiliser, vous lui dictez un comportement. Comme s'il était incapable de le définir seul.

Tout à coup, sans trop savoir pourquoi, j'ai revu la scène qui avait eu lieu le matin même dans mon bureau. Une fois de plus, je m'étais disputée avec Jean-Jacques, mon parolier, à propos d'un retard dans l'écriture de chansons.

Il se tenait debout devant la fenêtre, et le contre-jour m'empêchait de détailler son visage. Seuls ses yeux brillaient d'une lueur rebelle.

– Tu exagères, Jean-Jacques ! Tu affiches un mépris total pour nos accords. Tu m'as promis les textes des deux chansons il y a trois semaines déjà, et aujourd'hui, quatre jours avant l'enregistrement, tu ne les as pas encore écrites !

Mon doigt pointé sur lui, j'allais de plus belle :

– Tu as du talent, mais tu te crois tout permis !

Jean-Jacques ne répondait rien. Soudain, sans bruit, il a quitté la pièce. Peu après, les décibels de sa grosse moto, un moment assourdissants, se sont éloignés.

À cause de cette scène si fraîche dans mon esprit, j'ai demandé à Rémy :

– Ne rien dicter à l'autre, c'est un beau programme. Mais alors comment dire à des personnes « irresponsables » ce qu'elles ont à faire ? Comment ne pas se montrer un peu autoritaire, exigeant, face à des gens qui oublient leurs promesses ?

J'allais trouver la réponse dans l'apprentissage du concept : **JE DIS « JE » POUR BIEN COMMUNIQUER.**

La « règle du Je » : une révolution !

Nous sommes des animaux doués de langage. Et pourtant nous sommes souvent d'une incroyable maladresse dans nos échanges. Nos paroles dépassent nos pensées, et nous avons tôt fait d'éveiller la susceptibilité de notre interlocuteur. Et dès que la situation devient tendue, nous avons toutes les peines du monde à exposer nos griefs sans jeter de l'huile sur le feu. Le plus souvent, nous ne réussissons qu'à provoquer l'escalade !

Pourtant, en cas de dispute ou de conflit, une bonne communication peut être maintenue si l'on observe la merveilleuse « règle du Je » de Thomas Gordon, spécialiste en psychologie de communication, qui se décompose en cinq étapes :

1. Nommer le comportement inacceptable.

2. Nommer le sentiment que l'on éprouve par rapport à ce comportement.

3. Nommer la perturbation qui en découle.

4. Nommer ensuite le comportement de rechange souhaité.

5. Nommer enfin l'objectif positif à atteindre.

Cette énumération est un peu abstraite pour être vraiment parlante, mais prenons un exemple : vous êtes au téléphone en train de discuter d'un dossier important. Votre fils arrive et fait obstinément un tapage intolérable. Vous ne pouvez pas vous empêcher de lancer une phrase du genre : « Tu ne vois pas que je travaille ? Fiche-moi le camp ! Tu es insupportable ! »

Dans ces conditions, vous conviendrez qu'il est impossible de maintenir de bonnes relations. Il serait plus efficace et respectueux de dire à votre fils quelque chose comme : « Quand tu fais tout ce tapage, je suis contrarié, parce que je n'entends plus mon correspondant au bout du fil. » Vous avez beaucoup plus de chances d'être entendu ! Vous pourriez même ajouter : « Si tu me laisses terminer tranquillement, j'aurai le temps de jouer ou de lire avec toi. » Vous venez d'appliquer la règle de Thomas Gordon.

Analysons ce qui se passe.

1. Nommer le comportement inacceptable : « Quand tu fais ce tapage. »

2. Nommer le sentiment que l'on ressent par rapport à ce comportement : « Je suis contrarié, fâché. »

3. Nommer la perturbation qui en découle : « Je n'entends plus mon correspondant au bout du fil ! »

4. Nommer le comportement de rechange souhaité : « Si tu me laisses terminer tranquillement. »

5. Nommer l'objectif positif à atteindre : « J'aurai le temps de jouer ou de lire avec toi. »

Quels sont les avantages de cette méthode sur la première ?

Nous l'avons déjà dit, quand vous abordez quelqu'un en lui lançant « tu *es* insupportable », ou « tu *es* stupide », vous vous en prenez à toute sa personne. Comment voulez-vous qu'il ne se sente pas insulté, rejeté en bloc ? Toute communication se trouve d'emblée impossible. En fait, vous agissez dans une position ⊕ ⊖, et vous écrasez votre interlocuteur du haut de votre « autorité ».

Dans la méthode Gordon, on ne juge pas l'autre, on expose juste son comportement : « Quand tu *fais* ceci... » Ainsi l'autre n'est pas condamné a priori, ni dans sa globalité. Il constate que le reproche est ponctuel, clairement défini : il va pouvoir se corriger s'il le désire. Si vous dites à quelqu'un « tu *es* paresseux, tu *es* égoïste », le message est désespérant, puisque vous retirez d'office à la personne toute possibilité d'amendement ! Mais si vous annoncez : « Lundi, quand tu ne m'as pas aidé à ranger, ou quand tu es sorti seul... », vous laissez la porte ouverte puisque vous sous-entendez : « Jeudi, tu pourrais agir autrement. »

Durant les étapes 2 et 3, vous exposez ce que vous ressentez dans la situation précise. « Je suis fâché, triste, déçu... car j'ai l'impression que je ne compte pas pour toi, que tu me méprises, que mon travail n'est pas pris en compte, etc. » Autrement dit, vous parlez de ce que vous connaissez le mieux, vous-même. Vous vous ouvrez à l'autre, vous vous placez dans une position d'égalité. Par vos précisions, vous montrez que votre grief n'a rien d'arbitraire mais que vous êtes sincèrement dérangé par tel ou tel comportement.

Dans la quatrième étape, vous proposez une solution. « J'aimerais que tu changes ton attitude, que tu rentres plus tôt, que tu m'aides à faire la cuisine, que tu ne me coupes pas quand je parle… » Attention, il ne s'agit pas de fixer un ultimatum ! Évitez les « toujours » et les « plus jamais » ! « Jure-moi que tu ne le feras plus jamais. » Vous allez de nouveau effrayer votre interlocuteur. Car vous entrez encore dans une quête de perfection – impossible à atteindre. Toute cette méthode repose au contraire sur une tentative pour véritablement « humaniser » la communication. « Comme je te parle d'égal à égal, j'ai confiance et je pense que tu vas essayer de changer tel comportement… »

Enfin, dans la cinquième phase, vous rappelez l'objectif que ce changement permettra d'atteindre : « Pour améliorer nos relations, pour assainir l'ambiance, pour sauver notre mariage, pour profiter du week-end. » Vous rappelez que votre colère n'a rien de global ni de définitif. Au contraire, grâce à cette explication, tout ressentiment sera évacué et la collaboration pourra reprendre sur une base saine. Si la personne tient un tant soit peu à votre amour, votre sympathie ou votre respect, elle va s'efforcer de modifier son comportement. (Dans le cas contraire, ce sera à vous de prendre vos dispositions…)

Cette façon de gérer un conflit constitue à mon avis une véritable révolution. Elle nous permet d'adopter la position de vie ⊕ ⊕ (je suis OK et tu es OK), la seule véritablement constructive. Grâce au respect de l'autre et de soi-même, on obtient d'excellents résultats !

Le soir qui suivit l'exposé de la méthode de Thomas Gordon, j'ai posté à mon parolier un message qui mettait fidèlement en pratique les règles de la bonne communication :

« Cher Jean-Jacques, quand tu ne m'apportes pas le jour dit les textes des nouvelles chansons, je suis très anxieuse. En effet, j'ai peur de ne pas avoir assez de temps pour les apprendre... »

Le lendemain après-midi, j'ai trouvé dans la boîte aux lettres les textes de deux très belles chansons, accompagnés d'un mot : « Pardonne-moi. »

Les règles d'or de la bonne communication

• Ne jugez jamais la personne mais uniquement ses actes : « Quand *tu fais* ceci... *je suis* fâché, triste... »

• N'agissez pas en « sauveteur » ni en « bourreau » : c'est-à-dire ne dévalorisez pas votre interlocuteur en pensant ou en prenant des décisions à sa place. Incitez-le au contraire à réfléchir et à agir par lui-même.

• Appréciez les bonnes idées d'autrui, sans critiquer lourdement ses erreurs.

• Si vous avez envie de voir l'autre changer, changez déjà l'opinion que vous avez sur lui, à l'aide des méditations éclair : « Je ne te condamne pas a priori, je veux croire dorénavant en tes capacités. »

• Souvenez-vous de l'**effet Pygmalion** (première partie) : le seul fait de croire en quelqu'un, de le considérer comme « capable », va l'aider à développer ses qualités potentielles !

Prenez conscience que l'autre peut aussi avoir des problèmes !

Une erreur fréquente de communication consiste à croire que nous sommes les seuls au monde à avoir des tracas ! Et que nous pouvons tout exiger des autres !

Imaginons que vous ayez proposé à votre amie Michèle des vêtements presque neufs, mais qui sont déjà trop petits pour votre fils. Le paquet est prêt, vous l'avez laissé dans votre entrée. Mais Michèle, qui devait passer il y a dix jours, ne s'est toujours pas présentée. Plus vous trébuchez sur ce paquet, plus votre mauvaise humeur augmente : « Elle est impossible ! Si ces vêtements presque neufs ne lui plaisent pas, qu'elle le dise ! Je vais les offrir à quelqu'un qui saura les apprécier. »

Bref, vous êtes blessée !

D'où provient cette blessure ? Sans doute êtes-vous vexée dans votre rôle de sauveteur, vous aimeriez que votre amie ait plus de considération pour votre générosité. Au fond, vous trouvez que votre amie vous « manque de respect ».

Mais réfléchissez tranquillement…

– Michèle peut avoir un problème d'organisation de son temps : elle dit oui, mais n'arrive pas à tout faire.

– Des questions de santé ou des tensions conjugales retiennent peut-être toute son attention, sans qu'elle ait forcément envie de vous en parler.

– Plus prosaïquement, Michèle n'a peut-être pas les placards et la place nécessaires pour ranger votre paquet de vêtements. Par fierté, elle se refuse à l'admettre.

On pourrait allonger la liste. Chacun de nous a ses soucis. Accepter l'idée que l'autre puisse avoir des empêchements sans rapport avec notre personne, c'est déjà s'épargner bien des énervements, bien des souffrances. Cela évite surtout de détériorer inutilement nos relations.

Grandir, c'est reconnaître avec modestie que, si nous sommes le centre de nous-mêmes, nous ne sommes qu'une partie du monde de l'autre !

Communiquer dans la position d'égalité : je suis OK et tu es OK

La position de vie ⊕⊕ est celle qui garantit la meilleure communication avec autrui, en se fondant sur des principes simples :

- Respecter ses propres besoins comme ceux de l'autre.
- En cas de conflit, négocier des accords satisfaisants pour toutes les parties concernées.

Dans son livre *L'Affirmation de soi*, Dominique Chalvin, formateur en analyse transactionnelle, rappelle les principes essentiels à un dialogue constructif :

- N'oubliez jamais de défendre vos idées ou vos droits d'une manière positive, et sans agressivité.
- Défendez vos droits sans chercher à léser les autres.
- Affirmez vos idées et convictions en admettant que l'autre puisse avoir un point de vue différent. Le sien propre.
- Même face à des interlocuteurs hostiles, donnez votre opinion dans le calme et la fermeté.

Le contrat de régulation

Pour ne pas « envenimer » ou « pourrir » votre relation avec vos parents, vos amis ou vos collègues, il convient de ne jamais laisser s'accumuler les reproches ou les rancœurs. Apprenez à dire tranquillement ce que vous avez sur le cœur. Les émotions refoulées, qui sapent lentement votre énergie et vos immunités, sont

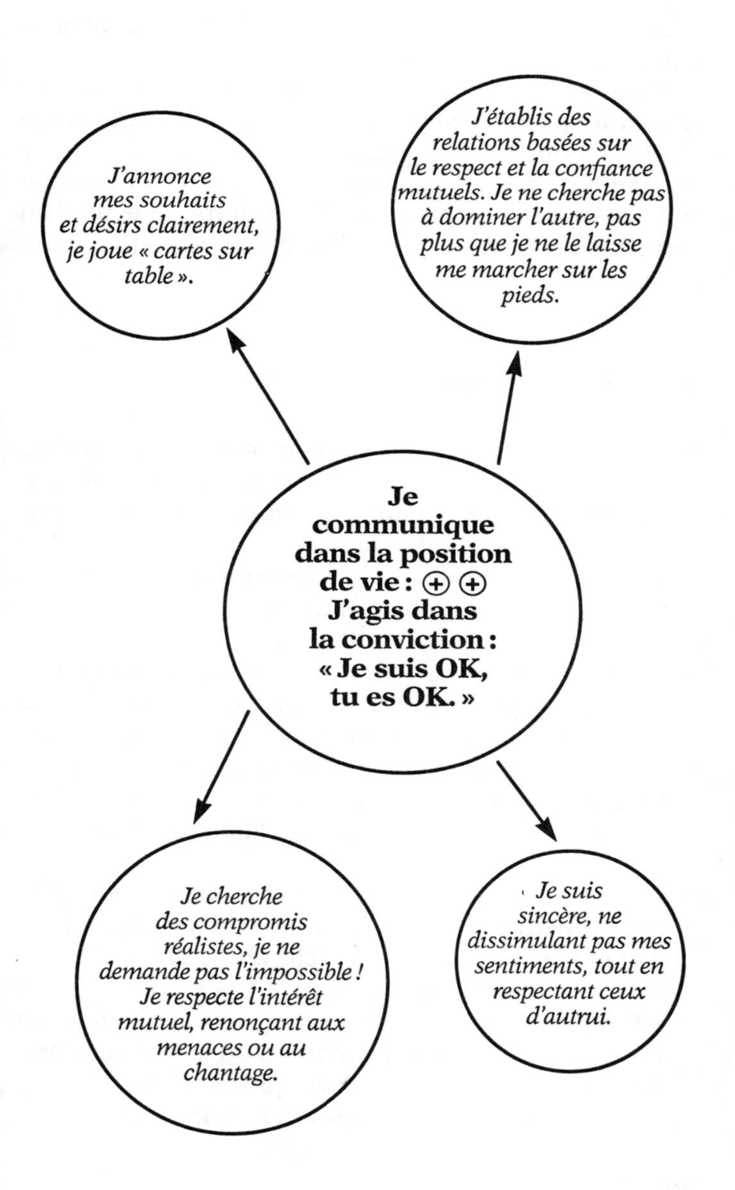
J'annonce mes souhaits et désirs clairement, je joue « cartes sur table ».
J'établis des relations basées sur le respect et la confiance mutuels. Je ne cherche pas à dominer l'autre, pas plus que je ne le laisse me marcher sur les pieds.
Je communique dans la position de vie : ⊕ ⊕ J'agis dans la conviction : « Je suis OK, tu es OK. »
Je cherche des compromis réalistes, je ne demande pas l'impossible ! Je respecte l'intérêt mutuel, renonçant aux menaces ou au chantage.
Je suis sincère, ne dissimulant pas mes sentiments, tout en respectant ceux d'autrui.

tout aussi capables de miner la meilleure entente amicale, familiale ou amoureuse.

Rien de plus stérile que la rumination rancunière ! D'autant qu'elle s'opère souvent à l'insu de la personne visée. Le **contrat de régulation** se propose de clarifier les zones d'ombre et d'assainir au maximum les relations avec ceux qu'on aime. Cette pratique évite d'en venir tôt ou tard à ces insultes qu'on regrette amèrement !

La régulation

- Dans le cadre de votre famille ou de votre groupe d'amis, convenez de vous rencontrer une fois par semaine (par mois) pour exposer vos griefs éventuels.

- Le jour « J » débranchez le téléphone et asseyez-vous tranquillement autour d'une table.

- Chacun, à tour de rôle, annoncera clairement la nature du problème qui l'oppose aux autres. Ne croyez pas que ce déballage soit superflu : la plupart d'entre nous, ne sachant comment gérer une situation, préfèrent fermer les yeux en prétendant qu'il n'y a « pas de problème ». Et le problème demeure.

- En s'adressant à la personne intéressée, chacun utilisera impérativement la technique du message « Je » :
  – Quand tu m'as dit ou fait telle chose...
  – J'ai été vexé, en colère, furieux, triste...
  – Car cela m'a empêché de partir en week-end, m'a fait croire que tu me dévalorises ou a créé des complications avec Untel... (Soyez précis !)
  – J'aimerais que tu changes ton attitude...
  – Afin de préserver notre entente.

Il va de soi qu'à aucun moment la personne en cause ne sera ni rabaissée ni dévalorisée. Seul sera critiqué un comportement ponctuel et inacceptable !
Plus vous serez précis dans la pratique du message « Je », plus vous éviterez les multiples écueils…

– Celui qui consiste à mélanger les récriminations d'aujourd'hui, d'hier et d'avant-hier.

– Celui qui nous fait généraliser : tu es *toujours* ceci… *jamais* cela…

– Celui qui dévoile à l'autre qu'en fait nous lui en voulons depuis une éternité !

– Celui qui nous fait gémir : « Il n'y a pas de raison que ce soit toujours moi qui m'écrase. »

- Une règle d'or à suivre absolument : on ne traite qu'un seul problème à la fois !

- Après avoir exposé avec précision le fait incriminé, puis ses propres sentiments, *on laisse l'autre répondre !*
  – On ne lui coupe pas la parole. On ne répond pas avec tout un arsenal de mimiques non verbales : moues dubitatives, grimaces ironiques, sourires « en coin », etc.
  – Bien entendu, celui qui répond le fera selon les règles du message « Je » : à aucun moment il ne pourra manquer de respect à son vis-à-vis.

- Le contrat de régulation démontre clairement que :
  – Il est sain et normal d'évoquer ses problèmes.
  – Le respect de ses besoins et de ceux des autres permet de régler les conflits sans déchirure ni haine.
  – Leur résolution nous donne de la confiance et une saine estime de soi.

Savoir reconnaître ses torts

Comme il est fatigant de vouloir toujours avoir le dernier mot ! Qu'il est stérile de vouloir toujours culpabiliser l'autre ! Vous gagnerez un temps fou à admettre simplement vos erreurs.

- Pourquoi s'acharner à prouver qu'on est parfait, et refuser de reconnaître ses torts ? Ni le « critique » ni le « critiqué » ne sont parfaits. Pour la bonne raison que la perfection n'est pas de ce monde !

- Évitez de fustiger, interrompre, moquer ou ignorer celui qui critique tel ou tel de vos comportements. Inversement, il est tout à fait inutile de répéter sans arrêt : « Je regrette, je suis désolé, etc. »

- Accueillez la critique dans le calme : vous n'êtes pas rejeté. Il s'agit uniquement d'*un* comportement à corriger ! Et l'erreur est humaine ! Sachez que la critique peut être pour vous une occasion de vous améliorer.

- N'exagérez pas l'importance de la critique. Encore une fois, ce n'est pas l'intégrité de votre personne qui est mise en cause mais une de vos actions, un comportement précis.

Un bouclier anti-agressivité

Si vous êtes obligé d'entrer en contact avec des interlocuteurs irascibles, si vous êtes l'objet de critiques agressives et irrespectueuses...

- Respirez lentement par le ventre.

- Obligez-vous à relâcher les muscles des épaules, du cou et de la mâchoire.

- Imaginez un point profond et calme dans votre plexus solaire. Concentrez-vous sur lui, et ne laissez pas le comportement agressif de votre interlocuteur ébranler votre paix intérieure et la saine estime que vous vous portez ! Bien évidemment, on ne réussit pas toujours ! Mais le seul fait d'essayer détournera votre attention de la virulence de l'attaque et réduira votre malaise.

- Si votre interlocuteur exagère et passe aux insultes, n'attendez plus : respectez-vous et partez !

Le calme désarme l'agressivité

J'ai souvent pu vérifier qu'une attitude d'ouverture venait à bout des comportements agressifs. Lors d'un concert, j'ai eu la surprise de découvrir au premier rang un jeune garçon qui cherchait sans doute à me déconcentrer par les pires grimaces. Au lieu de me sentir offensée, j'ai pensé que cette provocation dénotait avant tout un grand désir d'obtenir de l'attention.

Dès lors, chaque fois que nos regards se sont croisés, je lui ai exprimé avec mes yeux toute l'amitié que je ressentais pour lui. Peu à peu, le garçon a cessé de tirer la langue : il s'est calmé et il a même commencé à me sourire.

Après le concert, il était un des premiers à me demander un autographe. Comme je signais la photo, il m'a interrogée avec une certaine anxiété :

– C'est vrai que tu n'es pas fâchée contre moi ?

Je l'ai rassuré. Il m'a alors embrassée, en me serrant dans ses bras de toutes ses forces, avant de disparaître en courant.

Trouvez le sens conducteur !

Certains se plaignent de n'avoir pas le « rapport facile » avec les gens. Ou bien ils regrettent de stupides malentendus nés à partir d'histoires insignifiantes. Mais font-ils seulement assez attention aux autres ? Ont-ils appris à lire, à interpréter les signes qu'ils leur adressent ?

Nous devons nous efforcer de connaître notre interlocuteur afin de faciliter notre approche. Lorsque nous communiquons avec lui, savons-nous quel sens le dirige ? Quel est son lien privilégié avec la réalité : la vue, l'ouïe ou le toucher ? Est-il visuel, auditif ou kinesthésique ?

La programmation neuro-linguistique (la PNL), cette science permettant une meilleure communication avec l'autre, nous enseigne comment observer les réactions sensorielles d'autrui, afin de mieux saisir sa dynamique interne et inconsciente.

Détecter le *sens conducteur* d'un individu nous permet de mieux le comprendre. Nous pouvons utiliser cette connaissance pour lui faire sentir qu'il est compris et accepté par nous.

Un des nombreux outils de la communication de la PNL est le « schéma oculaire ». En observant les mouvements involontaires des yeux de votre interlocuteur, vous pouvez connaître le processus de sa pensée : la direction de sa pupille vers le haut, le bas, à droite ou à gauche, vous indiquera s'il réfléchit à partir des sons, des images, du toucher. Cette information vous permettra d'être plus en « phase » avec lui.

Si vous décelez par exemple chez votre interlocuteur une tendance à privilégier le sens auditif, vous éviterez, dans le cadre de vos relations de travail, de lui marteler : « Il faut avoir du flair, sentir cette affaire pour la réussir. » Vous ne serez pas reçu cinq sur cinq. Ce n'est pas son langage ! Dites-lui plutôt : « Il faut prêter l'oreille et détecter le moindre couac si l'on veut mener cette affaire rondement. » Vous serez alors sur la même « longueur d'onde ».

Ne dites pas à un visuel : « Arrêtons la cacophonie, il faut nous entendre. » Votre communication ne sera pas à son maximum d'efficacité. Essayez plutôt de lui dire : « Apportons la lumière sur cette affaire et notre horizon va s'éclaircir. »

Reste à déterminer le sens conducteur en s'appuyant sur le schéma oculaire.

COMPRENDRE LE LANGAGE DES REGARDS

(Schéma oculaire, du point de vue de l'observateur.
Pour un sujet droitier.
Pour un gaucher, inverser les indications[1].)

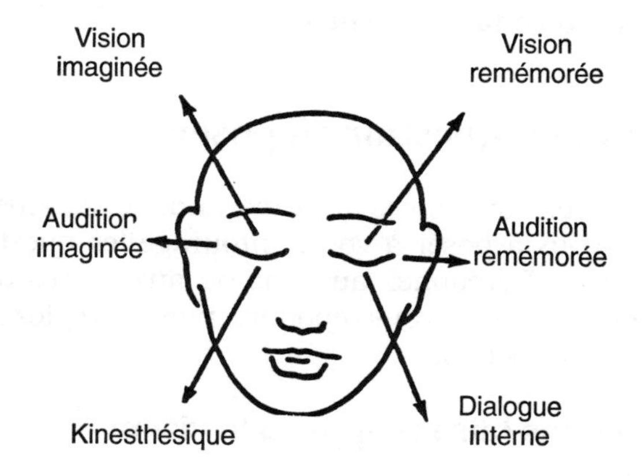

– Un regard vers le haut et à droite (toujours du point de vue de l'observateur) indique que la personne réfléchit en se remémorant des images déjà vues : c'est la *vision remémorée*.

1. D'après Richard Bandler et John Grinder, membres fondateurs de la programmation neuro-linguistique.

– Un regard vers le haut et à gauche : la personne réfléchit en imaginant des images qu'elle n'a jamais vues encore : *vision imaginée.*

– Un regard fixe : la personne réfléchit en images.

– Un regard vers l'oreille droite : la personne indique qu'elle réfléchit en se remémorant des sons (conversations, musiques) déjà entendus : c'est l'*audition remémorée.*

– Un regard vers l'oreille gauche indique qu'elle réfléchit en imaginant des sons jamais entendus : *audition imaginée.*

– Un regard en bas et à droite : la personne réfléchit sous forme d'une conversation avec elle-même : c'est le *dialogue interne.*

– Un regard en bas et à gauche indique qu'elle réfléchit à partir d'émotions, de sensations internes, tactiles, gustatives ou olfactives : *kinesthésique.*

Les bonnes questions à poser

Pour vous convaincre de l'exactitude de ce schéma, amusez-vous à poser à votre entourage les questions qui suivent. Demandez aux uns ou aux autres de se concentrer avant de vous répondre, puis surveillez leurs mouvements oculaires.

• Questions faisant appel à la vision remémorée :

– Pouvez-vous voir la couleur de votre pull-over préféré ?

– Quelle est la couleur du carrelage dans votre salle de bains ?

– De quelle couleur était le ciel hier ?

– De quelle couleur sont les yeux de la personne que vous aimez ?

- **Questions faisant appel à la vision imaginée :**

– Pouvez-vous imaginer un chat en forme de fleur ?

– Pouvez-vous imaginer un océan immobile ?

– Pouvez-vous vous imaginer mesurant un centimètre ?

- **Questions faisant appel à l'audition remémorée :**

– Pouvez-vous entendre le rire de votre mère ?

– Pouvez-vous entendre le bruit d'un avion à réaction ?

– Pouvez-vous entendre la mélodie de votre chanson préférée ?

- **Questions faisant appel à l'audition imaginée :**

– Pouvez-vous entendre une guitare qui éternue ?

– Pouvez-vous entendre un fauteuil qui chante ?

– Pouvez-vous entendre le son que ferait votre stylo s'il pleurait ?

– Pouvez-vous entendre votre balai rouspéter ?

- **Questions faisant appel au dialogue interne :**

– Pouvez-vous entendre ce que dit cette voix intérieure qui vous encourage ?

– Pouvez-vous entendre ce que vous vous dites quand vous êtes en retard ?

– Pouvez-vous entendre les mots que vous prononcez lorsque vous êtes heureux ?

- **Questions faisant appel au kinesthésique :**

– Pouvez-vous sentir le sable sous vos pieds ?

– Pouvez-vous sentir la pluie sur votre peau ?

– Pouvez-vous sentir la chaleur d'un feu de bois ?

Regardez vos interlocuteurs ! Pour être en « phase », au « diapason », il suffit souvent d'observer les réactions sensorielles. Quant à vous, si même avec ce schéma vous avez encore du mal à lire à « livre ouvert » sur les visages, rappelez-vous que ce louable effort d'attention contribuera forcément à une meilleure compréhension avec autrui.

Apprendre à bien communiquer avec les autres, c'est déjà supprimer un nombre impressionnant de ces petites anicroches qui se transforment en haine tenace si on n'y prend garde. Pour notre santé et celle des autres, apprenons à vivre dans la bonne entente. À moins que vous ne choisissiez de vivre en ermite dans le désert, l'essentiel de votre existence – et partant, de votre bien-être – va se jouer là, dans les liens familiaux, amoureux ou confraternels que vous tissez avec vos semblables. Cela ne mérite-t-il pas toute votre attention ?

Malheureusement, il ne suffit pas d'évoluer en harmonie avec les autres pour éviter toute émotion douloureuse. La souffrance, la tristesse ou la peur naissent aussi des séparations, des ruptures et des échecs que la vie nous impose. Pour vivre dans la sérénité, nous sommes obligés d'apprendre, aussi, à perdre ce que nous chérissons le plus.

5

Faire le deuil : comment dire adieu ?

Faire le deuil, ce n'est pas seulement pleurer un mort. C'est aussi se résigner à une perte d'emploi, à la vente d'une maison de famille, ou au rêve de devenir une vedette. Et c'est également accepter de voir fuir sa jeunesse, disparaître le « bon vieux temps », se dérouler les souvenirs d'une époque révolue.

Parce que nous nous installons confortablement dans nos habitudes et nos modes de vie, nous vivons douloureusement les changements, petits ou grands. Chaque passage d'un état à l'autre, chaque perte nous ébranle. Alors que tous ces bouleversements devraient nous inciter à nous remettre en question, nous pousser à apprendre ou à faire de nouvelles choses. À condition toutefois de prendre notre temps pour « digérer » les changements.

Un temps encore plus long, lorsqu'il s'agit de la perte des êtres chers. Pourquoi pensez-vous que toutes les civilisations anciennes ou lointaines aient instauré d'importants rituels de deuil ? C'était afin de donner aux humains le temps nécessaire pour s'adapter à la séparation. Aujourd'hui, ces rituels ont quasiment disparu, et les psychologues nous mettent en garde contre cette évolution, qui selon eux serait responsable de perturbations d'ordre psychologique.

Mais il n'y a pas que la mort. Plus généralement, faire son deuil, c'est *accepter, en y consacrant le temps qu'il faut*, les pertes diverses que nous impose la vie. En revanche, se focaliser sur ce qui disparaît, et refuser l'abondance du renouveau offert chaque jour par l'existence, c'est se condamner à une souffrance sans fin ! Lutter contre l'inéluctable, c'est mourir un peu chaque jour. Refuser de tourner une page endeuillée, c'est renoncer à connaître d'autres pages passionnantes, de nouvelles affections, occupations et passions. Car elles existent, quelle que soit l'emprise de notre chagrin !

Ainsi compris, chaque deuil peut nous apprendre une leçon précieuse et nous rendre plus forts qu'avant : il devient un formidable professeur qui nous enseigne comment résister aux inévitables chocs de la vie.

Faire le deuil d'un être cher

« Un seul être vous manque et tout est dépeuplé ! » La mort d'une personne chère peut nous faire sombrer dans le désespoir : toute joie, tout bonheur nous semblent désormais impossibles. La vie s'est arrêtée.

Le chagrin que nous éprouvons alors est en effet l'une des plus cruelles épreuves qui se puissent concevoir. Chacun sait qu'il faut du temps « pour s'en remettre ». Ce temps peut varier selon le tempérament, mais il dépend surtout de la façon dont on évacue cette terrible douleur.

Notre époque qui camoufle la mort, qui l'escamote, laisse souvent désorientés les parents ou amis endeuillés. Ils ont l'impression que la société leur demande de faire « comme si » le faire-part de décès et une cérémonie à la sauvette suffisaient à évacuer leur souffrance. Il faudrait aussi se « montrer digne », ne pas trop afficher sa peine. Parce qu'elle dérange ? Parce qu'elle rappelle aux autres qu'ils auront eux aussi, un jour ou l'autre, à traverser semblable épreuve ?

Quoi qu'il en soit, « ceux qui restent » se laissent souvent « voler » leurs pleurs. Leur souffrance, au lieu d'être « vécue », éliminée, va élire domicile dans leur cœur. Pourtant, plus vous vous laisserez aller à votre chagrin, mieux vous le surmonterez ensuite. Pleurez tout votre saoul, sans vous inquiéter des froids défenseurs de la « dignité ». Et sachez que chaque larme versée élimine un peu de chagrin.

Ce qui compte, c'est de bien faire son deuil, encore une fois en prenant le temps qu'il faut. Laisser cicatriser son cœur pour mieux se réveiller à la vie…

Faire le deuil de son couple

De nombreuses femmes divorcées, après la cinquantaine, sombrent dans la solitude et la dépression. Elles refusent de se détacher de leur ancien compagnon, des souvenirs, d'un passé révolu. Ce refus de « traverser le deuil » les maintient prisonnières dans la dépendance d'une chimère et dans la souffrance.

Accepter que tout bouge, que tout change, que rien ne soit éternel, c'est précisément faire le deuil. L'apprentissage de la séparation nous rend plus forts et mieux armés face à la vie. Il nous prépare à affronter des chagrins encore plus graves.

Faire le deuil de sa jeunesse

Où sont mes vingt ans ? Mes trente ans ? La fermeté de ma peau… ma chevelure si fournie ? En vieillissant, des millions de femmes supportent mal de ne plus être désirées par les hommes. Ces derniers, quant à eux, pensent avec nostalgie à leurs prouesses amoureuses du passé.

Ne plus être aussi séduisant(e), ne plus avoir le corps ou la peau de ses vingt ans, cela devient pour certains un véritable drame. Pourquoi ? Parce qu'ils ont fait reposer la valeur de leur personne sur des appuis extérieurs et donc éphémères. Croire que notre jeunesse est le plus beau cadeau que nous ait fait la vie, et que sans elle nous perdons toute notre séduction, c'est nous condamner sûrement à la dépression !

Or réfléchissez ! La vie aurait-elle pu limiter mesquinement à quelques années notre droit au bonheur ? Je n'en crois rien ! À tout âge nous avons beaucoup à recevoir de l'existence ! Et beaucoup à donner !

Mais au fond pourquoi sommes-nous si obsédés par la fuite de notre jeunesse ? C'est que nous avons du mal à nous guérir de cette fâcheuse tendance à nous identifier à notre aspect corporel. Et nous périclitons à mesure qu'il vieillit. Pourtant, nous sommes bien plus que cet amas de muscles et de chair (même si, par ailleurs, il convient d'en prendre le plus grand soin) ! Le corps d'un individu qui vient de mourir est en tous points identique à celui qu'il était quelques minutes auparavant. Nous disons pourtant de cette personne : « Elle est disparue. » Et inversement, lorsqu'un individu perd ses dents de sagesse, une jambe ou un bras, ne reste-t-il pas la même personne, alors que son corps est « diminué » ? C'est bien la preuve que l'on ne peut nous réduire à notre corps. Aucune espèce de fatalité n'implique que notre bonheur doive se rétrécir comme une peau de chagrin à mesure que nos cellules vieillissent.

D'une certaine façon, notre être véritable n'est que le « locataire » de notre enveloppe charnelle. Nous devons nous occuper de cette enveloppe, certes, mais ne pas nous en tenir à elle seule.

Quand cesserons-nous de nous identifier aux « murs de notre habitation » ? Il est temps de découvrir qui nous sommes réellement. Faire le deuil des attributs de sa jeunesse permet de ne plus dépendre du « paraître » et de prendre contact avec d'autres aspects importants de sa personne.

Pour ne plus être esclave du regard critique des autres, pour vous libérer des critères de beauté d'une société de plus en plus fondée sur le « jeunisme », je vous invite, à travers tout le travail accompli dans ce livre, à aller à la rencontre de vous-même. Car vous allez conquérir votre indépendance et votre sérénité en explorant toutes les facettes de votre vrai moi. En vous familiarisant avec ces talents que vous avez négligés et qui, croyez-moi, vont bien au-delà des bénéfices éphémères de la jouvence !

Cette démarche ne vous demande nullement de renoncer aux plaisirs de la vie. Sans doute allez-vous devoir oublier certains divertissements, mais d'autres sources de satisfaction demeurent ou apparaissent, que vous pouvez vivre plus intensément encore. Il serait bon à cet égard de rappeler que Michel-Ange, Verdi, Goethe, le Titien, Bernard Shaw, Gustave Eiffel, Thomas Edison, Picasso et bien d'autres ont créé des œuvres inoubliables après avoir fêté leur quatre-vingtième anniversaire !

Bien sûr, vous allez protester : « Je mène une vie simple, je ne peux pas comparer mes capacités avec celles de tels génies de l'humanité. » Soit ! Mais savez-vous que rien qu'en France vivent plus de six mille centenaires qui par leurs récits, leur sens de l'humour, leur talent de jardinage ou leurs recettes culinaires, leurs inventions ou l'amour qu'ils donnent à leur famille font le bonheur de leurs proches et connaissent de véritables joies ? J'ai eu l'occasion d'interviewer quelques-uns de ces centenaires : souvent ils m'ont confié qu'ils vivaient mieux et plus heureux depuis la retraite.

Cherchez ce qui redonnera le plaisir de vivre à votre véritable moi. Ce moi immuable qui se moque du paraître et des « signes extérieurs de jeunesse ». Le vrai bonheur n'est pas de prolonger artificiellement cette jeunesse, mais de vivre chaque étape de l'existence dans la sincérité de votre identité.

Faire le deuil de sa fonction

Lorsqu'on a consacré une partie de sa vie à une tâche dont on se trouve soudain privé, le choc est rude. Une mère de famille, dont les enfants quittent le foyer pour voler de leurs propres ailes, peut se sentir non seulement démunie, mais inutile. De même un chef d'entreprise qui passe ses pouvoirs, un homme actif contraint de partir à la retraite…

Plus vous vous identifiez à votre carte de visite, à votre fonction sociale ou à votre fiche de paye, plus vous prenez des risques : n'allez-vous pas vous sentir « vide » et « diminué » à leur disparition ? Ne seriez-vous vraiment que M. le directeur, maman, la femme sexy, l'athlète ?

Si vous réduisez votre personnalité à ces qualités ou qualificatifs, le monde (le vôtre en tout cas !) s'arrêtera de tourner le jour où vous les aurez perdus. Vous croyiez qu'ils vous apportaient la confiance et le bien-être : ils ont peut-être réussi à vous rassurer un temps, mais de façon illusoire, et en installant une épée de Damoclès au-dessus de votre tête.

Encore une fois, je ne vous demande pas d'accueillir la nouvelle de votre licenciement par des cris de joie ! Au contraire, j'affirme que le pleurer est une chose absolument nécessaire. Vous ne retrouverez d'ailleurs votre dynamisme et votre optimisme qu'après avoir pleinement évacué le stress dû à votre licenciement. Comment voulez-vous vous présenter à un entretien d'embauche alors que restent en suspens dans votre esprit des émotions comme « j'ai été viré(e) parce que je suis trop nul(le), trop vieux (vieille) », « je hais tous les patrons » ou « comme je regrette mes collègues de travail ! » ? Avant de rebondir, vous devez faire place nette.

De façon générale, donnez-vous le temps de vous habituer aux changements que la vie impose. Car vos capacités vont bien au-delà de vos fonctions passées. Et de nombreuses autres fonctions – différentes, inattendues peut-être, mais tout aussi importantes – vous attendent dans l'avenir.

Surtout, prenez le temps de vous ouvrir à vous-même, afin de découvrir vos capacités intrinsèques. Celles dont personne ne pourra jamais vous priver, celles toujours disponibles car elles constituent votre identité profonde. Leur mise en œuvre ne dépendra désormais que de vous-même !

Faire le deuil du « bon vieux temps »

Nous n'avons de cesse que nous ne rouspétions contre notre vie présente, pour glorifier les années passées : « Ah, c'était le bon vieux temps... » ; « avant, on ne faisait pas telle chose... »

Mais à cette époque idyllique, nous râlions de la même façon, persuadés que ces années-là ne pouvaient se comparer à d'autres plus anciennes encore !

Alors, pourquoi devriez-vous attendre dix ans pour découvrir qu'en fait vos années présentes ne sont pas si mauvaises que vous le dites ? Et si vous les appréciiez dès maintenant, au lieu de les regretter plus tard ?

Avec la nostalgie, nous « décalons » nos émotions vers le passé, espérant sans doute nous protéger des difficultés actuelles. Évidemment c'est un leurre : le passé est révolu, et l'avenir n'existe pas encore. Nous ne pouvons vivre vraiment que le moment présent. Quel que soit notre âge, le « bon vieux temps », c'est donc toujours maintenant !

Les cinq étapes du deuil

Dire adieu à l'être disparu, au travail perdu, aux amis partis, à l'appartement quitté, à sa jeunesse envolée, etc., c'est d'abord dépasser l'étape du refus : « Ce n'est pas possible, pourquoi moi ? »

Accepter la tristesse inhérente à chaque séparation permet de comprendre, plus tard, ce que cet événement m'a apporté de positif. Quelle leçon ai-je apprise à travers lui pour grandir ? L'être humain a besoin d'un certain temps pour mener à bien ce travail d'alchimie qui va transmuer une « cruelle épreuve » en « enrichissement de l'être ». Une telle évolution ne peut se produire que si les émotions stressantes ont bien été évacuées. Il en va exactement de même pour la cicatrisation d'une plaie : quand il reste du pus au fond, une croûte peut se former pour la recouvrir, mais la chair reste creusée et se referme mal.

Après une perte, nous aurons beau serrer les dents, nous répéter qu'on ne peut pas passer sa vie à pleurer, la cicatrisation émotionnelle ne se fera pas ! Des pleurs sans fin ou au contraire un apparent détachement indiqueront que la plaie n'a pas été bien nettoyée. Faire le deuil est un travail émotionnel complexe et délicat : lorsque nous voulons aller trop vite, nous payons cet orgueil par des souffrances continuelles, des dépressions et des maladies psychosomatiques.

L'éminente spécialiste, le Dr Elisabeth Kübler-Ross, qui accompagne depuis de longues années les mourants, distingue plusieurs étapes dans le processus du deuil. Des étapes que traversent aussi bien les proches d'un mourant que le malade parvenu au terme de sa vie.

Avec des variations personnelles, ce processus peut s'appliquer à toutes les formes de deuil, du plus tragique au plus futile.

• Première étape : le déni

« Non, ce n'est pas vrai, ce n'est pas possible ! » C'est l'étape pendant laquelle on est incapable d'accepter l'irréparable : le cerveau sait, mais les émotions nient encore l'événement.

Certaines personnes ne dépassent jamais cette étape. Telles ces veuves qui continuent pendant des années à dresser sur la table le couvert de leur mari défunt, ou ces couples qui vivent dans le culte d'un enfant décédé. Ils ont l'impression de trouver là un certain réconfort, sans s'apercevoir que, faute d'avoir évacué leur douleur, ils restent bloqués dans la première étape du deuil sans pouvoir s'en sortir.

• Deuxième étape : la colère

« Pourquoi moi ? Qu'est-ce que j'ai fait au Ciel ? » (Ou bien : « Pourquoi m'a-t-il (elle) plaqué(e), ou licencié(e) ? »)

Cette étape est celle de la révolte contre ce que l'on considère comme une terrible injustice. Le sentiment de colère est positif en ceci qu'il signale le début d'une acceptation de la réalité : on commence à prendre conscience qu'effectivement « quelque chose est parti qui ne reviendra pas ».

• Troisième étape : la dépression

« À quoi bon ? » « Tout est foutu. » C'est l'étape pendant laquelle survient un sentiment d'impuissance complète face à la gravité de la situation. Nous sommes pétrifiés par l'inquiétude et l'angoisse : l'avenir, notre situation économique, le bien-être de notre famille, nos chances de bonheur, tout nous semble plongé dans les ténèbres.

Ce sont certainement les moments les plus douloureux, les plus « paniquants » : beaucoup de gens cherchent à s'y dérober. Mais vous l'avez compris, lorsqu'on veut à tout prix « brûler les étapes », il faut s'attendre au coup de fouet en retour.

• Quatrième étape : le marchandage

Soudain surgit cette étape pendant laquelle on se prend à rêver d'une réversibilité de la situation, on s'enfonce dans des espoirs irréalistes. On marchande avec le destin, avec la chance, avec Dieu : « Si mon remplaçant est mauvais, mon patron va me reprendre » ; « si je maigris de dix kilos, mon mari me reviendra. »

Il ne faut surtout pas se culpabiliser pour ce marchandage, même lorsqu'il paraît puéril : c'est en partie grâce à lui que nous sortons des ténèbres de la dépression. Notre esprit essaie de s'éveiller aux aspects positifs de la vie, il se fait plus combatif.

• Cinquième étape : l'acceptation

Tout se calme. Émergent alors une acceptation, dénuée d'amertume, de la réalité, et la capacité de dire sereinement adieu. Mais vous ne parviendrez à ce stade que si, à chaque étape, l'évacuation émotionnelle a été respectée (pleurs, colères, abattement, peurs). C'est pendant ces étapes que le deuil a fait son chemin jusqu'à l'acceptation de la perte, de la séparation. C'est alors seulement que nous admettons de ne plus rester figés sur un moment pénible du temps, que nous sommes prêts à nous ouvrir de nouveau à la vie.

Cette dernière étape nous permet de récupérer les énergies que nous avions investies dans des personnes ou des domaines, pour les réinvestir dans d'autres projets, rencontres ou réalisations.

Comment dire adieu ?

Pour dire adieu, pour clore des relations conflictuelles *non résolues* avec une personne morte ou vivante, le célèbre psychothérapeute Georges Kohlrieser conseille :

– Asseyez-vous dans un endroit calme, respirez profondément et décontractez-vous.

– Visualisez, assise en face de vous, la personne avec laquelle vous avez ou aviez le conflit.

– Parlez-lui franchement, et gravement. Comme si vous vous adressiez à une personne en chair et en os. Pour la dernière fois : évoquez votre chagrin, votre colère, votre souffrance, votre rage, votre tristesse, que vous attribuez à sa conduite, son absence, sa disparition.

– Soyez en contact avec vos émotions et libérez-les pleinement par vos larmes, vos cris, vos trépignements, votre colère.

– Donnez à vos émotions le temps d'aller jusqu'à leur terme.

– Maintenant voyez partir la personne, voyez-la disparaître.

– Dites-vous calmement que vous ne la reverrez plus jamais.

– Donnez-vous le temps d'accepter ce fait. Puis dites-lui : « Tu peux maintenant partir en paix. »

Les « cadeaux de la vie »

Faire le deuil, c'est pleurer ce que l'on n'a plus. Mais ensuite, il nous faut commencer à recenser toutes les belles choses que l'existence nous envoie chaque jour – ce que j'appelle les « cadeaux de la vie » :

– Quelle est la couleur du ciel ce matin ?

– Que me rappelle l'odeur du pain frais ?

– Quelle remarque gentille ai-je entendue ?

– Qui m'a souri, ne serait-ce qu'une petite seconde ?

– Qui m'a tenu la porte ?

– Quelle chanson chantait le maçon sur son échafaudage ?

– Je viens de tourner une page triste, mais demain peut-être, ou après-demain, découvrirai-je une nouvelle et belle page de ma vie.

Faire le deuil, attention, ce n'est pas pour autant oublier ! Simplement, à la place de la douleur, resteront le souvenir des jours heureux, l'exemple des grands aînés, le chemin qu'ils auront tracé pour vous et que vous devez poursuivre en appréciant l'existence.

6

Pardonner et... demander pardon !

– Moi, lui pardonner ? Jamais ! Après tout ce qu'il m'a fait !

– Comment a-t-elle pu me faire un coup pareil ? Et il faudrait que je tire un trait ? Ce serait trop facile.

Qu'il nous est difficile de pardonner ! Comme si en pardonnant nous désignions l'autre comme étant plus fort que nous, comme s'il avait gagné. Nous avons peur de nous « abaisser ». Et puis n'est-ce pas foncièrement injuste, alors que nous serions en droit d'attendre des excuses ? Face à celui qui nous a dupés, trahis ou abandonnés, nous continuons à souffrir, espérant sans doute le culpabiliser, gâcher son insouciance. Vos souffrances ne démontrent-elles pas aux yeux de tous quelle ignoble et cruelle personne est votre « adversaire » ?

La famille, les enfants ou les amis s'en mêlent, blâment l'égoïste ou l'infidèle. Lui en est peut-être vaguement gêné, mais en règle générale il continue d'agir comme bon lui semble. Le plus souvent, il a oublié ou ignore carrément votre ressentiment à son égard.

En conservant votre fardeau de griefs, qui punissez-vous, sinon vous-même ? Qui s'en trouve malade, qui en perd la joie de vivre ? C'est encore vous !

Et je ne parle pas seulement des teigneux, de ceux qui ruminent leur déconvenue pendant des mois et qui s'empoisonnent l'esprit à fomenter une vengeance.

Non, je parle aussi de ceux qui font « comme si », qui prétendent avec fierté : « De toute façon, je m'en fiche ! Je n'y pense même plus. » C'est oublié consciemment peut-être, mais souvenez-vous : notre mémoire émotionnelle n'oublie rien ! Et le stress provoqué par vos émotions non exprimées cause à votre organisme des dégâts importants !

Pardonner, c'est faire une « bonne action » dont vous êtes le premier bénéficiaire ! Le contraire revient à se maltraiter : ruminer encore et toujours la même histoire dans sa tête, c'est permettre à notre « adversaire » de s'immiscer dans notre esprit, de le contrôler et de nous torturer continuellement.

Ne pas pardonner, c'est laisser notre corps et notre esprit sous une tension permanente, qui va finir par prélever son tribut sur nos forces psychiques et physiques, et comme toujours jouer son rôle dans nos maladies psychosomatiques. C'est un poison que nous injectons nous-mêmes dans notre organisme. Ne trouvez-vous pas injuste de vous punir ainsi ? Quand bien même l'autre nous aurait effectivement fait souffrir, pourquoi entretenir cette souffrance par le ressentiment ?

Et pour être tout à fait honnêtes avec nous-mêmes, pourquoi ne pas reconnaître que si notre amour-propre a été piétiné, nous portons une part de responsabilité dans l'affaire ? Car en ne réagissant pas sur le coup, nous avons montré le visage de la résignation. Et qui ne dit mot consent ! Oui, il était de notre devoir de protester, d'agir, de nous indigner ! En restant passifs, nous avons donné raison à l'autre !

Quoi qu'il en soit, nous avons laissé se développer en nous des peurs, des culpabilités ou des rancœurs extrêmement nuisibles à notre santé. Or nous connaissons bien le terrible mécanisme qu'elles enclenchent : nos glandes sécrètent les hormones du stress (adrénaline, noradrénaline, cortisol, corticoïdes) qui ouvrent des brèches dans nos défenses immunitaires.

Vous pensiez que le pardon était réservé aux faibles ? Aux poules mouillées qui préféraient éviter la confrontation ? Revoyez votre position ! En pardonnant à l'autre, vous avez tout à gagner : en premier lieu la santé, la paix de l'esprit, et en prime un sentiment de force procuré par le respect de vos besoins profonds. Et qui sait, vous aurez peut-être le plaisir de renouer la communication avec l'autre, dans une relation nouvelle, qui s'apparente à la position « je suis OK et tu es OK » !

Faites votre deuil avant de pardonner

Ne brûlez pas les étapes. Pas de pardon sincère sans une réelle expulsion des peurs, colères ou larmes provoquées par l'« affaire ». Ne vous retenez pas : tempêtez contre l'injustice, râlez et rouspétez contre l'inconduite dont vous êtes victime.

Cette expression va vous permettre de retrouver plus vite votre dignité. Il faut en effet se convaincre qu'on a le droit de protester lorsqu'on est maltraité. Nos chagrins, nos peines et nos déceptions sont dignes de notre respect.

Après le deuil – même si l'affaire est anodine –, nous sommes vraiment capables de pardonner. Autrement dit, nous pouvons affirmer en pleine connaissance de cause : « Je refuse de continuer à gaspiller mon énergie émotionnelle pour un événement négatif appartenant au passé. Je n'approuve pas le comportement de l'autre, mais je sais aujourd'hui que :

« – Je ne peux pas changer autrui, ni les événements passés.

« – Je peux préserver ma santé en évacuant le stress dû aux ressentiments et aux regrets.

« – L'élimination de la tension interne m'enrichit d'une nouvelle énergie qui me permet de vivre plus gai et plus fort qu'avant. »

Comment pardonner ?

Il n'existe pas une méthode de pardon à proprement parler. Nous n'avons pas besoin d'« apprendre » l'indulgence. La seule chose qui compte, c'est la sincère intention. Votre volonté de pardonner vous indiquera avec sûreté quels chemins prendre. Fortifiez-la !

Exercice contre la rancune

L'écrivain américain Emmet Fox propose un exercice destiné à dissoudre la rancœur.

- Décrochez le téléphone et asseyez-vous dans un endroit où vous ne serez pas dérangé.
- Fermez les yeux et relaxez-vous. (Les techniques de relaxation sont exposées dans la sixième partie.)
- Visualisez-vous sur une estrade éclairée. Imaginez un moment de triomphe : vous êtes applaudi, on vous complimente, on vous offre des cadeaux. Vous vous sentez profondément satisfait et confiant.
- Savourez ce plaisir pendant de longs moments.
- Laissez cette image s'estomper.
- Maintenant, faites monter sur cette estrade la personne vivante ou morte à qui vous en voulez.

- Visualisez de bonnes choses qui lui arrivent (cadeaux, compliments, applaudissements, etc.) et voyez-la souriante, heureuse.

- Gardez présents en vous les sentiments de satisfaction et de joie ressentis pendant que vous étiez vous-même sur l'estrade, et dites à cette personne : « Je te pardonne. Je te pardonne vraiment. »

- Gardez cette image pendant quelques minutes puis laissez-la disparaître.

- Il est indispensable que, pendant tout l'exercice, vous vous sentiez heureux, comblé. Ayez la conviction que l'univers est si riche en ressources que chacun de nous peut obtenir satisfaction sans gêner autrui.

- Insistez. Au départ, cet exercice pourra vous paraître difficile, mais au bout d'un mois vous en tirerez un réel soulagement. À condition toutefois d'avoir pris le temps auparavant de libérer vos émotions.

Ne laissez pas la rancœur détruire votre cœur !

Allez-vous continuer à vous infliger une punition parce que jadis quelqu'un vous a blessé ? Le passé est le passé ! Vous ne pouvez pas le changer. Mais vous avez le pouvoir de changer le regard que vous portez sur lui !

Et ce changement d'optique vous permettra de réexaminer vos griefs : êtes-vous sûr que vous n'êtes pas en colère contre l'autre pour la seule raison qu'il n'agit ou ne pense pas comme vous auriez voulu qu'il le fasse ? *Abandonnez vos jugements et vos a priori. Acceptez-vous tel que vous êtes et respectez les autres tels qu'ils sont. Vous verrez que pardonner devient chose facile !*

Martin Luther King a prononcé cette phrase devenue célèbre : « Même si par votre amour vous n'arrivez pas à rendre votre ennemi plus humain, vous pouvez toujours empêcher la haine et la rancœur de détruire votre cœur comme elles ont détruit le sien ! »

Se détacher de ses ressentiments, évacuer ses émotions, puis pardonner est le plus court chemin vers la véritable santé. Quand notre esprit se libère des liens stressants du passé, il permet au bonheur et à la plénitude de jaillir « du dedans », en dépit de tout ce qui peut nous arriver de l'extérieur.

Enfin, n'oubliez pas non plus que vous n'êtes pas obligé d'essuyer les avanies répétées de telle ou telle personne. Si l'autre continue de prendre votre indulgence pour la mollesse d'un béni-oui-oui, vous avez toujours la possibilité de rompre les ponts. Le respect que vous vous devez vous incite nécessairement à faire le tri dans vos fréquentations. Évitez ceux qui vous « fatiguent » ou vous manquent de respect.

Le courage de demander pardon

Eh oui ! Car, bien sûr, il n'y a pas que les autres. Vous aussi avez sans doute un certain nombre de choses à vous reprocher, vis-à-vis d'Untel ou Untel ! Il serait peut-être temps de nous rendre compte que si les autres nous font du tort, ils ont peut-être autant de griefs à notre égard ! Même si nous estimons être des personnes « très bien », nous avons pu les blesser d'une manière ou d'une autre : par ignorance, par mépris, en les laissant tomber, en les humiliant, même inconsciemment, etc.

Et quand je dis « inconsciemment », en réalité, nous avons, a posteriori, tout à fait conscience de nos manquements à leur égard. Et cela nous « mine », parce que semblable constatation affecte notre estime de nous-mêmes. Et c'est de nouveau la culpabilisation, les « je ne suis pas si bien que cela mais je ne veux pas le savoir ».

Alors qu'il est si simple, pour dissiper ce sentiment de culpabilité, d'avoir le courage de demander pardon !

Il y a là un acte puissant pour notre bien-être comme pour celui de notre famille et de nos relations. Demander pardon, c'est « décharger » sa conscience, la laver d'une erreur ancienne. Cette demande de pardon commence donc par un aveu, par cette sincérité qui va remettre les pendules à l'heure et assainir l'ambiance familiale, amicale ou relationnelle. Il est réparateur d'admettre enfin devant son enfant : « Je t'ai rabâché que j'étais restée avec ton père uniquement à cause de toi. Mais c'est faux, tu n'y es pour rien. Je me rends compte que je n'avais simplement pas le courage de le quitter. »

Comme j'aurais voulu que ma mère me dise : « Ma cécité m'a rendue désespérée et je vous en ai souvent fait grief. Je sais aujourd'hui que vous n'étiez pas responsables de ma maladie… » !

Et comme j'aimerais entendre cet aveu de la bouche de mon père : « Je n'ai pensé qu'à aider votre mère, et je ne vous ai pas assez protégés de ses crises de désespoir… » !

De votre côté, n'attendez pas qu'il soit trop tard. Je sais : cela peut être parfois difficile. Demander pardon, ce n'est pas apporter un bouquet de fleurs et « s'en sortir » avec une pirouette ou une boutade. Non ! Cela nécessite du courage, et sans doute beaucoup de maturité.

Pourquoi rechigne-t-on souvent à s'excuser ? Parce qu'on croit qu'il s'agit d'un aveu de faiblesse. « Je vais passer pour une poire ou un minable. »

Alors que c'est exactement l'inverse ! Moins on se sent fort intérieurement, moins on est capable de demander pardon, par crainte que l'autre n'y voie une preuve de sa supériorité.

En revanche, plus on acquiert de la confiance, plus on croit en soi, et plus facilement on *reconnaît* ses torts. On admet le fait qu'on puisse se tromper, et s'en excuser, sans pour autant remettre en cause la valeur de sa personne ! Dire « pardon » est une preuve de courage et de force ! C'est aussi la meilleure façon d'assainir ses relations avec soi-même et son entourage.

7

Êtes-vous bien entouré ?

Nous ne répéterons jamais assez à quel point il est essentiel, pour notre bien-être, de retrouver le respect et la confiance en soi. Essentiel aussi de découvrir nos propres rêves et désirs, afin de nous libérer de ce terrible esclavage qui consiste à vivre dans le sillage des autres.

Mais cette démarche ne prône pas pour autant l'isolement, au contraire ! Plus la personne a confiance en elle, mieux elle communique avec les gens. Plus elle est comblée, plus elle a envie de partager ce bonheur et d'offrir à l'autre le soutien dont il a besoin. En outre, cette personne épanouie ne sent plus la nécessité de cacher ses peines ou ses douleurs lorsqu'elles surgissent. Elle ose et sait demander à son entourage l'énergie qui lui fait défaut, pour surmonter les moments difficiles de sa vie.

L'expression émotionnelle contribue à nous réaliser dans notre dimension d'êtres sociaux. Si les circonstances ou le destin font que la solitude est notre lot, nous devons alors être de très bons parents pour nous-mêmes et nous donner l'attention et l'amour manquants. Mais il est mieux d'être entouré. De partager ses émotions avec sa famille, ses amis, ses relations.

Nous connaissons tous le pouvoir « guérisseur » de la présence d'une famille bien soudée ou d'un cercle d'amis chaleureux. Il suffit parfois de peu de chose pour pouvoir redémarrer quand nous nous sentons à plat. Un sourire, un mot aimable, un coup de téléphone au bon moment, quelques encouragements et la machine repart ! Il ne s'agit pas de devenir dépendants des autres, mais de savoir qu'ils peuvent nous apporter une force qui nous permet de « recharger nos batteries ».

Dans son livre *Le Cœur et son langage*, le Dr James Lynch met en évidence comment la présence des autres (et même celle de nos animaux domestiques) peut apaiser la tension artérielle et la fréquence des battements de notre cœur. Le contact avec autrui serait notre meilleur régulateur cardiaque ! C'est ce qui expliquerait le taux plus élevé de mortalité chez les veufs, les divorcés et les gens solitaires. *Oui, nous avons besoin les uns des autres !* Fuyons la solitude !

Comment élargir son cercle d'amis ?

- Il n'est jamais trop tard pour se constituer un « réseau affectif ».

- Une manière sûre de commencer ce cercle consiste à renouer avec des relations passées.

- Une autre démarche consiste à renouer avec nos racines : fréquenter des restaurants régionaux, des chorales ou clubs de personnes attachées aux mêmes traditions que les nôtres.

- Pour resserrer le cercle familial, célébrez les anniversaires et les fêtes. Même si vous n'en n'aviez pas l'habitude ! Se rassembler autour d'un bon repas, suivre des traditions communes, donner et recevoir des cadeaux, cela renforce la cohésion du groupe.

- Prenez le temps de feuilleter des albums de photos familiales. Et n'oubliez pas de faire de nouvelles photos afin de garnir des albums pour vos enfants ou petits-enfants.

- Votre réseau affectif peut vous garantir une « oreille amicale » en cas de besoin. Surtout, devant les vrais proches ou amis, vous pouvez baisser la garde et ne plus faire semblant. Reposez-vous en étant simplement vous-même !

- N'ayez pas peur de faire appel à ce réseau affectif. Se confier sincèrement, lorsque cela s'avère nécessaire, représente une marque de confiance envers un proche ou un ami. Se confier, discuter avec une personne sûre permet d'élaborer des solutions et de sortir des difficultés ou de la dépression.

« Radioscopez » votre réseau affectif

Le contact avec les autres augmente votre énergie vitale. Alors n'attendez pas de tomber malade pour vous plaindre de vivre dans un désert affectif. Toutefois, il ne suffit pas d'être entouré d'un grand nombre de personnes pour être nourri d'affection. Et si vous faisiez une évaluation de votre réseau ?

Pour savoir si ce dernier est suffisamment étoffé, et si vous n'êtes pas en manque de tendresse et d'attention, recopiez sur une grande feuille la « marguerite du réseau affectif » et remplissez-la fidèlement selon les indications qui suivent le schéma de la page 324.

« MARGUERITE » DU RÉSEAU AFFECTIF

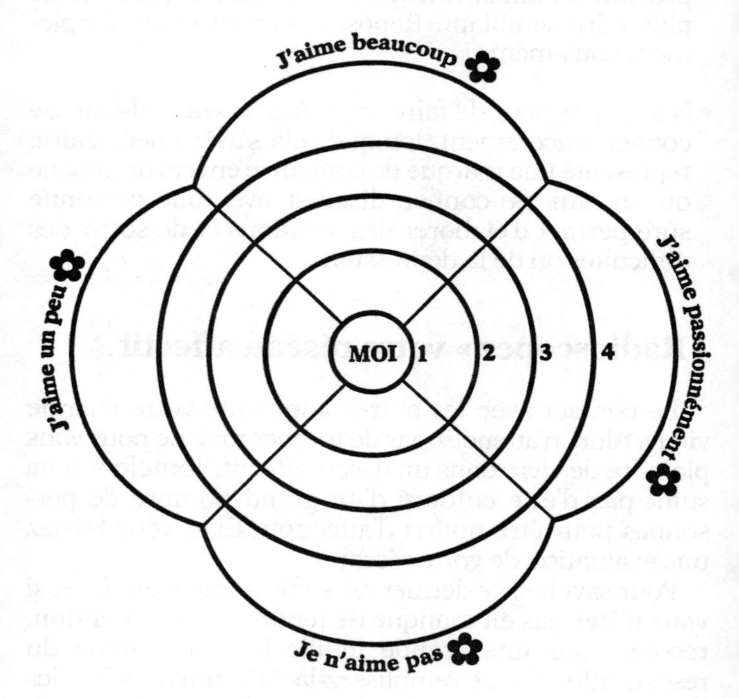

Évaluation du réseau affectif

- *Faites une liste de toutes les personnes présentes dans votre vie, qui ont beaucoup ou un peu d'importance à vos yeux. Étendez cette liste à vos animaux domestiques et à vos violons d'Ingres (pratique du cheval ou d'un instrument de musique, lecture, collections diverses).*
- *Placez-les selon leur degré de rapprochement avec vous.*

  – Dans le cercle intérieur : ceux qui habitent sous le même toit que vous (animaux compris).

  – Dans le deuxième cercle : les membres de la famille ou les amis intimes que vous voyez régulièrement ou à qui vous parlez au téléphone au moins une fois par mois.

  – Dans le troisième cercle : inscrivez les relations amicales mais superficielles.

  – Dans le quatrième cercle : les connaissances et les relations occasionnelles.
- *Placez ces personnes selon votre affinité affective. À l'instar du célèbre « jeu de la marguerite », j'ai divisé le cercle en quatre parties différentes.*

  – Dans le quart inférieur : inscrivez les personnes que vous n'aimez pas, qui vous fatiguent, vous ennuient ou se montrent désagréables envers vous.

  – Dans le quart gauche : les personnes que vous aimez un peu.

  – Dans le quart supérieur : les personnes que vous aimez beaucoup.

  – Dans le quart droit : les personnes que vous aimez passionnément. Si le mot « passionnément » vous gêne, inscrivez dans le quart supérieur : « J'aime bien. » Et dans le quart droit : « J'aime beaucoup. »
- *Pour dresser un bilan juste de votre réalité émotionnelle, soyez honnête avec vous-même. Répondez avec sincé-*

rité. Toutefois, pour ne pas blesser certaines personnes de votre entourage, il sera sage de garder ce diagramme secret.

Plus nous comptons autour de nous des gens que nous aimons, mieux nous sommes nourris émotionnellement. Ce diagramme vous éclairera sur la quantité et la qualité des personnes qui vous entourent. Regardez votre marguerite : d'un seul coup d'œil vous pourrez voir où le bât blesse. Vous saurez de qui vous devez vous rapprocher et qui vous devez fuir.

Posez-vous la question : « Mon réseau est-il riche et chaleureux ? Ou bien froid et clairsemé ? » Dans ce dernier cas, il ne dépend que de vous de l'enrichir pour qu'il puisse nourrir votre cœur.

Soyez pratique et ne comptez pas sur des amis très chers mais qui résident à l'autre bout de la planète. J'ai moi-même deux amis merveilleux qui habitent Tahiti… mais il m'est plus facile de me confier à une amie habitant dans mon quartier !

Un bon réseau affectif est constitué de dix à vingt-cinq personnes que vous inscrivez dans les premier et deuxième cercles. Vous pouvez y inclure votre violon d'Ingres ainsi que vos animaux familiers.

Mais ne restez pas figé dans vos relations. Sachez que votre cercle bouge et change constamment. Si après l'avoir rempli, vous découvrez que votre réseau affectif proche (celui noté dans les premier et deuxième cercles) n'est pas assez fourni, pourquoi ne pas chercher parmi vos connaissances plus superficielles des personnes avec lesquelles vous sentez une affinité affective ? Un contact suivi avec elles pourra les transformer en relations plus intimes !

Choisissez la meilleure attitude !

Les solitaires par choix sont souvent des gens qui considèrent que la majorité de leurs congénères sont foncièrement antipathiques ou intéressés. Mais en réalité, le monde est rempli de gens chaleureux et sincères, prêts à aider les autres sans rien attendre en échange.

Lorsque nous sommes dirigés par cette dernière conviction, nous trouvons facilement des personnes capables de nourrir notre cœur avec l'énergie affective qui nous est nécessaire. Mais n'oubliez pas de donner a votre tour un « coup de pouce » énergétique à ceux qui en ont besoin.

C'est en nous tournant vers les autres, en dépassant nos visées égocentriques – par l'échange, par la création, par l'amour – que nous pourrons prétendre au bonheur complet, celui qui nous procure un sentiment d'harmonie avec nous-mêmes, les autres et l'univers.

SIXIÈME PARTIE

Pour guérir, soignons nos trois corps

La beauté de l'âme ?
Que l'extérieur et l'intérieur soient en harmonie.
SOCRATE

1

La médecine naturelle traite l'esprit et le corps

Si efficace, si indispensable soit-elle, la libération émotionnelle n'est pas la panacée qui va résoudre tous vos problèmes. Ou plus exactement, elle ne peut pas le faire seule ! Ce travail doit s'effectuer en complément de (et en accord avec) une bonne hygiène physique : celle-ci comprend bien sûr une alimentation appropriée, mais aussi tout un mode de vie qui laisse la part belle aux soins corporels – de l'activité sportive à la respiration… en passant par les plantes et l'argile.

L'objectif est de réaliser la fameuse maxime : « Un esprit sain dans un corps sain. » En sachant bien que les deux éléments sont interdépendants ; mieux, qu'ils forment un tout !

À la lecture des chapitres précédents, vous avez décidé de procéder à l'évacuation de vos stress émotionnels ? Bravo ! Mais ne videz pas d'un côté pour remplir de l'autre : à quoi bon éliminer vos hormones de stress si vous encombrez votre corps de déchets en mangeant n'importe quoi, n'importe comment ?

Notre but est aussi simple qu'essentiel : empêcher au maximum l'accumulation de *toutes* les toxines dans nos organes, afin de prévenir les maladies et la déchéance. Pour cela, nous ne devons pas nous battre sur un seul front, mais sur trois à la fois.

– *Physique :* c'était déjà le sujet de mes précédents ouvrages.
– *Psychologique :* c'est le sujet central de ce livre.
– *Spirituel :* nous allons y venir…

L'élimination des substances usées et des toxines de l'organisme est garantie par le bon fonctionnement des organes appelés « émonctoires » : les reins et la vessie, les intestins, les poumons, les pores de la peau (transpiration).

Pour l'évacuation du stress, nous disposons de quatre outils principaux : l'expression émotionnelle, la relaxation, la méditation, la visualisation (ces trois dernières seront détaillées plus loin dans cette même partie).

Entre le *psychique* et le *physique* – terrains distincts – il existe pourtant des liens très étroits : nos émotions comme nos pensées sont en effet transmises du cerveau à l'organisme par le biais du système nerveux, des cellules neuronales et des glandes hormonales. Or ces « intermédiaires » cessent de remplir efficacement leur rôle quand ils sont chargés de toxines et nourris par une alimentation carencée ! Les sécrétions hormonales ne se font pas en quantité suffisante, ou bien elles sont excessives, ou encore de mauvaise qualité, et *tout* se détraque…

Quelle aberration donc de vouloir éliminer le stress émotionnel sans nous assurer *en parallèle* que notre organisme « tourne rond » ! D'ailleurs, notre expérience nous en a déjà convaincus – combien de petites déprimes ont disparu « comme par enchantement » par le seul rétablissement de notre fonctionnement hépatique ? Combien d'humeurs grincheuses se sont envolées après une bonne évacuation intestinale ?

Dès lors, la question qu'il importe de se poser est la suivante : *mon alimentation et mes comportements actuels sont-ils les plus aptes à entretenir la santé de mon organisme ?*

Parce qu'ils ne sont pas suffisamment en contact avec les besoins de leur corps, nombreux sont ceux qui ne se soucient pas de l'entretenir. Et comme par hasard, ce sont les mêmes qui ensuite manquent des forces psychiques nécessaires pour sortir d'une maladie ou d'une dépression.

Notre bonne santé repose en fait sur une stratégie élémentaire, presque une lapalissade : pour ne pas être attaqués par les toxines, faisons en sorte de ne pas les laisser entrer ou de les expulser régulièrement ! D'ailleurs, toutes les recettes de notre bien-être sont de la même eau, c'est-à-dire qu'elles sont éminemment simples… trop simples peut-être pour être prises au sérieux.

- Se nourrir d'une alimentation saine et équilibrée, riche en vitamines, enzymes et sels minéraux, et pauvre en déchets et toxines.
- Éliminer quotidiennement les inévitables toxines et déchets de la veille (par les intestins, la vessie, les poumons…).
- Éliminer quotidiennement les inévitables stress de la veille par l'expression émotionnelle.
- Organiser sa vie autant que possible de façon à s'entourer de personnes chaleureuses, que vous aimez et qui vous aiment.

Quelle alimentation choisir ?

Des gens merveilleux, à travers le monde, nous ont montré la voie d'une meilleure hygiène de vie, capable de préserver ou de restaurer notre santé. Ainsi, Raymond Dextreit[1], mon professeur et ami qui enseigne inlassablement la santé naturelle depuis plus de cinquante ans, le Dr Tal Schaller, le Dr Jean Valnet, André Roux, Jeannette Dextreit, le Dr Kousmine, le professeur

1. Auteur de plus de soixante ouvrages importants sur la santé naturelle, et rédacteur en chef depuis 1942 du mensuel *Vivre en harmonie*.

Lautie, André Passebecq, le Dr Oudinot ou Marcel Bernadet, entre autres, qui nous encouragent à vivre sainement pour mieux profiter de l'existence.

N'oublions jamais qu'un régime vivant et équilibré nous permet :

– d'augmenter notre endurance et notre forme physique ;

– de renforcer notre système immunitaire ;

– d'améliorer le fonctionnement de notre système nerveux et avec lui la qualité de notre vie affective.

Mais que faisons-nous de ces conseils ? Considérez-vous comme un progrès formidable le fait de pouvoir avaler des pilules qui facilitent la digestion ? Vous êtes-vous résigné à prendre de l'aspirine pour alléger la « barre » sur le front qui vous fait souffrir à cause du trop lourd dîner d'hier ? Trouvez-vous normal de vous réveiller chaque matin aussi fatigué que la veille ?

Tous ces dysfonctionnements devraient pourtant vous alerter : ils vous montrent que votre pauvre foie s'épuise à faire des heures supplémentaires. Et ce pour digérer des aliments qui, au lieu d'être assimilés en trois ou quatre heures, nécessitent dix, douze ou même quatorze heures de digestion laborieuse. Une telle corvée digestive entraîne bien sûr une perte énergétique importante et donc une grande fatigue. Pire, ces aliments mal et trop lentement digérés fermentent et empoisonnent l'organisme en générant des myriades de bactéries et de toxines.

Ces « intruses » s'empressent d'élire domicile précisément dans l'organe le moins bien défendu – le maillon faible de votre organisme ! Et l'ennemi dans la place se voit sans cesse grossi de nouveaux renforts : faites donc la liste de tous les nutriments, boissons, alcools, médicaments, cigarettes, etc., que vous avez avalés ces dernières vingt-quatre heures. Instructif, non ? Vous imaginez ce que cela donne à longueur d'année, à longueur de vie ? Si votre appareil digestif, ou bien votre système nerveux, ou tout autre organe, montre des signes de faiblesse, il est fort probable que manquent à votre liste de consommateur ces aliments qui nettoient et renforcent l'organisme : **les fruits et les légumes crus, les céréales complètes, les miels naturels.**

Outre qu'ils apportent vitamines, chlorophylle, enzymes et sels minéraux, les fruits comme les légumes crus ont la propriété de drainer l'organisme grâce à leur forte contenance en eau. Ils empêchent ainsi les matières toxiques de s'accumuler dans les tissus et transforment un sang visqueux et lourd en un sang léger qui circule facilement dans tous les recoins du corps.

Les céréales complètes ajoutent leur propre richesse vitaminique à celle des végétaux. Qui plus est, leurs fibres assurent une excellente épuration organique. Car il faut cesser de considérer une lenteur digestive ou une constipation comme de simples désagréments passagers : les toxines qui séjournent dans le tube digestif constipé (et dont l'organisme voudrait se débarrasser) ont hélas tout le temps pour retraverser les parois intestinales et infecter le sang et tout le corps !

Heureusement, les fibres contenues dans les végétaux crus et les céréales accélèrent ce transit intestinal. Elles aident l'organisme à expulser beaucoup plus rapidement les microbes et les toxines, sans leur laisser le temps de passer dans le sang. Le corps est alors bien nettoyé.

Les fibres ont encore le mérite d'abaisser notre taux de cholestérol et autres lipides dangereux. Elles nous évitent donc les thromboses et diverses maladies du cœur et des artères.

Ce n'est pas tout. Où trouve-t-on les substances alimentaires capables de revitaliser le système nerveux ? Celles qui contribuent à la prévention de nombreuses maladies ? Encore une fois, dans les fruits, les légumes crus et dans les céréales complètes !

Pour éviter les carences, où faire son marché en vitamines ?

• **La carence en vitamine B1** contribue à l'instabilité émotionnelle, aux dépressions, à cette sensation d'être « à bout de nerfs ». *Heureusement, les germes de blé, le pain, les pâtes, la farine et le riz complets nous ravitaillent en vitamine B1.*

• **La carence en vitamine PP** (nicotinamide de la famille des vitamines B) est responsable de troubles psychiques, de dépressions et de problèmes de déséquilibre nerveux. *Mais nous pouvons nous procurer de la vitamine PP dans le soja, le blé germé et le chou.*

• **La carence en magnésium et phosphore** est la cause de beaucoup de maladies des nerfs et de névroses. On sait aussi que le magnésium est particulièrement recommandé dans le cas de « terrain cancéreux ».

Les amandes, les germes de blé, les dattes, les cacahuètes, le gruyère, les betteraves, les épinards et les haricots secs nous permettent de régénérer nos cellules nerveuses et d'améliorer ainsi la résistance organique.

• **La carence en calcium** est responsable de dysfonctionnements multiples, le calcium participant entre autres à la formation de la substance grise du cerveau.

Le gruyère, le pain complet, les navets, les carottes, les choux, les germes de blé et les céréales complètes sont ravis de nous offrir notre dose nécessaire de calcium.

• **Et encore :** diverses substances et vitamines sont reconnues aujourd'hui comme essentielles à la santé.

– Le fer : *on le trouve dans les germes de blé, le cresson, les carottes, l'avoine, les épinards, les noisettes.*

– La silice : *présente dans l'enveloppe des fruits et des céréales complètes, le son de blé, l'ail, la pomme, la fraise.*

– Le sélénium : *ail, noix et fruits oléagineux.*

– Le bêta-carotène : *carotte, tomate, orange, abricot, salade verte.*

– La vitamine C : *citron, orange, mandarine, poivron, chou, cresson, épinards, cassis.*

– La vitamine E : *blé germé, huile végétale de première pression à froid.*

• **Dernière remarque qui a son importance :** nous aurons beau inspirer à nous faire éclater la cage thoracique, nos globules rouges seront incapables de capter l'oxygène de nos poumons sans la présence dans notre organisme de certains ferments et enzymes « spécial respiration ».

Or ces ferments sont extrêmement fragiles. Et nous nous acharnons à les détruire avant même de les absorber : ils succombent au froid de la congélation comme à l'enfer brûlant des « Cocotte-minute » !

Où dénicher ces ferments qui vont nous permettre de respirer enfin à pleins poumons ? Je vous le donne en mille : encore et toujours dans les fruits et légumes crus !

Conseils pour une vie saine

• *FAVORISEZ les alimemts ou substances qui reconstituent et rajeunissent l'organisme :*

– Tous les fruits et légumes mûris naturellement et cultivés sans engrais chimiques. Réservez une place d'honneur aux carottes, navets, choux crus, betteraves et fruits de saison !

– L'ail, l'oignon et tous les aromates, les olives noires.

– Toutes les salades vertes.

– Les céréales complètes : blé, pain, pâtes, riz, sarrasin, seigle, avoine, orge mondée, maïs, millet et essentiellement le blé germé.

– Les légumineuses : pois, lentilles, haricots de l'année.

– Les œufs frais, provenant de poules nourries aux grains et en plein air.

– Les miels, pollens et autres produits de la ruche, non chauffés et non pasteurisés.

– Les fruits secs : amandes, noisettes, noix, cacahuètes, figues, dattes, raisins, bananes séchées, pruneaux, abricots. (Avec une mention spéciale pour les dattes et les amandes douces.)
– Les huiles végétales obtenues par première pression à froid et sans solvant chimique.
– Le sel marin non raffiné.
– Le sucre de canne non raffiné (en quantité modérée).
– L'eau pure, le jus de citron, les jus de fruits et de légumes pressés, les tisanes, l'eau argileuse en boisson.

- *ÉVITEZ les aliments ou substances qui encrassent ou intoxiquent l'organisme (en favorisant des maladies métaboliques comme le diabète, l'obésité et l'artériosclérose, entre autres).*
– Tous les alcools, le café, le thé, le cacao, le cola.
– Le tabac.
– Les graisses animales, viande, sauces grasses, saindoux, charcuterie, margarine, « beurre noir ».
– L'huile non garantie de « première pression à froid, sans solvant chimique ».
– Les pains, les pâtes, les biscottes et les pâtisseries confectionnés à base de farine blanche.
– Le sucre blanc, les bonbons, sucreries, glaces et confitures comprenant des colorants et parfums chimiques.
– Le riz blanc et le sel blanc raffiné.
– Les levures chimiques.

- *RESPECTEZ les règles de l'alimentation saine.*
– Commencez vos repas par des crudités, riches en vitamines et en ferments. De cette façon, si l'appétit vous manque pour les plats cuits, cela aura peu d'importance : les crudités vous auront permis de faire le plein des éléments essentiels.
– Variez vos menus et ne répétez pas le même plat dans la semaine : on mange autant avec les yeux qu'avec la bouche. La vue des mets prépare la sécrétion des sucs gastriques, lesquels favorisent la digestion.

– Chaque fois que cela est possible, consommez des fruits non pelés et des légumes non épluchés.
– Souvenez-vous que le congélateur et les « Cocotte-minute » sont l'« enfer des aliments » ! Ils en sortent sans vitamines, ni ferments ni enzymes,...
– Méfiez-vous des ustensiles en aluminium : les sels d'alumine qui s'en détachent – à raison de 5 à 100 mg par jour – peuvent occasionner de véritables intoxications ! Je signale ou rappelle que chaque ion d'aluminium nous empêche d'assimiler un ion de phosphore, alors que ce dernier joue un rôle essentiel dans la prévention des maladies nerveuses. Préférez donc les casseroles en acier inoxydable, en fonte émaillée, en verre ou en terre cuite.
– Remplacez les pâtes, les biscottes et le pain blancs par leurs « cousins » à base de farine complète, plus goûteux.
– Achetez toujours des haricots et des pois secs de l'année.
– Préférez les olives noires dans leur bonne huile aux olives vertes.
– N'oubliez pas de consommer du lait caillé fait maison.
– L'eau citronnée est une excellente boisson de table.
– Remplacez le sucre blanc par le miel ou le sucre de canne non raffiné.
– Dans vos salades, préférez le citron au vinaigre. N'utilisez que de l'huile végétale (d'olive !) obtenue par première pression à froid. Et usez sans compter de tous les aromates !

• *UTILISEZ l'argile :*
a) En cure interne, elle draine le corps, neutralisant les toxines et stimulant les organes déficients.
b) En soins externes, elle est antiseptique, cicatrisante, antirides et rajeunissante pour l'organisme.

• *UTILISEZ les plantes médicinales :*
prises à bon escient, elles sont douces, efficaces, et ne créent pas d'effets secondaires fâcheux.

• *RESPIREZ ET BOUGEZ pour vous oxygéner et améliorer la circulation sanguine.*
– Nul besoin de vous adonner à un sport violent !
– Faites tous les jours de la marche (15 min minimum) ou bien un peu de natation, du vélo ou de la gymnastique.
– Effectuez-les à votre rythme et selon vos capacités.
– Accompagnez-les d'une respiration lente et profonde pour oxygéner l'organisme et dynamiser de surcroît la circulation lymphatique.
– Évitez l'épuisement !

• *CHASSEZ le stress et la tension émotionnelle qui affaiblissent vos immunités et créent un terrain favorable aux maladies.*
Apprenez et pratiquez avec assiduité une ou plusieurs techniques de réduction du stress : relaxation, visualisation, méditation, yoga, bio-feedback…

• *POSITIVEZ, quel que soit le problème du moment. Retrouvez confiance en vous, cultivez l'optimisme ! Ensoleillez votre quotidien par la certitude que vous recelez en vous une force qui vous aidera à venir à bout de vos ennuis actuels. Une force qui vous permettra de conquérir la santé physique et morale !*

2

Les aliments, spécial « nerfs et déminéralisation »

Voici la liste des légumes, fruits, céréales, salades, fromages, miels, etc., les plus efficaces pour lutter contre trois sortes d'« ennemis » familiers.

• Les problèmes nerveux et émotifs :

– insomnie ;

– dépression, angoisse, anxiété, agressivité, irritabilité ;

– maux de tête, vertiges, palpitations, spasmes, convulsions, syncopes.

• Les problèmes de surmenage :

– fatigue, faiblesse, lassitude et asthénie non expliquées ;

– abattement ;

– troubles de la mémoire et de la concentration.

• Les problèmes de déminéralisation :

– décalcification, anémie, spasmophilie, tétanie ;

– chute de cheveux, ongles mous et cassants.

Le secret d'une bonne alimentation, c'est avant tout la *variété*. Les pages qui suivent *n'ont pas pour objectif de vous encourager à ne consommer que certains aliments, à l'exclusion des autres*. Il s'agit simplement de mettre en valeur des aliments particulièrement doués et capables de calmer le système nerveux, d'éloigner les dépressions ou de corriger les déminéralisations.

Les aliments « maillot jaune » ❀

FRUITS FRAIS	PROBLÈMES		
Par ordre alphabétique	Nerveux et émotifs	Surmenage	Déminéralisation
ABRICOT	❀	❀	
ANANAS	❀	❀	❀
BANANE	❀	❀	❀
CASSIS		❀	❀
CERISE	❀		❀
CHÂTAIGNE		❀	❀
CITRON	❀	❀	❀
FRAISE	❀	❀	❀
FRAMBOISE	❀	❀	❀
MANDARINE	❀	❀	❀
MELON	❀		❀
ORANGE	❀		❀
PAMPLEMOUSSE	❀	❀	❀
PÊCHE	❀	❀	❀
POIRE	❀	❀	❀
POMME	❀	❀	❀
PRUNE	❀	❀	❀
RAISIN	❀	❀	❀
LÉGUMES	**PROBLÈMES**		
Par ordre alphabétique	Nerveux et émotifs	Surmenage	Déminéralisation
AIL	❀	❀	❀
ARTICHAUT	❀	❀	❀
ASPERGE	❀	❀	❀
AUBERGINE	❀		❀
AVOCAT	❀	❀	❀
BETTERAVE ROUGE	❀	❀	❀
CAROTTE	❀	❀	❀
CÉLERI EN BRANCHES	❀	❀	❀
CHAMPIGNONS		❀	❀
ÉPINARDS	❀	❀	❀
FENOUIL	❀	❀	❀
HARICOTS VERTS		❀	❀

LÉGUMES	PROBLÈMES		
Par ordre alphabétique	Nerveux et émotifs	Surmenage	Déminéralisation
NAVET	❀	❀	❀
OIGNON	❀	❀	❀
POIREAU	❀	❀	❀
POMME DE TERRE	❀		❀
RADIS ROSE ET NOIR	❀		❀
TOMATE	❀	❀	❀

SALADES	PROBLÈMES		
Par ordre alphabétique	Nerveux et émotifs	Surmenage	Déminéralisation
CHICORÉE	❀	❀	❀
CRESSON	❀	❀	❀
LAITUE	❀	❀	
MÂCHE	❀		❀
PISSENLIT	❀	❀	❀

AROMATES	PROBLÈMES		
Par ordre alphabétique	Nerveux et émotifs	Surmenage	Déminéralisation
BASILIC	❀	❀	❀
CANNELLE	❀	❀	❀
CERFEUIL			❀
CORIANDRE		❀	❀
ÉCHALOTE	❀		
ESTRAGON	❀	❀	❀
GENÉVRIER	❀	❀	❀
GIROFLE		❀	❀
LAURIER		❀	
NOIX DE MUSCADE		❀	
PERSIL	❀	❀	❀
SAFRAN			❀
SARRIETTE		❀	
SAUGE	❀	❀	
THYM	❀	❀	

CÉRÉALES COMPLÈTES	PROBLÈMES		
Par ordre alphabétique	Nerveux et émotifs	Surmenage	Déminéralisation
AVOINE	❀	❀	❀
BLÉ (FARINE, PÂTE, GALETTE)	❀	❀	❀
BLÉ GERMÉ	❀	❀	❀
MILLET	❀	❀	❀
ORGE	❀	❀	❀
RIZ COMPLET	❀	❀	❀
SARRASIN	❀	❀	❀

LÉGUMINEUSES	PROBLÈMES		
Par ordre alphabétique	Nerveux et émotifs	Surmenage	Déminéralisation
HARICOTS SECS		❀	❀
LENTILLES	❀	❀	❀

FRUITS SECS	PROBLÈMES		
Par ordre alphabétique	Nerveux et émotifs	Surmenage	Déminéralisation
ABRICOT SEC	❀	❀	❀
DATTE	❀	❀	❀
FIGUE	❀	❀	❀
PRUNEAU	❀	❀	❀
RAISIN SEC	❀	❀	❀

FRUITS OLÉAGINEUX	PROBLÈMES		
Par ordre alphabétique	Nerveux et émotifs	Surmenage	Déminéralisation
AMANDE DOUCE	❀	❀	❀
NOISETTE	❀		❀
NOIX	❀		❀

HUILES ET GRAINES	PROBLÈMES		
Par ordre alphabétique	Nerveux et émotifs	Surmenage	Déminéralisation
ARACHIDE		❀	❀
LIN		❀	❀
OLIVE	❀	❀	❀
PÉPIN DE COURGE		❀	❀
SOJA		❀	❀
MIELS	**PROBLÈMES**		
Par ordre alphabétique	Nerveux et émotifs	Surmenage	Déminéralisation
ACACIA		❀	❀
AUBÉPINE	❀	❀	❀
BRUYÈRE		❀	❀
CHÂTAIGNIER		❀	❀
LAVANDE	❀	❀	❀
ORANGER	❀	❀	❀
ROMARIN		❀	❀
SARRASIN		❀	❀
THYM	❀	❀	❀
THYM ET SERPOLET	❀	❀	❀
TILLEUL	❀	❀	❀
DIVERS	**PROBLÈMES**		
Par ordre alphabétique	Nerveux et émotifs	Surmenage	Déminéralisation
POLLEN (toutes fleurs)	❀	❀	❀
GELÉE ROYALE	❀	❀	❀
LEVURE ALIMENTAIRE (en quantité modérée)		❀	❀

Pourquoi débuter vos repas par un fruit

Il faudrait toujours commencer la journée en mangeant un fruit. Pourquoi ? D'abord parce que sa digestion ne « coûte » que peu d'énergie à l'organisme, tout en lui apportant une « cagnotte » énergétique importante. C'est le meilleur rapport « qualité-prix » !

En outre, le fruit est un des principaux « fournisseurs alimentaires » du cerveau. Aussitôt consommé, il libère son fructose, qui, transformé en glucose, devient le principal nutriment de nos cellules grises.

Porteur d'énergie, excellent agent de drainage, le fruit est en outre très facile à digérer, à condition d'être consommé *sur un estomac vide* !

Essayez de prendre vos fruits entre, ou un peu avant, les repas. Et n'oubliez pas les cocktails de fruits et de légumes ! Ceux que je vous propose pourront minéraliser les cellules nerveuses, combler les carences organiques et dynamiser l'organisme.

Pour bien préparer les cocktails de santé

• Quels que soient vos ennuis de santé, rien de tel que de commencer les repas par un jus de fruits ou de légumes fraîchement pressés.

• Presser et boire des jus frais doit devenir un geste quotidien et facile.

• Il ne faut pas craindre un excès de principes actifs dans les jus de fruits et de légumes puisque la nature va toujours dans le sens de l'équilibre.

• Tentez des mélanges de jus de fruits et de légumes. Cette association – que l'on appelle aussi synergie ou cumul – renforce leurs bienfaits respectifs.

• Bien entendu, il est hors de question d'introduire de l'alcool dans ces cocktails de santé !

• En règle générale, l'efficacité des jus de légumes est accrue si l'on y ajoute de l'ail. Faites des essais pour déterminer la quantité idéale à votre goût. Pour moi, une demi-gousse d'ail constitue un tonique hors pair.

• Pour les jus de fruits, je conseille d'ajouter des amandes douces décortiquées. En effet, celles-ci renferment un enzyme qui renforce l'action des vitamines contenues dans les fruits.

• Le jus d'un demi-citron est également un excellent révélateur de vitamines.

• N'épluchez pas les fruits et les légumes dont la peau est intacte et fine. Brossez-les simplement sous l'eau courante, en enlevant les quelques points noirs.

• Attention ! Ne les laissez pas tremper dans l'évier car certaines vitamines sont solubles dans l'eau : c'est votre évier qui va en profiter ! Un passage sous le robinet suffit.

• Nos meilleurs compagnons sont les fruits et les légumes crus : « La vie ne s'entretient que par la vie. »

Le temps d'un week-end : une cure tonifiante

Dès qu'à la nouvelle saison un fruit ou un légume apparaît sur le marché, faites-lui sa fête ! Consacrez-lui quelques jours, voire une semaine.

L'idéal : privilégier un seul fruit ou légume (sous forme de jus ou de salade) pendant un « week-end tonifiant ». Cela permet de bien drainer l'organisme et de perdre facilement deux à trois kilos.

Mes conseils pour mieux profiter des fruits et légumes

Avant de vous donner une liste de cocktails aussi délicieux que bénéfiques, voici quelques conseils de préparation et de consommation.

Première chose, rappelez-vous que les vitamines des fruits et des légumes, extrêmement fragiles, disparaissent plus ou moins vite après l'épluchage, la coupe ou le pressage. C'est pourquoi il est préférable de boire les jus dès qu'ils sont prêts. Plus ils attendent, même dans le frigo, plus ils perdent leurs vertus.

Pour vous offrir les plus grandes quantités et qualités de vitamines, sels minéraux, oligo-éléments, enzymes et chlorophylle, les fruits et légumes doivent impérativement être :

– mûris naturellement et non pas artificiellement avec des gaz spéciaux ;

– ni fanés ni blets.

Soyez persévérant, régalez-vous de ces cocktails et vous serez récompensé par un dynamisme presque oublié !

À consommer toute l'année.
À boire avant ou entre les repas.

Betterave crue – Carotte – Chou – Amande douce

Prévoir : *3 amandes douces décortiquées.*
Laver et éplucher : *1 betterave de taille moyenne.*
Laver ou éplucher : *2 carottes.*
Laver : *1 feuille de chou.*

Passer le tout dans la centrifugeuse.
Déguster lentement aussitôt.

Carotte – Navet – Poireau – Amande douce

Prévoir : *3 amandes douces décortiquées.*
Laver et éplucher : *1 poireau.*
Laver ou éplucher : *1 navet.*
3 carottes.

Passer le tout dans la centrifugeuse.
Déguster lentement aussitôt.

Fenouil - Cresson - Coriandre - Persil - Thym

Éplucher : *1 fenouil.*
Laver : *1/2 botte de cresson.*
5 brins de persil.
1 branche de thym.
Ajouter : *1/2 cuillère à café de coriandre.*

Passer le tout dans la centrifugeuse.
Déguster lentement aussitôt.

Concombre – Fenouil – Céleri – Laitue – Estragon

Éplucher et couper en cubes :	*2 concombres.*
Laver et couper en morceaux :	*1/4 de fenouil.*
Laver et couper :	*2 branches de céleri.*
	2 feuilles de laitue.
Ajouter :	*1/2 cuillère à café d'estragon.*

Passer le tout dans la centrifugeuse.
Déguster lentement aussitôt.

Pomme – Carotte – Citron – Amande douce

Prévoir :	*3 amandes douces décortiquées.*
Laver ou éplucher :	*1 pomme.*
	2 carottes.
Laver et peler :	*1/2 citron.*

Passer le tout dans la centrifugeuse.
Déguster lentement aussitôt.

Cocktails à consommer l'été.
À boire avant ou entre les repas.

Abricot – Prune – Poire – Cannelle

Dénoyauter :	*4 abricots.*
	4 prunes.
Éplucher et épépiner :	*2 poires.*
Ajouter :	*1/2 cuillère à café de cannelle.*

Passer le tout dans la centrifugeuse.
Déguster lentement aussitôt.

Pêche – Fraise – Pomme – Amande douce

Prévoir : *3 amandes douces décortiquées.*
Laver ou éplucher : *1 pomme.*
Laver et dénoyauter : *1 pêche.*
Laver : *10 fraises.*

Passer le tout dans la centrifugeuse.
Déguster lentement aussitôt.

Fraise - Framboise - Amande douce

Prévoir : *3 amandes douces décortiquées.*
Laver : *15 fraises.*
15 framboises.

Passer le tout dans la centrifugeuse.
Déguster lentement aussitôt.

Cocktail pour l'automne.
À boire entre ou avant les repas.

Pomme - Prune - Raisin - Abricot

Laver ou éplucher : *1 pomme.*
Laver et dénoyauter : *4 prunes.*
4 abricots.
Laver : *1 petite grappe de raisin (une vingtaine de grains).*

Passer le tout dans la centrifugeuse.
Déguster lentement aussitôt.

Cocktail à consommer l'hiver.
À boire avant ou entre les repas.

Mandarine - Citron - Amande douce

Prévoir :	*3 amandes douces décortiquées.*
Laver ou peler :	*3 mandarines.*
	1/2 citron.

Passer le tout dans la centrifugeuse.
Déguster lentement aussitôt.

3

Les bonnes tisanes, remèdes et bains, spécial « nerfs et déminéralisation »

LES BONNES TISANES

LA TISANE « NETTOYAGE ORGANIQUE »

Excellente tisane qui aide le foie à neutraliser les toxines et les déchets. Améliore l'état général.

Composition
(quantités prévues pour préparations multiples) :

- *Aspérule odorante* .... 30 g
- *Réglisse (racine)* .... 30 g
- *Artichaut (feuilles)* .... 20 g
- *Busserole (feuilles)* .... 10 g
- *Caille-lait (sommités fleuries)* .... 10 g
- *Cassis (feuilles)* .... 10 g

- *Centaurée (sommités fleuries)* .... 10 g
- *Prêle (plante)*.......................... 10 g
- *Romarin (sommités fleuries)* .... 10 g
- *Souci (fleurs)* .... 10 g

Bien mélanger les plantes.

Préparation :

– Mettre 1 bonne cuillère à soupe de ce mélange par tasse d'eau bouillante.
– Faire bouillir doucement 2 min.
– Laisser infuser 10 min.
– Passer et boire 1 tasse 15 min avant chaque repas.
– Facultatif : édulcorer au miel selon goût.

Durée de la cure :

3 semaines, à renouveler selon besoin.

TISANE « DÉPURATIVE »

Très efficace pour l'élimination générale et intestinale.

Composition
(quantités prévues pour préparations multiples) :

- *Bourdaine (écorce)*........................ 30 g
- *Saponaire* .... 20 g
- *Millepertuis (sommités fleuries)*........... 20 g
- *Garance (racine)* .... 15 g
- *Réglisse (racine)*.......................... 15 g
- *Bourrache (feuilles)* .... 10 g

- *Prêle* .... 10 g
- *Salsepareille* .... 10 g
- *Séné (folioles)* .... 10 g
- *Serpolet* .... 10 g

Bien mélanger les plantes.

Préparation :

– Mettre 1 cuillère à soupe de ce mélange par tasse d'eau.
– Porter à ébullition et faire bouillir doucement 3 min.
– Laisser infuser 15 min.
– Passer et boire 1 tasse au coucher.
– Facultatif : édulcorer au miel selon goût.

Durée de la cure :

10 jours, à renouveler selon besoin.

TISANE DIURÉTIQUE

Favorise un bon drainage des reins et de la vessie, à faire quatre fois dans l'année.

Composition
(quantités prévues pour préparations multiples) :

- *Reine-des-prés* .... 30 g
- *Busserole (feuilles)* .... 25 g
- *Chiendent (racine)* .... 25 g
- *Bourse-à-pasteur* .... 15 g
- *Bruyère (fleurs)* .... 15 g

- *Bugrane (racine coupée)* .... 15 g
- *Chardon-Roland (racine)* .... 15 g
- *Ortie piquante (racine)* .... 15 g
- *Queues de cerise* .... 15 g

Bien mélanger les plantes.

Préparation :

– Mettre 3 bonnes cuillères à soupe de ce mélange pour 4 tasses d'eau.
– Porter à ébullition et laisser bouillir 1 min.
– Laisser infuser 20 min.
– Passer et boire à volonté dans la journée.
– Facultatif : édulcorer au miel selon goût.

Durée de la cure :

10 jours.

INSOMNIE – DÉPRESSION NERVOSITÉ

Excellente tisane autant pour l'insomnie que pour les états dépressifs et la nervosité.

Composition
(quantités prévues pour préparations multiples) :

- *Aspérule odorante (sommités fleuries)* .... 25 g
- *Calament (plante)* .... 25 g
- *Mélisse (feuilles)* .... 25 g
- *Menthe poivrée (feuilles)* .... 25 g
- *Serpolet* .... 25 g

- *Valériane (racine)* .... 25 g
- *Aubépine (fleurs)* .... 15 g
- *Passiflore (feuilles)* .... 15 g

Bien mélanger les plantes.

Préparation :

– Mettre 2 cuillères à soupe de ce mélange par tasse d'eau.
– Porter à ébullition.
– Laisser infuser 5 min.
– Passer et boire 2 ou 3 tasses par jour, loin des repas.

Durée de la cure :

10 jours, à renouveler selon besoin.

À utiliser alternativement avec la tisane suivante, afin d'éviter l'accoutumance.

INSOMNIE – ANGOISSE NERVOSITÉ

Très efficace en cas d'angoisse et de migraines.

Composition
(quantités prévues pour préparations multiples) :

- *Violette (fleurs)* .... 25 g
- *Anis vert (fruits)* .... 25 g
- *Valériane (racine)* .... 25 g
- *Oranger (feuilles)* .... 20 g
- *Camomille romaine (fleurs)* .... 20 g

- *Coquelicot (fleurs)* .... 20 g
- *Marjolaine*........................ 20 g

Bien mélanger les plantes.

Préparation :

– Mettre 1 cuillère à soupe de ce mélange par tasse d'eau bouillante.
– Laisser infuser 10 min.
– Passer et boire 1 tasse au coucher.

Durée de la cure :

10 jours, à renouveler selon besoin.

TISANE SPÉCIALE « À BOUT DE NERFS »

Une très bonne formule en cas
de grande nervosité, palpitations ou spasmes.

Composition
(quantités prévues pour préparations multiples) :

- *Valériane (racine)*........................ 30 g
- *Aubépine (fleurs)* .... 20 g
- *Narcisse (fleurs)*........................ 20 g
- *Angélique (semences)*........................ 10 g
- *Balsamine (sommités fleuries)* .... 10 g
- *Olivier (feuilles)* .... 10 g
- *Origan*........................ 10 g
- *Sauge*........................ 10 g

Bien mélanger les plantes.

Préparation :

- Mettre 2 cuillères à soupe de ce mélange par tasse d'eau bouillante.
- Laisser infuser 10 min.
- Passer et boire 2 ou 3 tasses par jour, hors des repas.

Durée de la cure :

10 jours, à renouveler selon besoin.

À utiliser alternativement avec la tisane suivante, afin d'éviter l'accoutumance.

CRISE DE NERFS SPASMOPHILIE

Un mélange de plantes qui combat les grandes agitations et la fatigue nerveuse.

Composition
(quantités prévues pour préparations multiples) :

- *Basilic* .... 20 g
- *Lavande (fleurs)* .... 20 g
- *Tilleul (fleurs)* .... 20 g
- *Valériane (racine)* .... 20 g
- *Oranger (boutons)* .... 15 g
- *Primevère (fleurs)* .... 15 g
- *Saule (chatons)* .... 15 g
- *Angélique (semences)* .... 10 g
- *Lotier corniculé (fleurs)* .... 10 g

Bien mélanger les plantes.

Préparation :

- Mettre 2 cuillères à soupe de ce mélange par tasse d'eau.
- Porter à ébullition et laisser bouillir 1 min.
- Laisser infuser 10 min.
- Passer et boire 2 ou 3 tasses par jour, loin des repas.

Durée de la cure :

10 jours, à renouveler selon besoin.

DÉMINÉRALISATION
FATIGUE – ANÉMIE

Tisane qui combat efficacement la lassitude, l'anémie, la spasmophilie et la tétanie.

Composition
(quantités prévues pour préparations multiples) :

- *Cassis (feuilles)* .... 30 g
- *Petite centaurée (sommités fleuries)* .... 30 g
- *Lamier blanc* .... 25 g
- *Prêle* .... 25 g
- *Romarin (sommités fleuries)* .... 25 g
- *Ache (racine)* .... 20 g
- *Aunée* .... 20 g
- *Lavande* .... 20 g
- *Germandrée (sommités fleuries)* .... 15 g
- *Houblon (cônes)* .... 15 g

Bien mélanger les plantes.

Préparation :

- Mettre 1 cuillère à soupe de ce mélange pour 1 tasse d'eau.
- Porter à ébullition et faire bouillir doucement 5 min.
- Laisser infuser 10 min.
- Passer et boire 1 tasse au cours de chaque repas.
- Facultatif : édulcorer au miel selon goût.

Durée de la cure :

3 semaines, à renouveler selon besoin.

TISANE « TONUS ET DYNAMISME »

Tonifiante sans énerver ni exciter, elle agit contre la fatigue et elle aide à surmonter les périodes dépressives et l'asthénie.

Composition
(quantités prévues pour préparations multiples) :

- *Basilic* .... 25 g
- *Mélilot* .... 20 g
- *Menthe poivrée* .... 20 g
- *Menthe poliot* .... 20 g
- *Romarin* .... 20 g
- *Sauge* .... 20 g
- *Thym* .... 20 g

Bien mélanger les plantes.

Préparation :

- Mettre 1 cuillère à soupe de ce mélange pour 1 tasse d'eau.
- Porter à ébullition.
- Laisser infuser 15 min.
- Passer et boire 2 ou 3 tasses par jour, entre les repas.
- Facultatif : édulcorer au miel selon goût.

Durée de la cure :

3 semaines, à renouveler selon besoin.

DÉPRESSION
DÉCALCIFICATION – FATIGUE
« RAS-LE-BOL »

Macération œuf-citron

Une macération minéralisante d'une exceptionnelle efficacité. Y recourir aussi souvent que nécessaire.

Composition :

- 1 œuf cru dans sa coquille.
- 2 citrons.

Préparation :

Le soir :
- Mettre l'œuf entier dans une tasse. (Après avoir lavé la coquille sous le robinet.)
- Presser deux citrons.
- Verser le jus des citrons sur l'œuf de sorte qu'il le recouvre entièrement.
- Laisser macérer toute la nuit.

Le matin à jeun :
- Retirer l'œuf délicatement de la tasse. (Il pourra être utilisé normalement pour la cuisine.)
- Bien remuer le citron et boire la macération (sans se laisser rebuter par les dépôts blancs ou par la coloration brunâtre du jus de citron).

Durée de la cure :

3 semaines, à renouveler dans l'année.

ASTHÉNIE – DÉPRESSION
CHUTE DES CHEVEUX

Cure de blé germé

La cure de blé germé combat la dépression, l'abattement et la décalcification. Réputée pour ses effets rapides et durables.

Composition :

graines de blé à germer (de qualité biologique).

Préparation :

- Disposer 5 cuillères à café de blé entier (à germer) dans un germoir ou une assiette.
- Trier le blé comme s'il s'agissait de lentilles et rincer abondamment sous un robinet d'eau tiède.
- Couvrir le blé rincé d'eau tiède, puis recouvrir le tout avec un couvercle.
- 24 heures plus tard, bien rincer, laisser sans eau, mais remettre le couvercle.
- Bien rincer chaque jour, jusqu'à ce qu'une petite pointe blanche apparaisse : le germe. (Il est bon à consommer depuis l'apparition de la pointe blanche, jusqu'à ce que le germe mesure 5-6 mm.)
- Rincer et consommer le blé aussitôt (1 à 4 cuillerées à café par jour).
- Le blé germé accompagne les salades, les potages, les yaourts ou se consomme tel quel.

Durée de la cure :

3 semaines.

N.B. : L'hiver, placez le germoir dans un endroit tiède de la cuisine. L'été, évitez la grande chaleur.

Alternez avec la cure suivante.

DÉMINÉRALISATION
ABATTEMENT – GRANDE
FATIGUE

Cure de tournesol germé

La cure de tournesol germé, à l'instar de celle du blé germé, donne d'excellents résultats.

Composition :

• graines décortiquées de tournesol.

Préparation :

– Pour faire germer le tournesol, procéder comme avec le blé. (C'est encore plus facile.)
– Décortiqué, il se consomme tout de suite après un court trempage (4 heures).
– Il est excellent d'alterner les cures de blé et de tournesol, d'un mois sur l'autre.

UNE CURE DYNAMISANTE ET DÉSINTOXICANTE

Cure d'eau argileuse

La cure d'eau argileuse tonifie et nettoie l'organisme.

Composition :

- argile verte en poudre.

Préparation :

– Le soir, mettre dans 1 verre d'eau 1 cuillère à café d'argile. Ne remuez pas, l'argile se dissoudra seule.
– **La première semaine :** boire le matin à jeun l'eau argileuse, sans remuer la solution (laisser le dépôt d'argile au fond du verre).
– **La deuxième et la troisième semaine :** le matin à jeun, remuer la solution avec une cuillère en bois et boire aussitôt l'eau avec l'argile.

Durée de la cure :

3 semaines.
Peut s'effectuer à chaque changement de saison.

N.B. : Dans certains cas (rares !) la cure d'eau argileuse peut faire monter la tension. Il faut alors, à la deuxième et troisième semaine, continuer à boire l'eau sans remuer l'argile que vous laisserez au fond du verre.

IRRITATION NERVEUSE
INSOMNIE

Fomentations

Les fomentations : des compresses humides et très chaudes, qui calment la nervosité et procurent un sommeil doux. Elles soulagent les douleurs aussi efficacement (notamment celles du dos et de la sciatique).

Préparation :

- Verser de l'eau très chaude dans une bassine ou un fait-tout.
- Y tremper 2 serviettes-éponges de taille moyenne.
- Sortir une des serviettes de l'eau et essorer (mettre des gants de caoutchouc, pour ne pas se brûler). Plier en quatre.
- Appliquer sur le plexus solaire (ou au dos) avec prudence : la serviette doit être très chaude, mais pas brûlante.
- Essorer la deuxième serviette, plier et appliquer aussitôt que la première commence à refroidir.
- Procéder ainsi pendant 20 à 30 min.

« NŒUD À L'ESTOMAC »
ANGOISSE – PALPITATIONS

Cataplasme aux feuilles de lierre grimpant

Le cataplasme de son et de feuilles de lierre grimpant est sédatif. Il apaise l'angoisse, calme l'énervement, les palpitations et l'« estomac noué ».

Composition :

- *Lierre grimpant* .... 4 poignées
  (frais ou sec)
- *Son* .... 6 poignées

Préparation :

- Mettre le lierre et le son dans une casserole, verser dessus 3 ou 4 verres d'eau, et mélanger le tout.
- Faire cuire en remuant jusqu'à élimination totale de l'eau (5 à 10 min).
- Étaler ce mélange sur une gaze, en une couche de 2 cm d'épaisseur, sur une surface équivalente à environ deux mains posées à plat.
- Replier la gaze, pour bien maintenir le mélange.
- Placer le cataplasme chaud mais non brûlant sur le plexus solaire, le cœur et l'estomac.
- Installer le bandage et garder deux heures (ou toute la nuit).
- Selon besoin, renouveler l'application pendant quelques jours. Le cataplasme s'applique à n'importe quel moment et ne sert qu'une fois.

LES BAINS

BAIN FORTIFIANT

Souverain pour retrouver l'énergie.

• *bruyère – menthe – romarin – sauge – thym – sel marin.*

Préparation :

– Mettre 1 poignée de chaque plante dans un sachet en coton fermé par un lacet.
– Plonger ce sachet dans un fait-tout contenant 4 litres d'eau.
– Porter à ébullition et laisser bouillir 15 min.
– Verser l'eau et le sachet fermé dans un bain chaud, selon habitude, en y ajoutant 100 g de sel marin non raffiné.
– Rester dans ce bain 20 à 30 min, en ajoutant de temps à autre de l'eau chaude pour maintenir la température.
– Masser le corps avec le sachet de plantes.
– Sortir du bain, se couvrir chaudement et se reposer ou transpirer.
– S'essuyer avec un gant humide et se coucher.

BAIN « SOMMEIL DOUX »

Apaise la dépression, calme le système nerveux et permet un doux sommeil.

- *Son* .... 1 kg
- *Feuilles de noyer*.......................... 200 g
- *Feuilles de vigne rouge*.................... 100 g

Préparation :

– Mettre 1 kg de son, 200 g de feuilles de noyer et 100 g de feuilles de vigne rouge dans un grand sachet en coton, fermé par un lacet.
– Plonger le sachet dans un fait-tout contenant 4 litres d'eau.
– Porter à ébullition et laisser bouillir doucement pendant 15 min.
– Verser l'eau et le sachet fermé dans un bain chaud.
– Rester dans ce bain 20-30 min, en ajoutant de temps à autre de l'eau chaude pour maintenir la température.
– Masser le plexus solaire et la nuque avec le sachet de plantes.
– Sortir du bain, se couvrir chaudement et se reposer ou transpirer.
– S'essuyer avec un gant humide et se coucher.

4

Les trois dimensions de l'être

Que l'être humain est complexe et exigeant ! On lui apporte la santé physique, mais aussi les moyens de résoudre ses conflits psychologiques, pour parvenir enfin à la confiance en soi. Et croyez-vous qu'il soit heureux ? Eh bien non, il reste insatisfait, le vieux leitmotiv le hante encore : « Il me manque quelque chose. » Alors que devons-nous faire pour approcher de plus près ce bonheur tant convoité ? Qu'avons-nous oublié ?

Peut-être le fait qu'on ne peut réduire les humains à leur enveloppe charnelle ou à une machine à penser et sentir… Notre être se compose de trois dimensions, très différentes, mais qui communiquent entre elles et sont indissociables :

– la dimension physique (le corps) ;

– la dimension psychologique (les émotions et l'intellect) ;

– *et la dimension spirituelle* (l'esprit).

Chaque partie, chaque aspect de notre personne, a ses réclamations qu'il nous incombe de satisfaire.

1) Ignorer les besoins du corps physique, c'est mal le nourrir, et laisser les toxines l'envahir.

2) Ignorer les besoins du corps psychologique, c'est laisser les pensées négatives habiter le mental, c'est refouler ses émotions dans l'inconscient et subir le stress qui en découle.

3) Ignorer les besoins de l'esprit, c'est penser uniquement à son « petit soi », à ses intérêts personnels, sans se préoccuper des autres ni de cette planète dont pourtant nous faisons partie !

Faute de parvenir à un accord harmonieux entre nos trois facettes, nous sommes soumis à des choix stressants. Notre existence nous apparaît comme un écheveau de situations conflictuelles, ce que reflète d'ailleurs notre discours : « J'ai envie de faire telle chose, mais je n'en ai pas le droit » ; « il ne faut pas » ; « je déteste telle chose, mais j'y suis obligé » ; « je n'ai pas le choix ». Nous nous sentons écartelés.

Telle personne, convaincue du bienfait de la médecine naturelle, s'empiffre pourtant de charcuteries ou d'alcools, par habitude, par tradition. Telle autre, militante écologiste, supporte mal de travailler – mais il faut bien vivre ! – au sein d'une compagnie responsable de nombreuses dégradations de l'environnement. Une autre encore « sacrifie » un désir de carrière artistique aux exigences de la vie de famille. Tout notre malheur provient du fait que nous ne veillons pas suffisamment à harmoniser nos conceptions morales (corps spirituel), nos activités professionnelles (corps psychologique) et notre hygiène de vie (corps physique). Les dilemmes et les contradictions qui en résultent sont source de conflits intérieurs permanents, lesquels vont consumer notre énergie de vivre et affaiblir nos immunités. Peu à peu nous cédons à la fatigue, aux dépressions et à la maladie.

Comment réaliser l'accord entre nos trois dimensions, obtenir la cohérence de notre être ? Autrement dit, comment s'y prendre pour être *totalement* bien dans sa peau ?

Première question : Y a-t-il une dimension « prioritaire » ? Doit-on commencer par mettre de l'ordre dans le physique ou dans le psychologique ? En fait, nous avons vu que ces domaines étant interdépendants, il faudrait les soigner de façon concomitante. Dans la pratique, certains commencent – comme je l'ai fait moi-même – par réformer leur alimentation : ils apprennent à nettoyer leur corps. Puis ils éprouvent le besoin d'aller plus loin grâce à une nouvelle hygiène émotionnelle. D'autres en revanche se lancent d'abord dans un travail psychologique (libération émotionnelle, psychothérapie, voire psychanalyse), pour réaliser chemin faisant que leur bien-être passe *parallèlement* par la santé physique.

Pour retrouver le bien-être, vous pouvez porter l'accent sur le domaine de votre choix. Allez au plus simple. Mais gardez en mémoire que vous ne parviendrez au vrai bonheur qu'après avoir soigné les trois dimensions de votre personne.

Une spiritualité... laïque

La plupart des gens se trouvent davantage mobilisés par leur corps physique, dont ils connaissent les besoins :

– Absorber des menus sains et équilibrés, composés avec des aliments biologiques.

– Veiller à une bonne élimination quotidienne (de la vessie, des intestins et des poumons).

– Avoir un toit sur la tête pour se protéger.

– Améliorer sa respiration, avoir une activité physique adaptée et régulière.

– Avoir une vie sexuelle harmonieuse.

Pour répondre aux besoins de votre dimension « psychologique » vous savez désormais qu'il faut impérativement :

– Exprimer toutes ses émotions.

– Éliminer le stress et les tensions engendrés par la peur, les colères et les frustrations de la vie présente.

– Cicatriser les traumatismes affectifs du passé.

– Mieux utiliser les fantastiques ressources du cerveau intellectuel.

Mais qu'en est-il de notre « âme » ? Savons-nous reconnaître ses besoins ? Savons-nous assouvir nos « faims » spirituelles ?

Je devrais sans doute commencer par définir un peu mieux ce que désigne le terme « spirituel ». Pour certains, ce terme est synonyme de foi fervente en Adonaï, Jésus ou Allah ; pour d'autres, il n'évoque que le souvenir de rites ennuyeux, voire hypocrites, perpétués dans des synagogues, églises ou mosquées… Quelle vision réductrice ! Notre dimension spirituelle peut en effet s'exprimer au travers de la religion, mais elle est bien plus vaste que tous les dogmes ou cultes. Elle n'est rien d'autre que cette partie éternelle, présente en chacun de nous, qui continue à vivre même après la disparition de notre corps physique.

C'est notre dimension spirituelle qui nous donne un sentiment d'appartenance à un « tout » qui nous dépasse et nous englobe. C'est elle encore qui parle lorsque nous nous posons des questions comme : « Qui suis-je ? » ; « quelle est ma raison de vivre, mon rôle dans l'existence ? » ; « quel est le sens de ma vie ? »

Si nous laissons ces questions sans réponse, nous connaîtrons un sentiment d'insatisfaction qui finira par gâcher nos plus belles joies.

Cohérence et harmonie

Car ne nous y trompons pas ! Le manque, la « faim » qui peut s'installer dans notre corps spirituel, nous fait autant souffrir que la faim physique ou émotionnelle. Évidemment, elle n'est pas aussi facile à identifier et à localiser. Certains parlent de « souffrances inexpliquées », d'autres se sentent déprimés « sans raison », ou s'enfoncent dans les dépendances quand ils avaient « tout pour être heureux ».

C'est ainsi : notre existence ne se résume pas au fait de manger, travailler, s'amuser et dormir. Elle a un sens supérieur, et une part de l'activité spirituelle consiste précisément à chercher ce sens. Notre société s'est longtemps efforcée de substituer à de telles aspirations un dogme de consommation. En vain. Nous portons ancrée en nous l'intime conviction que nous faisons partie du vaste ensemble de la Création. Nous sentons confusément que, pour atteindre la « pleine réalisation », nous devons aller au-delà de nos intérêts strictement individuels pour nous fondre dans « quelque chose de plus grand que soi ».

C'est là probablement le signe infaillible de notre troisième dimension : chaque fois que nous sommes incités à dépasser le stade personnel pour élargir notre pensée à l'univers des autres, chaque fois que nous privilégions l'altruisme par rapport à l'égoïsme, nous évoluons dans le « spirituel ».

Ce mouvement vers les autres, vers l'ouverture et la communication, ce n'est pas la « cerise sur le gâteau » mais un réel *besoin* de notre esprit. Pour l'assouvir, nombreux sont ceux qui s'investissent dans des actions caritatives et dans le bénévolat. Souvent d'ailleurs, ils ignorent la notion de « faim spirituelle », mais en entreprenant des actions qui vont au-delà de leurs intérêts personnels ils se sentent plus épanouis, plus sereins. La raison en est simple : tout en aidant autrui, ils répondent aux faims de leur corps spirituel, lequel, après chaque bonne action, leur murmure à l'oreille : « Merci de bien me nourrir ! »

Les trois registres de l'expression humaine

Il faut se représenter l'être humain comme habité par une énergie qui s'exprime de trois manières distinctes : physique, psychologique et spirituelle. Le célèbre médecin canadien Hans Selyé (chercheur et promoteur du concept de « stress ») a montré comment chaque partie possède sa propre façon d'exprimer un trop-plein de stress.

• Dans le corps physique, nous somatiserons : nous « ferons » des maladies, des plus simples aux plus graves.

• Dans le corps psychologique, nous dirons : « Je n'en peux plus ! » Ce sera la crise de nerfs, ou bien la confusion dans notre esprit.

• Dans le corps spirituel, nous nous sentirons envahis par un sentiment d'inutilité et de désespoir : « À quoi bon vivre ? »

Pour éviter d'en arriver là, nous devons être capables d'identifier chacune des dimensions de notre personne. Surtout, nous devons apprendre à les satisfaire avec précision.

LE CORPS
(le pont entre le

Les besoins du corps spirituel :

– Se relier à quelque chose de plus grand que soi, à une valeur qui unit tous les humains.

– Se relier à la bonté, à l'amour, à la fraternité, à la foi, à tout ce qui vit. Ce besoin s'exprime au travers des œuvres caritatives, du partage, de l'implication dans la vie associative, l'enseignement, la prière, la méditation.

– Se relier à la beauté : par l'expression de tous les arts (musique, chant, peinture, danse, poésie...).

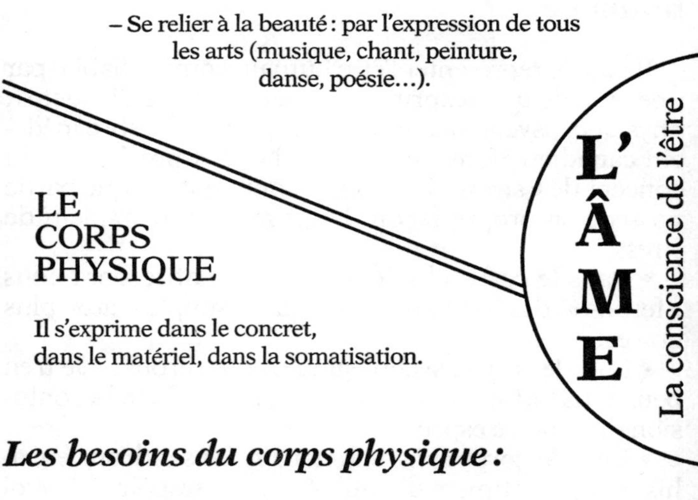
LE CORPS PHYSIQUE
Il s'exprime dans le concret, dans le matériel, dans la somatisation.
L'ÂME
La conscience de l'être

Les besoins du corps physique :

– La faim et la soif, le sommeil.

– La protection contre le froid et le chaud, et contre les intempéries.

– La sécurité physique.

– La bonne respiration, l'activité physique.

– L'activité sensuelle et sexuelle.

SPIRITUEL
visible et l'invisible)

– Appartenir à un groupe, une association, en partageant une idéologie et en œuvrant pour l'amélioration du sort des humains.

– « L'accomplissement de soi et de quelque chose » (d'après Maslow).

– « La création et l'ouverture » (d'après Moreno)

– L'amour de la nature, de la vie, l'émerveillement, la paix intérieure, l'espoir : croire que l'on est soi-même, et avec les autres, capable de surmonter les écueils.

– Être en communion, fusionner avec tout ce qui vit dans l'univers.

ıe
essence
personne
aine.
là que
lent
unicité,
otre
nalité
luctible.
elle est
ue à
que être
ıain !

LE
CORPS
PSYCHOLOGIQUE
(l'émotionnel et l'intellectuel)

Les besoins de l'aspect émotionnel :

– Donner et recevoir de l'affection, de l'amour et de l'amitié.
– Partager ses émotions avec autrui.
– Éliminer les tensions nées de la colère, de la tristesse, de la peur.
– Recevoir des signes de reconnaissance : être apprécié, reconnu, exister aux yeux des autres.
– Avoir confiance en soi.
– Avoir « sa place » dans le monde.

Les besoins de l'aspect intellectuel :

– Réfléchir, raisonner, comprendre, apprendre, lire, écouter, discuter, s'informer, partager des connaissances.

5

Soigner nos trois corps

Pour rester en bonne santé, chacun de nos trois corps doit respecter les quatre impératifs suivants :

1) Être stimulé.

2) Être nourri.

3) Disposer d'un environnement adéquat pour recevoir cette nourriture.

4) Éliminer.

Voyons ce qu'il en est dans le détail.

Le corps physique

Mes ouvrages précédents lui étaient largement consacrés. Je me contenterai ici d'un bref rappel.

1) La stimulation

– Elle s'effectue par toutes les sensations intérieures ou extérieures que nous transmettent nos cinq sens : chaud, froid, fatigue, faim, soif, mouvement, vision, ouïe, odorat.

2) La nourriture

– Tous les nutriments et boissons.

3) L'environnement adéquat pour recevoir la nourriture

– Cuisine, salle à manger, restaurant : pour se nourrir.

– Une salle de gymnastique, un terrain de sport : pour développer et assainir l'organisme.

– Lit, endroit intime : pour dormir ou faire l'amour.

4) L'élimination

– Par tous les émonctoires : les intestins, la vessie, les poumons, les larmes, la sueur.

– Par les mouvements, le sport, l'action.

À noter que nos sociétés sont relativement bien équipées pour satisfaire les besoins du corps physique. La nourriture y est abondante, on peut y pratiquer divers sports. Qui plus est, nous savons parfaitement quand nous avons faim, quand nous manquons d'exercice, ou quand nous avons envie de faire l'amour ! Nos autres besoins – psychologiques et spirituels – ne sont pas toujours aussi faciles à identifier.

Le corps psychologique

1) La stimulation émotionnelle et intellectuelle

– Dans l'émotionnel : cette stimulation est produite ou bien par le ressenti d'une émotion, ou bien par toute situation d'échange et de communication avec autrui. Par les signes de reconnaissance et d'appréciation.

– Dans l'intellectuel : par la curiosité, le désir d'information.

2) La « nourriture »

– Dans l'émotionnel : l'attention, l'affection, la tendresse, l'amitié, l'amour, l'espoir.

– Dans l'intellectuel : le savoir, l'apprentissage, la lecture, les formations, les échanges intellectuels (tout ce qui fait fonctionner notre intelligence).

3) L'environnement adéquat pour recevoir la « nourriture »

– Dans l'émotionnel : tout lieu où l'on peut vivre des émotions avec une ou plusieurs personnes. Un « défouloir » où l'on peut décharger le stress émotionnel.

– Dans l'intellectuel : bibliothèques, écoles, cours, séminaires, locaux professionnels. Tout lieu où s'effectuent des échanges d'idées.

4) L'élimination

– Dans l'émotionnel : donner libre cours aux manifestations de ses émotions. Exprimer, « cracher », « expulser » les rires, les cris, les pleurs, les tremblements ou les coups (dans un coussin !). Laisser l'émotion se « vider » jusqu'à son terme.

– Dans l'intellectuel : l'élimination se fait quand on exprime le résultat de sa pensée ; on parle, on argumente, on émet des opinions, des hypothèses, on présente des conclusions.

Celui qui ne parle jamais, qui ne fait jamais part de ses réflexions n'évacue pas dans sa dimension intellectuelle : sa pensée risque de s'autoparalyser !

Le corps spirituel

1) La stimulation

– Elle s'opère par le biais de questionnements comme : « Suis-je en harmonie avec l'univers ? Quel est le sens de ma vie ? »

– Une maladie peut éventuellement se transformer en « catalyseur » de notre épanouissement, en modifiant notre vision de l'existence. D'une certaine façon, la maladie nous enseigne alors la vie.

– L'amour, le partage, la fraternité, les discussions avec des personnes spirituelles.

– La nature, la beauté, la danse, le chant, la peinture et tous les arts.

– Le corps spirituel est fortement stimulé par l'idéal de justice et de liberté. À travers l'Histoire, les révoltes ou les luttes d'indépendance nous fournissent quantité d'exemples de cet élan généreux.

2) La « nourriture »

– Elle s'accomplit par la relaxation, la méditation, la visualisation, la prière.

– Par le contact avec la nature.

– Par la pratique d'un art ou de toute activité grâce à laquelle on dépasse les limites étroites de son intérêt personnel pour adhérer à une énergie « humaine » universelle.

3) L'environnement adéquat pour recevoir la « nourriture »

– Les synagogues, églises, mosquées, temples.

– Les lieux de silence, de solitude, de retraite, où l'on peut se donner le temps de s'ouvrir à cette dimension !

– Les réunions avec des personnes partageant les mêmes conceptions.

4) L'élimination

– L'élimination spirituelle implique de s'« extérioriser », de faire sortir de son imagination toutes formes d'expressions artistiques ou d'idées propres à favoriser le bonheur général.

– Chanter, danser, jouer d'un instrument de musique sont des moyens physiques qui permettent d'exprimer les valeurs spirituelles qui nous habitent.

– Communiquer dans le registre des plus beaux sentiments humains : l'amitié, l'amour, la fidélité, la solidarité, le pardon…

– Rendre grâce, exprimer sa gratitude à l'univers qui nous offre tant de merveilles.

– Pardonner à ceux qui nous tourmentent, à ceux qui nous ont blessés… pour retrouver la paix en nous-mêmes.
– Aimer soi, autrui et tout ce qui vit, afin d'accueillir et de faire circuler en soi cette formidable énergie qu'est l'amour.

Que signifie « quelque chose de plus grand que soi » ?

L'amour de la vie, l'amitié, la justice, la liberté, la beauté, la tolérance… Comment savons-nous qu'il s'agit là de valeurs éternelles, capables de combler notre part spirituelle ?

Tout simplement parce que nous n'avons pas inventé la vie, ni l'amour, ni l'espoir. Ils existaient avant nous et existeront « de toute humanité ». Les peintures rupestres, les chansons, les poèmes, le théâtre, la danse… tout nous raconte inlassablement ces mêmes thèmes universels et intemporels. Y investir une partie de soi, si minime soit-elle, c'est déjà s'octroyer une parcelle d'éternité.

Quoi que nous fassions, nos corps physique et psychologique sont condamnés à disparaître un jour – le plus tard possible si nous en prenons bien soin. Mais quelque chose subsistera de nous. La nature nous a dotés d'un versant mortel, mais aussi d'un versant immuable : une parcelle d'énergie qui nous anime pendant toute notre « existence », et qui continue à vivre dans l'éternité après la décrépitude de notre enveloppe physique.

Nous avons *besoin* – mais aussi le *devoir* ! – de nourrir notre dimension spirituelle. Car c'est elle qui est capable de nous ouvrir sur cet infini d'amour et de beauté, de nous « brancher » sur cette énergie aussi puissante qu'inépuisable !

Cela explique probablement pourquoi tant d'hommes et de femmes dans le monde acceptent de mourir dans leur corps physique pour défendre la liberté, la justice ou l'amour : comme si, consciemment ou non, ils savaient que, en prenant la défense de telles valeurs, ils servent la Vie.

Mais cet élan reste souvent instinctif. Et parfois notre quête d'absolu peut nous conduire vers de dangereux mirages : paradis artificiels de la drogue, sectes, fanatisme religieux ou idéologique. Nos parents, ou nos professeurs, n'ont pas toujours su nous montrer que nous pouvons satisfaire notre dimension spirituelle de façon très « terre à terre », sans faire preuve d'un héroïsme exceptionnel, sans nous transformer en « saints » :

– Propager le bien-être autour de nous par nos rires et notre joie, par l'amour que nous témoignons à nos proches, ou même par notre apprentissage de la santé.

– Exalter l'amour par le partage et l'investissement dans toute œuvre caritative ou dans le bénévolat.

– Magnifier la beauté et la grâce en pratiquant un art, quel qu'il soit.

Chacun de nous doit apporter sa pierre pour la construction de l'œuvre éternelle qu'est la Vie !

Saisissez votre part d'éternité

Pourquoi le « sans domicile fixe » croisé hier nous a-t-il tant touchés ? Pourquoi sommes-nous bouleversés par le sort des enfants blessés ou orphelins en Bosnie, au Rwanda ou en mer de Chine ? Nous avons peu de chances de jamais avoir « à faire » avec eux, il est même plus que probable que nous ne les verrons jamais. Alors pourquoi faisons-nous un geste pour eux ? Pourquoi leur drame personnel nous émeut-il au point de nous empêcher parfois de dormir ? Tout simplement parce que c'est la Vie qui est en jeu, cette Humanité à laquelle nous appartenons tous ! Le rôle de notre dimension spirituelle est de se mobiliser pour défendre la Vie partout où elle est menacée.

Est-ce à dire que l'on ne peut nourrir son « troisième corps » qu'en participant à une œuvre caritative ? Non, bien sûr. C'est le chemin le plus évident, mais nous pouvons aussi servir la beauté et l'amour de la vie par le biais d'une expression artistique ! Les plus grands artistes, les vrais génies sont ceux qui sont capables, à travers leurs souffrances ou leurs joies personnelles, de créer une œuvre qui parle à chacun d'entre nous, et qui rapproche les hommes.

Mais vous allez me dire : « Je n'ai pas ce talent ! Ma part spirituelle est-elle condamnée au manque ? Je ne sais ni peindre, ni chanter, ni jouer du piano ! »

Est-ce que vous ne renoncez pas un peu vite ? Êtes-vous sûr de ne pas vous conformer à une de ces « habitudes émotionnelles » néfastes qui vous soufflent : « Je n'ai pas le sens du rythme, je n'ai aucun don artistique, je ne sais rien faire de mes dix doigts… » ?

Combien parmi nous ont jeté trop tôt aux orties leur envie de chanter, de peindre, de danser ou de faire du théâtre ? Sous prétexte qu'ils n'avaient pas le talent nécessaire ! Sous prétexte qu'il est trop tard, ou qu'ils n'y arriveront pas !

Nous commettons tous la même erreur. On s'imagine que, pour bien exprimer sa dimension spirituelle, il faut atteindre une perfection digne de l'absolu que l'on vise. Alors on se dit : « Soit je joue du piano comme Arthur Rubinstein, soit je ne joue pas du tout ! » Ou encore : « Si je dois attendre dix ans avant de savoir manier un pinceau, à quoi bon ? »

Au lieu de vous plaindre, au lieu de laisser grandir en vous une frustration destructrice, rendez grâce à l'univers en pratiquant l'art de votre choix selon vos capacités !

Vous rêviez de chanter ? Eh bien chantez maintenant ! Vous pouvez : prendre des cours de chant, rejoindre une chorale, créer avec quelques amis(es) votre propre groupe musical, donner des mini-concerts d'airs classiques ou folkloriques, partout où vous pourrez – cercle d'amis, auprès des malades à l'hôpital, des enfants orphelins, devant des prisonniers.

Vous rêvez de faire le bien sans pourtant pouvoir partir soigner les malades au bout du monde ? Faites ce bien autour de vous :

– en préparant de bons plats pour la famille, pour des personnes pauvres dans votre voisinage ;

– en plantant un arbre qui fleurira pour la génération suivante ;

– en créant des jardinières avec de belles fleurs ;

– en élevant avec amour vos enfants ou les enfants des autres ;

– en abordant les gens dans la rue avec un sourire chaleureux.

Et lorsque je vous exhorte à pratiquer un « art », prenez-le au sens le plus large possible : peu importe s'il ne figure pas sur la liste des sept arts canoniques ! Choisissez un hobby, une passion, une activité artisanale, ce que vous voulez : du moment que vous aurez trouvé un moyen de communiquer avec les autres, d'exprimer vos souffrances comme votre joie sur un mode universel, vous aurez réussi ! Vous découvrirez peu à peu que vous pouvez, dans votre vie quotidienne, et jusque dans vos tâches les plus menues, entrer en contact avec votre part d'éternité.

Offrez-vous trois plaisirs chaque jour[1]

Nourrir nos trois corps… L'entreprise est ardue ! Je sais trop bien, en effet, que nous sommes chaque jour confrontés à des exigences multiples qui nous font négliger l'une ou l'autre de nos dimensions. Nous brandissons même un alibi en béton : nous n'avons tout simplement « pas le temps » d'aller à la piscine ou au cours de gymnastique, « pas le temps » de voir telle amie malade ou de visiter telle exposition de peinture.

Et pourtant, pour notre équilibre, nous devrions être plus attentifs aux manques de chacune de nos dimensions. S'il vous est impossible de leur consacrer une journée entière dans la semaine, je suis certaine en revanche que vous pouvez trouver quelques minutes chaque jour. D'autant qu'il ne s'agit pas d'une corvée, mais d'un vrai plaisir ! Alors n'hésitez plus, offrez-vous trois petits cadeaux par jour.

Et de grâce, épargnez-vous les cadeaux empoisonnés : la cigarette, le verre de whisky ou le repas pantagruélique ! Vous vous « gâtez », mais au sens négatif du terme : vous corrompez votre organisme. Je vous garantis que vous ne faites pas plaisir aux trois dimensions de votre personne, bien au contraire !

Danièle Reito[2] me répétait avec insistance ce conseil précieux :

– Jalonne tes journées de moments agréables ! Ensoleille ton quotidien avec des « pauses-plaisir » physiques, psychologiques et spirituelles.

C'est le moyen idéal pour se dé-stresser et se convaincre de la beauté de la vie. Alors faites dès aujourd'hui trois listes de cadeaux spécifiques à vous offrir quotidiennement, au choix. Voici quelques propositions qui vous inciteront à préparer les vôtres.

1. À l'instar du Dr A. Schützenberger, dans son livre *Vouloir guérir.*
2. Danièle Reito, psychothérapeute et formatrice, était mon instructrice de travaux didactiques et de supervision.

Pour le corps physique :

– Prendre un bain parfumé.
– Mettre un bouquet de fleurs sur la table.
– Nager.
– Marcher dans un sous-bois ou dans un parc.
– Lézarder au soleil.
– Sauter dans les vagues.
– Se faire masser.
– Rester au lit jusqu'à midi.
– Boire un « cocktail-santé » !

Pour le corps psychologique :

– Embrasser tendrement celui ou celle que vous aimez.
– Écouter un de vos disques préférés.
– Téléphoner à un (e) ami(e).
– Dîner au restaurant et rire avec des amis.
– Aller à une conférence sur un sujet passionnant.
– Lire un bon livre.
– Jouer avec son animal préféré.
– Se souvenir exclusivement des choses positives survenues la veille : le sourire d'un inconnu dans la rue, une jolie chanson entendue à la radio, un coup de téléphone qui a fait plaisir, le superbe étal de fleurs chez le fleuriste, etc.

Pour le corps spirituel :

– S'émerveiller du chant des oiseaux.
– Planter un rosier, et entourer sa croissance.
– Aider quelqu'un à traverser la rue.
– Commencer à jouer du piano, à peindre.
– Lire à haute voix des poèmes avec un(e) ami(e).

– Correspondre avec un prisonnier.
– Écouter une musique inspirée.
– Engager la conversation avec votre voisin ou avec un inconnu.

Affichez vos listes sur le miroir de la salle de bains, sur la porte du frigo, dans votre bureau, notez-les dans votre agenda. Mais surtout *mettez-les en pratique* !

Et si vous manquez d'idées, tournez vite la page : la **relaxation**, la **visualisation** et la **méditation** sont trois plaisirs que vous pourrez vous offrir à tout moment !

6

La relaxation

On confond trop la relaxation avec la simple détente, ou avec le fait de s'affaler dans un fauteuil, un verre à la main. Quand ce n'est pas carrément somnoler devant la télévision...

Sachez que la relaxation est un état bien particulier, qu'on peut atteindre grâce à des techniques précises : et que cet état induit dans l'organisme des changements physiologiques de très grande importance, qui vont bien au-delà d'une simple décontraction. La relaxation permet de « faire le vide » dans son esprit et de reposer son « moteur organique » en le mettant au point mort.

Il s'agit autant de détendre le psychisme que les muscles ! Le seul fait de fermer les yeux et de nous concentrer sur notre respiration suffit à nous couper du vacarme du monde extérieur. Le rythme de nos ondes cérébrales se trouve modifié.

À l'état de veille, notre esprit anxieux est rythmé par des ondes rapides, des ondes de vigilance que l'on appelle « bêta ». Lors de la relaxation, il se met au contraire à « ronronner » en ondes « alpha » : plus lentes, elles ont la faculté d'apaiser et de favoriser la régénération de nos neurones. Ce sont ces mêmes ondes alpha qui sont émises par notre cerveau pendant la phase du sommeil de rêves. Période par excellence de dynamisation physique et psychique !

Vous vous sentez assailli par les difficultés, étouffé par une bouffée de stress ? Branchez-vous sur les « longues ondes » ! Quelques minutes en position de relaxation suffiront à vous redonner une énergie positive. Mais une « vraie » relaxation vous procure bien d'autres bienfaits :

– Elle calme la respiration.

– Elle abaisse la tension artérielle et avec elle la fréquence cardiaque.

– Elle vous remet en contact avec vous-même et vous permet ainsi de prendre du recul : vos soucis se trouvent distanciés.

– Cette relativisation de vos problèmes contribue à abaisser votre niveau d'anxiété et, par conséquent, elle diminue le taux de sécrétion des hormones de stress.

N'oubliez pas en outre que l'angoisse est une grande consommatrice d'énergie qui nous condamne souvent à une fatigue chronique. Après l'évacuation du stress par une bonne relaxation, vous vous sentirez forcément dynamisé !

L'antidote de la dépression

Si la relaxation peut se révéler aussi bénéfique, c'est d'abord – j'insiste – parce qu'elle n'est pas un simple repos ! La différence entre les deux se situe essentiellement dans l'*intention* et l'*attention* que nous apportons à notre relâchement musculaire pendant la relaxation. Il y a là un phénomène de concentration, consciente et volontaire, qui va décupler les résultats obtenus.

Mais le vrai secret de la relaxation, c'est qu'elle agit sur notre système *parasympathique*. L'ensemble de notre organisme est en effet régi par deux systèmes nerveux complémentaires.

1) Le sympathique, c'est-à-dire l'excitant, qui se charge d'adapter notre corps à l'effort et au stress.

2) Le parasympathique : le calmant, qui surveille l'équilibre du corps et le ramène vers la tranquillité.

La vie moderne, qui nous presse et nous bouscule sans répit, sollicite beaucoup trop le système sympathique, lequel s'épuise à la tâche. Et cette agitation permanente empêche le système parasympathique de jouer son rôle apaisant. Nous ne lui donnons pas l'occasion d'intervenir !

S'octroyer des moments de détente, c'est permettre enfin au parasympathique d'exercer ses fonctions régénérantes. Encore faut-il savoir s'y prendre ! Car il ne suffit pas de « piquer un somme » après le repas. Nombreux sont ceux qui croient sincèrement être « détendus » alors qu'ils restent perclus de nœuds musculaires. Beaucoup d'autres s'habituent à une tension constante et sournoise (voir ce fléau moderne qu'est le mal de dos) : depuis des années, ils ne savent même plus ce qu'est une sensation de véritable détente – à la fois physique et psychique. Et en attendant, bien sûr, ils subissent chaque jour d'importantes pertes énergétiques !

Pour tous ceux-là, la pratique de la relaxation devient indispensable. Grâce à elle, ils pourront prendre conscience de leurs blocages, et disposer d'une technique efficace pour les résorber.

Mais la relaxation est nécessaire pour chacun d'entre nous. De même qu'il n'est pas bon de laisser un appareil électrique en permanence « sous tension », nous avons *besoin*, nous autres humains, de « débrancher la prise » de temps à autre, cela pour nous offrir des plages de détente, grâce auxquelles nous allons nous ressourcer. Des moments qui nous préservent de la « déprime » et du « disjonctage nerveux » !

Deux inséparables : relaxation et respiration

Pas de relaxation sans une respiration ample. Et nous avons là quelques efforts à fournir. Car si les poumons des grands sportifs peuvent contenir jusqu'à quatre litres d'air, ceux du commun des mortels absorbent à peine un demi-litre d'air à chaque inspiration ! Soit juste de quoi ventiler les tuyauteries respiratoires.

Cette quantité d'air ne correspond absolument pas aux besoins réels de notre corps. Celui-ci se trouve donc « sous-alimenté », « sous-oxygéné ». Et cet état de semi-asphyxie, que nous entretenons toute notre vie, est en partie responsable de nos angoisses et de nos dépressions, d'un affaiblissement de nos défenses immunitaires, de notre perte de mémoire et d'un vieillissement prématuré.

Un souffle ample est au contraire source de vie organique : il accroît la résistance des globules blancs et rajeunit le corps. Mais la respiration entretient aussi des liens importants avec le psychisme, et avec notre émotivité : il suffit de penser à notre souffle saccadé en cas de « trac » ou de peur.

Si une joie extrême ou une frayeur intense peuvent influer sur notre débit respiratoire, nous pouvons inversement canaliser ces émotions et leur permettre une évacuation sans entrave en allongeant notre inspir et notre expir. Une respiration profonde « masse » notre plexus solaire (appelé aussi le « cerveau abdominal ») et régularise à travers lui tout notre système nerveux.

Qui n'en a pas déjà fait l'expérience ? Ne suffit-il pas de respirer plusieurs fois « à pleins poumons » pour dominer une situation de panique ou pour répondre calmement à une personne agressive ? La respiration profonde a le pouvoir d'interrompre l'activité fébrile du mental, elle éloigne les pensées empreintes de rage ou d'anxiété. Elle est donc la *partenaire indispensable* de toute relaxation.

Apprendre à se relaxer

Une respiration profonde, dans un endroit où l'on peut s'asseoir dans le calme (chez soi, dans sa voiture ou sur son lieu de travail), les yeux fermés, et on commence déjà à se relaxer. Chaque fois que vous vous sentirez saisi par un malaise indéfinissable, par des envies de tout casser ou par un spleen à couper au couteau, faites vite une relaxation ! Déconnectez votre mental qui tourne désespérément en rond. Pendant quelques minutes, vous devez « décoller » des événements stressants !

Grâce à la relaxation, vous allez retrouver le calme : et dans ce silence intérieur, vous aurez probablement la chance d'entendre la voix de votre être intime. Prenez le temps d'entrer en vous-même, faites ce premier pas vers la connaissance de votre vrai moi. Alors vous serez récompensé : vous entendrez une voix vous chuchoter la meilleure attitude à adopter face à vos problèmes. Elle vous inspirera la solution la *meilleure*, celle que souhaite votre être véritable.

Encore faut-il apprendre à se relaxer efficacement...

Les différents types de relaxation

Les méthodes proposées pour parvenir au calme sont nombreuses. Chacune d'elles répond à une demande particulière. Je me contenterai ici de mentionner quelques-unes parmi les plus connues.

• La méthode Jacobson

Jacobson fut un des pionniers de la relaxation au début des années 50. Il insista tout particulièrement sur cet illogisme qui nous faisait chercher la détente physique... sans travailler parallèlement la détente psychique (et inversement). C'est aujourd'hui une évidence : la rumination mentale est un poison pour notre corps, de même que la dégradation de notre organisme entraîne celle de notre psychisme.

Jacobson eut aussi le mérite de mettre l'accent sur l'importance de la relaxation du diaphragme. C'est en effet la tension anormale du muscle diaphragmatique (lequel « coiffe » tous les organes de l'abdomen) qui nous empêche d'exprimer nos émotions. Ce muscle devra donc être l'objet de toute notre attention lors de nos exercices.

• La méthode « training autogène » de Schultz

Le psychiatre allemand Johannes Schultz a développé une technique très célèbre d'autorelaxation. La personne est invitée à imaginer des sensations psychologiques de pesanteur et de chaleur. Ce travail de conditionnement par l'imagination agit sur le corps et détermine une relaxation bienfaisante (voir détails dans les pages suivantes).

• La sophrologie

En 1960, Antonio Caycédo a fondé l'École sophrologique pour faire connaître la méthode de relaxation du même nom, qui est aujourd'hui la plus utilisée dans le monde, y compris désormais dans certains hôpitaux.

Cette méthode nécessite un long apprentissage mais elle permet d'accéder à un niveau profond d'ondes cérébrales (jusqu'au niveau subliminal !), et peut produire des phénomènes psycho-physiques et psycho-neurologiques (état modifié de conscience).

• La relaxation par l'image

Cette méthode a été mise au point en France par Anne-Marie et Rémy Filliozat, qui l'enseignent dans leur École de conseillers en santé holistique.

Elle part d'un constat simple : nombreux sont ceux (surtout parmi les anxieux) que la relaxation rebute. Prisonniers de la ronde de leurs pensées, ils ne parviennent pas à « faire le vide mental ». Le recours aux images a l'avantage de rendre la relaxation plus facile, plus rassurante, mais aussi plus efficace. Grâce aux « systèmes » Silva, puis Simonton (voir plus loin), la visualisation n'est plus un simple supplément : elle devient une arme thérapeutique de premier choix.

Exemples de relaxation

Pour toutes les méthodes exposées ici, veillez toujours à vous installer dans un lieu tranquille. Au besoin, n'hésitez pas à débrancher votre téléphone. Abandonnez le monde extérieur pour vous concentrer sur le monde intérieur – le vôtre !

Relaxation de base

(à effectuer couché ou assis,
les yeux fermés ou ouverts)

• Étendez-vous ou asseyez-vous dans la position le plus confortable possible.

• Vous pouvez fermer les yeux ou les laisser ouverts.

• Relaxez successivement tous les muscles du corps en commençant par les pieds, puis les jambes, le bassin, l'abdomen, la poitrine, le dos, les bras, les épaules, le cou et la tête.

• Pendant que vous vous concentrez sur cette relaxation progressive, respirez calmement par le nez.

• Inspirez silencieusement et confortablement.

• En expirant, répétez des mots comme « paix », « bien », « calme », ou le célèbre mantra « Om ».

• Ne vous laissez pas distraire ni énerver par des rêveries ou par toutes sortes de pensées parasites qui traversent votre esprit. Calmement et imperturbablement, acceptez leur présence sans y prêter attention, en répétant le mot que vous avez choisi. Elles partiront comme elles sont venues.

• Commencez par des exercices d'une dizaine de minutes, pour arriver à une relaxation de vingt minutes.

• Placez à proximité une pendulette à gros chiffres, pour lire facilement l'heure. Surtout ne faites pas sonner un réveil à sonnerie stridente !

• Après la relaxation, ne bondissez pas comme un diable de sa boîte. Restez encore quelques minutes au calme, les yeux ouverts, avant de vous lever. Vous êtes maintenant détendu et prêt à accomplir les tâches qui vous attendent aujourd'hui.

• Ne vous mettez pas martel en tête pour savoir si vous avez « réussi » votre relaxation, si vous avez fait « comme il faut ». Répétez simplement cet exercice chaque jour dans le calme, et très vite vous saurez comment l'approfondir. Vous en sentirez rapidement tous les bienfaits !

Relaxation pour hypertendus

ou pour ceux qui ignorent tout de la relaxation
(d'après la méthode Jacobson)

• Vous pouvez l'effectuer en position assise, et même les yeux ouverts. Mais vous serez mieux sur un matelas, un lit ou un fauteuil à bascule.

• La méthode Jacobson répond en particulier aux besoins des personnes hypertendues, dont le stress s'accompagne de tensions musculaires *inconscientes* dans les épaules, la nuque, la mâchoire, la langue, le cou, les mains et les doigts.

• La méthode Jacobson les invite à se contracter encore plus fort… pour mieux se relâcher ensuite ! Cette phase dynamique leur permet de faire la différence entre un muscle tendu et un muscle vraiment relâché. Dans un premier temps, poussez au maximum la tension de vos muscles, puis « desserrez »-la, en prenant conscience de cette nouvelle et agréable sensation.

• À chaque contraction volontaire, comptez en silence jusqu'à cinq. Puis relâchez.

• Serrez vos orteils aussi fort que possible, en comptant mentalement jusqu'à cinq. Relâchez.

• Serrez vos chevilles et mollets aussi fort que possible, en comptant mentalement jusqu'à cinq. Relâchez.

• Serrez les muscles des cuisses aussi fort que possible, en comptant mentalement jusqu'à cinq. Relâchez.

• Serrez l'un après l'autre et dans l'ordre proposé chacun de vos muscles, en comptant mentalement jusqu'à cinq, puis relâchez-vous complètement : l'estomac ; la poitrine ; les fesses ; le dos (arquez-le) ; les avant-bras et biceps ; les épaules (haussez-les) ; le cou ; la mâchoire et la bouche ; les yeux (fermez-les) et le nez ; les sourcils (haussez-les).

• Pour bien réussir cette excellente relaxation, je vous conseille d'enregistrer la marche à suivre sur un magnétophone, en ménageant des pauses suffisantes pour la contraction et la relâche de chaque muscle. Vous n'aurez ainsi qu'à lancer la cassette et à suivre les instructions dans l'ordre. Vous pouvez d'ailleurs procéder de la sorte pour les autres relaxations.

• Ne vous levez pas immédiatement après la fin de la relaxation. Ouvrez les yeux et donnez-vous quelques minutes supplémentaires pour savourer votre bien-être, pour sentir votre sang circuler avec plus de vigueur.

Relaxation « anti-rancœurs »

• Couché, les yeux fermés, relaxez-vous profondément.

• Relâchez vos articulations les unes après les autres : commencez par les pieds pour finir par la tête.

• À chaque expiration, laissez partir tous les souvenirs douloureux qui minent votre organisme.

• Inspirez doucement et, à l'expiration, relâchez les tensions, libérez les craintes, les culpabilités, les colères, les blocages.

• Sentez vos articulations se détendre, allongez doucement les ligaments, donnez-vous la permission de « grandir ».

• Sentez à présent les liquides intra-articulaires couler librement.

• Percevez le liquide autour de votre cerveau en train de couler de manière fluide et calme.

• Toute gêne, tout obstacle ou entrave ont disparu. Vous vous sentez en paix avec vous-même. Dans votre corps tout est harmonie, mouvement et vie.

• Ouvrez les yeux, relevez-vous doucement, la vie vous attend.

Relaxation « anti-sensation d'anxiété »

(d'après la méthode Schultz)

• Couché, les yeux fermés, respirez tranquillement.

• Inspirez de façon ample. En expirant, dites mentalement : « Je suis calme. »

• Continuez jusqu'à ce que vous sentiez la détente s'installer.

• À présent, dites à chaque expiration : « Ma jambe droite est lourde. » Prenez votre temps : sentez-la devenir pesante, comme si elle s'enfonçait dans le matelas. Faites de même avec : « Ma jambe gauche, mon bras droit, mon bras gauche, mon corps, mon cou, ma tête… est très lourd(e). »

• À chaque expiration vous vous sentez agréablement lourd, plus détendu et moins anxieux. Ouvrez les yeux. Attendez quelques minutes avant de vous lever pour reprendre tranquillement vos occupations.

Relaxation « anti-sensation de peur et de froid »

(d'après la méthode Schultz)

• Couché, les yeux fermés, respirez tranquillement.

• Inspirez avec lenteur et ampleur. En expirant, dites mentalement : « Je suis calme. »

• Continuez de la sorte jusqu'à ce que vous sentiez la détente s'installer.

• À présent, dites à chaque expiration : « Ma jambe droite devient très chaude. » Prenez votre temps : sentez-la devenir très chaude. Puis : « Ma jambe gauche, mon bras droit, mon bras gauche, mon corps, mon cou, ma tête… devient très chaud(e). »

• À chaque expiration vous êtes envahi par une chaleur agréable. Vous vous sentez plus apaisé, rempli de courage : vous « faites le poids ».

• Attendez quelques minutes avant de vous lever pour vaquer à vos occupations.

• Cette relaxation dilate les vaisseaux sanguins et élève d'un ou deux degrés la chaleur de l'épiderme. De ce fait, elle est souveraine contre cette sensation de « pieds glacés » qui vous empêche de dormir !

Relaxation rapide « énergie »

• En position assise, les yeux fermés, respirez doucement et tranquillement.

• Tout en respirant calmement, concentrez-vous quelques minutes sur votre ventre, votre être « viscéral ». Sentez la chaleur apaisante qui irradie de votre abdomen.

• Concentrez-vous maintenant sur votre chakra du cœur (à 2 ou 3 cm en dessous du point situé entre les deux seins). C'est le centre de votre sensibilité et de vos émotions. Sentez la chaleur qui en irradie. Une agréable sensation de chaleur émane de votre cœur.

• Concentrez-vous maintenant sur le haut de votre poitrine : c'est le centre de votre identité, des valeurs que vous voulez défendre. Sentez la chaleur qui irradie et apaise le haut de votre poitrine.

• Maintenant, connectez à l'intérieur de vous ces trois points importants ; mettez en route un circuit énergétique puissant et fluide qui s'alimente à ces trois sources.

• Prenez votre temps et sentez-les vibrer ensemble, calmes et énergiques : ils représentent votre identité.

• Respirez tranquillement en ayant le sentiment d'être vraiment vous-même : serein et plein de forces.

• Ouvrez les yeux et attendez quelques minutes avant de reprendre vos occupations.

Relaxation « je m'accepte »

Nous avons vu que nous abritons à l'intérieur de nous-mêmes un enfant qui ressemble en tous points à la petite fille ou au petit garçon que nous étions jadis. Quand la maladie, le chômage, ou d'autres graves difficultés nous frappent, cet Enfant Intérieur est effrayé. Il se demande comment il va s'en sortir dans un monde si violent et si dur. Une seule personne peut le calmer et lui donner du courage : nous-mêmes ! Soyons un bon parent pour cet enfant apeuré.

• Asseyez-vous dans un endroit où vous ne serez pas dérangé.

• Les mains sur la poitrine, parlez à votre partie émotionnelle comme vous parleriez à un enfant qui a peur. Dites-lui : « Je suis là, je suis avec toi, et je ne t'abandonnerai jamais. J'ai confiance en toi. N'aie pas peur, tu verras, tout s'arrangera ! »

• Maintenant que vous vous sentez plus calme, fermez les yeux et respirez doucement et amplement.

• Inspirez profondément et, à chaque expiration, dites mentalement : « Je lâche tout. » Ne vous contentez pas de le dire, *sentez-le* au niveau physique et psychique. Comme si vous dégrafiez un corset ou défaisiez un nœud de cravate.

• Continuez pendant plusieurs minutes, et quand vous vous sentez vraiment détendu, dites à *chaque inspiration* : « Je m'accepte. » Chaque fois, sentez une chaleur douce et bienfaisante emplir votre abdomen et votre poitrine.

• Continuez dans le calme jusqu'à ce que vous soyez tranquillisé, serein et sûr de vous.

• Ouvrez les yeux. Attendez quelques minutes avant de vous lever. La vie vous attend !

7

La méditation : un rendez-vous quotidien avec soi

Pris dans le tourbillon de la vie moderne, nous courons sans relâche : les transports en commun ou les embouteillages, les enfants qu'on emmène à l'école, le travail, les courses, les repas à préparer, ceux qu'on avale sur le pouce, la queue à la banque ou à la poste avant de reprendre les enfants, etc., pour recommencer aussitôt le lendemain. Nous nous accordons une « pause » ? C'est pour regarder la télévision, dîner avec des amis ou partir en voyage. Distractions agréables, certes... mais qui ne nous procurent pas la sérénité et le « recueillement » auxquels nous avons droit – et dont nous avons besoin !

Quand prenons-nous le temps de nous concentrer sur nous-mêmes ? Quasiment jamais. Et d'abord pourquoi le ferions-nous ? Nous n'en voyons ni l'intérêt ni la nécessité.

Il existe pourtant une règle absolue : **nos bonheurs resteront éphémères et superficiels, notre mal de vivre continuera de grandir tant que nous n'aurons pas renoué le contact avec notre vrai moi**. Tant que nous n'aurons pas appris à puiser notre solidité « en dedans ». Seules la connaissance de soi et la confiance en soi ouvrent les portes d'une existence enfin exempte de peur et de déchirements !

Mais cela me rappelle la réplique qu'avait eue un chauffeur de taxi, tandis que nous « philosophions » sur le chemin de l'aéroport de Roissy :

– J'ignore peut-être ce qu'il y a à l'intérieur de moi, mais d'abord je ne tiens pas à le savoir !

D'autres prétendent manquer de temps, ou avoir « autre chose à faire que de se regarder le nombril ». Seulement, plus nous vivons éloignés de notre véritable identité, et plus nous nous exposons aux malaises psychosomatiques. À trop vivre sous la pression des événements extérieurs, nous finissons par dilapider bêtement notre énergie intérieure, celle-là même qui détermine notre état de santé. Heureusement, pour rassembler nos forces et retrouver nos racines, il existe une méthode infaillible : la méditation !

Déprogrammer nos tendances à la dévalorisation

Qu'est-ce qui détourne les gens de la méditation ? D'abord la méconnaissance de cet outil précieux. Ensuite la conviction qu'ils sont beaucoup trop tourmentés par leurs tracas pour trouver la sérénité nécessaire à une telle pratique. Évidemment, c'est prendre le problème à l'envers puisque le but de la méditation est précisément de nous apporter cette « paix de l'esprit », cette sérénité capable de soulager nos souffrances ou les simples tiraillements de la vie quotidienne.

D'une certaine façon, vous n'avez pas le choix : tant que vous serez angoissé, le sourire de l'être aimé, une promotion professionnelle ou le plus beau paysage du monde vous laisseront indifférent. Et rien ne sert de tourner le dos à la civilisation en vous enfuyant dans le Larzac ou sur les sommets de l'Himalaya : vos problèmes vous y ont déjà précédé !

La solution, celle qui depuis des millénaires a su améliorer la vie de millions d'individus, c'est la méditation. Le secret de son efficacité réside dans le fait qu'elle facilite le contact avec notre être véritable et ses multiples facettes ; alors l'éveil de nos capacités cachées constitue une excellente réponse à toutes les vicissitudes de la vie.

Parce qu'elle nous permet de plonger au plus profond de nous, la méditation déconnecte les convictions négatives du genre « je ne suis pas intéressant », « je rate tout » ou le célèbre « je n'ai jamais de chance ». *Ce type de raisonnement destructeur, qui nous emprisonne dans le malheur, découle de conditionnements anciens que la méditation va déprogrammer !* Profitant de ces moments d'apaisement, nous allons nous « faufiler » jusqu'au « quartier général » de notre être, afin d'intimer à l'inconscient de meilleures règles de fonctionnement.

Il est des périodes dans l'existence où tout semble bouché et sans espoir, où nous croyons avoir fermé le « livre de vie » : la méditation va rouvrir ce livre et nous montrer que nous pouvons encore y écrire des pages merveilleuses !

Faire le ménage à l'intérieur de nous

Pendant ma formation à la programmation neurolinguistique, la psychothérapeute Colette Errera[1] ne cessait de nous répéter :

– Quand on a goûté à la présence de soi, on ne peut plus s'en passer.

Je n'ai bien sûr compris cette réflexion qu'après avoir moi-même « goûté » cette sensation grâce à la méditation. Parvenir à la « présence de soi », c'est en fait découvrir ses capacités enfouies et les vivre chaque jour plus consciemment ! C'est percevoir la permanence en soi d'un souffle de courage, d'un centre serein et solide,

1. Colette Errera est psychothérapeute, formatrice et directrice de l'École de programmation neuro-linguistique (PNL).

capable de redonner la santé à notre organisme et l'équilibre à notre esprit.

Beaucoup se privent de ce trésor parce qu'ils prennent la méditation pour une pratique bizarre et compliquée. Ils l'associent au bouddhisme, ou à d'autres croyances exotiques, quand ce n'est pas aux sectes. Alors que la méditation est aussi universelle que la respiration ou le sommeil !

En réalité, nous faisons de la méditation sans le savoir. Dans la vie de tous les jours. Quand nous conduisons une voiture, quand nous suivons une recette difficile, quand nous aidons notre enfant à faire ses devoirs, quand nous exerçons notre métier ou notre art, *nous méditons*. Car la méditation n'est rien d'autre que la *concentration*. Mais les exemples cités ci-dessus décrivent des formes *extérieures* de méditation. Celle qui nous intéresse à présent est celle qui porte sur nous-mêmes : nous allons tourner notre attention vers l'intérieur de nous, vers nos pensées et nos sentiments les plus profonds, en passant outre à ce tyran qui, surgi du passé, répète : « Tu ne réussiras pas. »

En faisant taire cette voix tonitruante, nous laissons émerger notre instinct, notre inspiration et notre intuition. Notre sagesse profonde s'impose.

La méditation, c'est :

• Un rendez-vous avec soi et son inconscient.

• Une concentration qui va « mettre de l'ordre » à l'intérieur de soi.

• Le fait d'acquérir, par l'attention que l'on se porte à soi-même, une « assurance tranquille ».

Répercussions sur notre santé physique

Comment cette méditation, qui apparaît comme une forme de quête intérieure, peut-elle influer sur notre santé ? Tout simplement parce que, en faisant la paix dans notre esprit, elle encourage la sécrétion des « hormones de bien-être », lesquelles assurent la résistance de nos défenses immunitaires.

Pour l'individu qui la pratique, la méditation fait office de « vacances instantanées ». Il peut, en un temps record, abaisser le régime de son cerveau au rythme lent des ondes alpha, et réduire considérablement les attaques du stress.

Ce que les sages d'autrefois avaient pressenti, les scientifiques modernes l'ont aujourd'hui mis en évidence. De nombreuses expériences ont montré que les « méditants » assidus voient leur taux de cholestérol sanguin diminuer de 20 % en moyenne. En outre, une pratique régulière peut abaisser le rythme cardiaque et respiratoire, la tension artérielle, le taux des hormones de stress (adrénaline, noradrénaline, hydrocortisone, norépinéphrine, etc.).

Nombreux sont ceux qui, grâce à la méditation, sont parvenus à guérir de troubles psychosomatiques comme l'insomnie, la dépression, les migraines, les troubles intestinaux. D'autres ont même réussi à se débarrasser de leur dépendance à l'égard de l'alcool ou de la drogue !

Aujourd'hui, on voit des psychothérapeutes et des médecins remplacer la prise de tranquillisants – avec leur cortège d'effets secondaires indésirables – par la méditation, la relaxation et la visualisation, trois techniques simples mais efficaces, qui n'entraînent aucune pollution chimique de l'organisme.

Histoire de Susana

Susana Highporth a perdu son fils âgé de cinq ans dans un accident de la route. Pendant trois longues années, elle a sombré dans une profonde dépression. C'est sa rencontre avec Jeremy Dolson et son groupe de méditation en Floride qui lui a redonné goût à la vie, après quelques mois de pratique assidue. Susana a ensuite créé une association de « parents d'enfants victimes de la route » qui lutte contre les chauffards et s'efforce d'améliorer la sécurité routière.

Lorsque je l'ai rencontrée, je lui ai demandé de m'expliquer ce que lui avait apporté exactement la méditation. Elle m'a fait cette réponse en plusieurs points :

- « La méditation m'a montré qu'il y a toujours une issue. Dans mon cas, cela signifiait accepter l'inacceptable, la mort de mon petit Bobby, en faisant bénéficier autrui de la leçon que ce drame m'a enseignée.

- « Grâce à la méditation, je sais aujourd'hui me concentrer sur l'essentiel.

- « En me sortant de la dépression, la méditation m'a rendu la santé.

- « Elle m'indique comment transformer chaque épreuve en atout ! »

Lorsque le roi Louis XI s'enfermait seul dans la salle du trône, il disait : « Ici je prends conseil de moi. » Comme lui, nous devons méditer pour « prendre conseil de nous ». *Où, mieux qu'en nous-mêmes, pouvons-nous trouver réponse à nos questions ?*

Je vous propose dans les pages suivantes plusieurs méthodes pour méditer. Choisissez celles qui vous conviendront le mieux. Mais quelle que soit la façon dont vous vous y prenez, sachez que vous ne pouvez pas « rater » votre coup : car *la meilleure méditation est celle que l'on pratique !*

Comment méditer ?

• Une ou deux fois par jour, prenez rendez-vous avec vous-même. Accordez-vous quelques minutes pour « entrer » en vous. Si vous n'avez jamais pratiqué, cinq minutes par séance suffiront !

• Asseyez-vous – le dos bien droit de préférence – et détendez-vous.

• Dans le calme, observez votre respiration telle qu'elle est : sans essayer de l'accélérer, de la ralentir ou de l'approfondir.

• Laissez aller et venir les pensées qui vous traversent l'esprit, sans leur attacher d'importance : elles finiront par disparaître.

• Concentrez-vous sur votre respiration.
– Comptez mentalement jusqu'à dix : inspirez sur le 1, expirez sur le 2, inspirez sur le 3, expirez sur le 4, etc. Recommencez depuis le début.
– Variante : sur l'expiration, dites mentalement un mot positif choisi au préalable – « amour », « paix », « guérison ».
– Autre variante : sur l'expiration, dites mentalement la moitié d'une phrase choisie au préalable, et sur l'inspiration la seconde moitié. Vous pouvez dire par exemple : « La paix… dans l'âme. » Ou encore : « Amour… de la vie. »

• À chaque escapade de votre mental, ramenez-le gentiment à la respiration et aux mots qui l'accompagnent.

• Dans le calme intérieur, restez attentif à votre inspiration et à votre expiration. Considérez ces flux et reflux comme l'ancre qui vous relie à votre centre intérieur.

Quelques remarques et conseils supplémentaires pour une bonne méditation

1) Choisissez bien sûr un endroit tranquille où vous ne serez pas dérangé. Et ne culpabilisez pas à l'idée de « voler » quelques minutes d'intimité ! Rappelez-vous : moins vous serez stressé, mieux vous saurez rendre heureux vos proches. Alors n'hésitez plus : décollez de vos soucis ou de vos obligations, fermez les yeux.

2) Commencez par une relaxation méthodique de vos muscles, des pieds à la tête. À chaque expiration, relâchez-vous, laissez-vous aller encore plus profondément à la détente.

3) Dirigez ensuite votre attention vers l'intérieur de vous-même. Le fait de compter de 1 à 10 est censé accroître votre concentration. Mais si votre esprit s'égare et que vous vous trouvez soudain en train de compter 33, ne vous donnez pas des noms d'oiseaux : recommencez simplement à partir de 1.

Les mots ou les phrases choisis jouent le même rôle de « fil conducteur ». Si vous le lâchez un moment pour vous demander si le gaz est bien fermé ou s'il reste assez de pain pour le dîner, ne vous énervez pas ! Revenez simplement à votre phrase.

Toujours au rythme de l'expiration et de l'inspiration, vous pouvez également lancer à votre inconscient des exhortations comme « aide-moi à comprendre », « je veux apprendre », « conseille-moi ». Les réponses peuvent surgir sous forme d'intuitions subites. Ou bien elles surviendront le lendemain. Ne brusquez pas les choses, soyez confiant et tout viendra en son temps.

4) Ne gaspillez pas votre énergie à chasser les pensées qui ne manqueront pas de tourbillonner dans votre tête.

Pour vous en détacher, amusez-vous à les étiqueter : « Tiens, voilà une pensée de peur », « … et une pensée de tristesse ». N'essayez pas de les éviter. Observez-les tranquillement, avec distance, et revenez chaque fois à votre souffle ou aux mots qui l'accompagnent.

5) Il est probable qu'au cours de vos méditations votre esprit prendra plusieurs fois la tangente. Rien de plus normal que ce vagabondage. La méditation, c'est justement l'art patient qui consiste à ramener votre attention sur la respiration. Insistez jusqu'à ce que cette focalisation sur soi devienne une habitude.

6) La pratique de la méditation a un effet cumulatif : plus vous pratiquez, plus votre corps et votre esprit se relaxent rapidement. Et pendant que le calme s'installe, vous recevez – à des vitesses variées selon les individus – des réponses, des « flashes intuitifs ». En outre, quand vos tensions et vos doutes baissent la garde (même de façon momentanée), vos énergies bloquées se mettent à circuler librement et guérissent votre corps là où il en a besoin.

Après chaque méditation, félicitez-vous : « Je l'ai fait, et c'est magnifique ! » Souvenez-vous bien sûr que Paris ne s'est pas construit en un jour ! Mais surtout restez confiant : pratiquée de manière assidue, la méditation est capable d'opérer en vous des changements longtemps espérés.

Méditation et insomnie

Tout en visant des modifications profondes de votre personnalité, vous pouvez compter sur des avantages plus rapides. Des expériences menées par le Dr Berenson montrent que le fonctionnement métabolique de l'organisme se ralentit plus en vingt minutes d'une bonne relaxation-méditation qu'en huit heures de sommeil !

Cette nouvelle vaut son pesant d'or pour les insomniaques : cela signifie qu'ils peuvent aisément « rattraper » le bénéfice des heures de sommeil perdues. Tout en apportant à leur corps tonus et bien-être !

Dans la journée, lorsque vous sentez un coup de fatigue, vous pouvez aussi remplacer avantageusement une sieste par une courte séance méditative qui va recharger les batteries ! Et vous aurez tout à y gagner si vous y ajoutez en plus une séance de visualisation.

8

La visualisation, source des « hormones de bien-être »

Longtemps vantée par les maîtres du yoga, l'efficacité de la visualisation – notamment face à la maladie – a été clairement établie par José Silva et surtout par le Dr Simonton.

Les trois techniques relaxation/méditation/visualisation ont en commun de nous apprendre la concentration.

• Dans la **relaxation**, nous nous concentrons sur la sensation que nous procurent les muscles : tendus puis relâchés.

• Dans la **méditation**, nous nous concentrons sur ce qui se passe à l'intérieur de nous-mêmes : le stress et le vagabondage mental, puis la prise de contact avec un espace intérieur serein.

• Dans la **visualisation**, nous nous concentrons sur des images que nous avons évoquées volontairement, puis sur les sensations que ces images éveillent, et enfin sur l'état de bien-être qu'elles nous apportent.

Par la concentration, nous devons aboutir à la mobilisation de nos énergies profondes afin d'entretenir notre organisme, bien sûr, mais aussi notre psychisme et, en dernière analyse, pour mieux *profiter de la vie.*

Comment fonctionne la visualisation ?

Lorsqu'il reçoit des informations, notre cortex – c'est-à-dire notre cerveau logique – en vérifie l'exactitude et tire ses conclusions. Se fondant sur des faits réels, il n'a pas pour habitude de prendre des vessies pour des lanternes !

De son côté, notre cerveau émotionnel n'a que faire des données logiques et vérifiables. Son rôle consiste à déclencher nos glandes hormonales selon les émotions ressenties. Qu'importe si ces émotions sont produites par des faits réels ou par des chimères sorties de notre imagination ! Cette particularité du cerveau émotionnel est la clé des maladies psychosomatiques comme de leur guérison. C'est également le fondement de la méthode dite de la « visualisation positive », dont nous avons parlé dans le chapitre : « De la dépression au cancer ».

Rappelons en deux mots son principe : il s'agit de transmettre à notre cerveau émotionnel des sensations heureuses, afin qu'il ordonne la sécrétion des « hormones de bonheur », celles qui renforcent nos immunités. En se fondant sur ce mécanisme, on a pu élaborer une méthode de visualisation qui obéit à des règles bien définies. Son efficacité repose sur plusieurs facteurs :

- Pendant la visualisation, la personne éloigne de façon temporaire ses soucis et se raconte en images un avenir meilleur.

- La relaxation qui précède fait fonctionner le cerveau en ondes alpha, reposantes. Cet état de « réceptivité alpha » facilite l'accès à l'inconscient. Nous allons profiter de ces minutes privilégiées pour y introduire – par le biais d'images appropriées – des données nouvelles et des messages d'encouragement.

• La visualisation éveille puis canalise les énergies de nos trois corps vers la réalisation des objectifs souhaités. Elle peut en outre nous faire découvrir des solutions auxquelles nous n'avions pas songé.

• Les images transmises à notre inconscient pendant la visualisation effectuent un « changement de disquette » dans nos comportements psychiques. Nos habitudes néfastes sont « déprogrammées ».

• Plus on se répète des images positives dans la tête, plus on « conditionne » son cerveau à effectuer des changements heureux. Hélas, le contraire est aussi vrai : plus on se dit « je ne réussis jamais rien », plus on risque de persister dans l'échec. La bonne visualisation est celle qui déloge de vieux clichés responsables de stress et de découragement !

Comment visualiser ?

• La visualisation commence toujours par une relaxation : les ondes alpha facilitent la plongée dans l'inconscient.

Assis dans un endroit calme, le dos droit, les yeux fermés et la respiration paisible, relâchez chacun de vos muscles, des pieds à la tête (voir la méthode dans le chapitre sur la relaxation).

• Dès que vous vous sentez calme, commencez à visualiser : imaginez des saynètes ou des films dont vous êtes le héros ou l'héroïne ; vous triomphez toujours, vous guérissez, vous réussissez.

• Tous les scénarios sans exception doivent être optimistes : ils se terminent obligatoirement par une *happy end* !

• Cela posé, vous pouvez imaginer ce que bon vous semble :

– Comment vous vous rétablissez d'une maladie.

– Comment vous surmontez un conflit émotionnel ou professionnel.

• Attention ! Respectez la logique et la vraisemblance dans le déroulement du scénario afin que l'histoire reste « crédible » – au moins pour vous.

• La visualisation n'utilise pas seulement la vue ! Par l'image, elle doit idéalement parvenir à mobiliser tous nos sens : nous devons « voir » les personnages et les décors, mais aussi *entendre* les dialogues, *sentir* les parfums. Surtout, nous devons vivre les émotions « comme si nous y étions ». Si nous ne jouons pas le jeu « pour de bon », notre cerveau émotionnel et nos glandes hormonales resteront de marbre.

• Si vous avez du mal à imaginer visuellement, vous pouvez vous servir de vos autres sens. Faites-vous une projection à l'aveugle : vivez réellement votre rôle à l'aide des dialogues, des bruits et des sensations physiques. L'essentiel est de parvenir à croire à la réalité de l'histoire. Et, à travers elle, à la confiance en soi et à la réalisation de ses objectifs – au moins pendant la durée du « film » !

• Pour imaginer (et vivre) une guérison, il convient de posséder quelques informations physiologiques sur la localisation de l'organe souffrant et sur son dysfonctionnement. Cela permet de visualiser les guérisons avec un réalisme plus grand.

• Pour mettre en route notre cerveau émotionnel et bénéficier des forces guérisseuses qu'il éveille en nous,

nous devons croire à la véracité de l'intrigue ! « Vivre » réellement sa visualisation jusqu'au triomphe final, c'est lui offrir toutes les chances de réussir.

Visualisation dite de la « balançoire »

Si vous êtes contrarié au beau milieu d'une réunion professionnelle ou familiale, voici une visualisation rapide qui donne d'excellents résultats.

- Fermez les yeux et faites une « relaxation éclair ».

- Imaginez-vous sur une balançoire : sur l'inspiration vous montez haut… puis vous descendez sur l'expiration en expulsant les contrariétés.

- Sentez les tensions quitter un peu plus votre corps à chaque descente.

- « Balancez-vous » avec grâce et souplesse jusqu'à ce que vous vous sentiez apaisé.

Visualisation « vacances éclair »

Vous êtes dans le train, dans le bus, assis sur la banquette arrière d'une voiture ou à côté du chauffeur. Vous êtes irrité ou déprimé parce qu'il pleut et que l'embouteillage n'en finit pas.

Pourquoi vous empoisonner le sang de flots d'adrénaline et autres hormones qui en veulent à votre santé ? Profitez plutôt de ce temps qui vous est offert pour visualiser ! Grâce à votre imagination, vous allez partir pour des « vacances éclair » au soleil : sentez la joie et la satisfaction qui enrichissent vos artères d'endorphines, de catécholamines ou d'anandamides, les vraies amies de votre système immunitaire.

• Respirez tranquillement pendant plusieurs minutes tout en relâchant méthodiquement vos muscles.

• Voici une proposition pour démarrer votre visualisation. Fermez les yeux : vous êtes en train de vous promener le long d'un sentier qui serpente entre les pins. Soudain, vous vous trouvez sur une plage déserte baignée de soleil : la mer s'offre à vous, belle et infinie. Vous vous asseyez au bord de l'eau et les vagues viennent vous lécher les pieds. Le ciel d'azur s'étend sans un seul nuage et vous êtes comblé de bonheur, en parfaite harmonie avec la nature... Mais vous êtes libre bien sûr de choisir un autre scénario !

• Fournissez à votre cerveau émotionnel les sensations agréables qui vont susciter la production des hormones bénéfiques. Transformez ainsi vos moments d'exaspération en moments de « soins intensifs de bonheur » !

Visualisation le « guide intérieur »

Si vous traversez des moments stressants, dus au chômage, aux difficultés économiques, cette courte visualisation vous est destinée.

• Confortablement couché sur votre lit, juste avant de vous endormir, respirez paisiblement en vous concentrant sur l'air qui entre dans (et sort de) vos narines.

• Quand vous sentez le calme s'installer, les yeux fermés, imaginez qu'apparaît devant vous un ami cher, une personne bien-aimée, la figure d'un sage, d'un ange ou d'un guide imaginaire.

• Les yeux toujours fermés, vous vous sentez parfaitement détendu et en paix.

• Vous visualisez l'être de votre choix tout près du lit : il vous regarde avec beaucoup de tendresse et de chaleur.

• Maintenant vous entendez sa voix chaude vous dire : « Je te protège ! »

• « Vivez » réellement le moment : voyez son regard bienveillant, détaillez la forme et la couleur de son habit, sentez sa présence, entendez sa voix chaleureuse vous répéter tranquillement : « Je te protège. »

• Sentez le frisson de confiance qui vous parcourt et ce sentiment de sécurité qui vous envahit tout entier !

• Faites-le répéter : « Je te protège » autant de fois qu'il vous faut pour vous endormir paisiblement.

Visualisation la « roue de la vie »

Si la vie semble s'acharner sur vous et vous infliger les « pires punitions », essayez cette visualisation puissante.

• Asseyez-vous dans un endroit tranquille où vous ne serez pas dérangé.

• Redressez le dos, fermez les yeux et détendez progressivement les muscles de votre corps pendant deux minutes.

• Concentrez-vous sur votre respiration : percevez l'air qui entre et sort librement dans vos poumons.

• Lorsque vous sentez le calme s'installer, imaginez une immense roue de carrosse : cette roue représente votre vie.

• Imaginez-vous comme une poupée qu'on aurait attachée sur la jante. La roue se met à tourner : tantôt vous êtes en haut, à observer les beaux paysages et la vie palpitante qui se déroule devant vous. Tantôt vous êtes en bas, écrasé sous le poids de la roue, meurtri par le sol rocailleux.

• Visualisez et sentez avec le plus grand réalisme votre sensation euphorique lorsque vous trônez en haut de la roue. Ensuite vivez entièrement vos souffrances et votre désespoir quand vous êtes broyé à terre. Sentez votre appréhension à chaque tour de roue.

• À présent, cessez cette visualisation pénible.

• Revoyez cette même roue, qui figure votre vie : imaginez maintenant que vous êtes placé en son axe, juste au centre. La roue tourne à présent autour de vous : vous n'êtes plus ballotté de bas en haut mais solidement vissé sur le moyeu. Finie la crainte des souffrances à venir ! Vous êtes en sécurité, quoi qu'il arrive !

• Être « centré », c'est acquérir la capacité d'observer sans panique ni accablement les hauts et les bas de la vie : ce mouvement perpétuel représente un cycle naturel et inévitable, et dès lors *les pires moments de l'existence ne durent pas* !

• Être « centré », bien « ancré », c'est avoir confiance en la vie : ne jamais désespérer quand la roue de la fortune bascule vers le bas. Dites-vous que, dans ce mouvement même, elle ébauche déjà son ascension !

Aux moments critiques de mon existence, au plus fort de la tourmente, cette dernière visualisation m'a apporté une sérénité inespérée !

Assaillis par le stress, l'angoisse ou tout simplement le surmenage, nous avons tous un besoin impératif de ces « havres de détente », lieux privilégiés où nous pouvons panser les morsures de la vie.

Surtout ne croyez pas qu'il s'agisse uniquement de s'astreindre à des exercices pénibles ou de fuir vainement ses soucis. D'abord parce que ces trois techniques – relaxation, méditation, visualisation – vous procurent un plaisir vrai, toujours grandissant, qui a d'importantes *répercussions physiologiques*!

Ensuite parce qu'elles vous permettent de « changer de cap », de libérer puis d'utiliser pleinement vos forces vitales.

Enfin et surtout parce que ces moments de « lâcher prise » représentent de formidables occasions d'approfondir votre connaissance de vous-même. Grâce à ces techniques, ainsi qu'à toutes celles rassemblées dans ce livre, vous avez la possibilité de faire un pas décisif à la rencontre de ce qu'il y a de plus authentique et de plus noble en vous. Un pas vers cette partie de votre être capable de vous apporter les énergies nécessaires à une existence meilleure !

Le défi

« Plus tard, tu seras *quelqu'un* », disent souvent les parents à leurs enfants. Et ce mot banal revêt soudain des airs de noblesse et de prestige, ce « quelqu'un » devient extraordinaire. Il est pourtant la source de bien des malentendus ! L'enfant s'imagine en effet que, pour mériter l'amour et le respect, il va lui falloir devenir un héros, une star de cinéma, un milliardaire ou un chef d'État ! Il va alors courir sans fin après une « image-mirage ». Et dans cette course absurde, il s'éloigne de sa véritable identité… De temps à autre, il lui arrive d'entendre une voix qui s'écrie en lui : « Je suis là ! Occupe-toi de moi ! » mais il l'oublie aussitôt, ne sachant pas comment s'y prendre pour renouer avec son être intime. Et ce divorce le prive de ses forces vitales.

Le plus terrible des malentendus, c'est d'ignorer que, pour être enfin *quelqu'un*, il faut tout simplement être *soi-même* !

Vous n'avez pas besoin de vous comparer à une figure exemplaire ou à une idole : *soyez fier d'être vous-même !* J'aimerais tant que ce livre puisse vous convaincre que vous êtes tous, sans exception, des personnes uniques et pleines de talent…

La bonne gestion émotionnelle permet précisément de prendre conscience de sa valeur et de ses capacités. Car elle va bien au-delà de l'amélioration de la santé physique par l'évacuation des hormones de stress. Elle induit le respect, la valorisation et l'acceptation de soi.

Soyez vigilant, donc : chaque fois que vous bâillonnez vos ressentis, vous piétinez la partie la plus créative de votre personnalité. Vous méprisez votre être véritable !

Car faire taire ses émotions, c'est dire implicitement : « J'ai honte de moi. » Au contraire, dès que vous laissez parler vos sentiments, vous vous donnez le droit d'exister dans la vérité de votre identité : « Je respecte ce que je ressens. » Ainsi vous vous tendez la main en affirmant clairement : « Je compte pour moi ! »

Répétons-le encore et encore, jusqu'à en être intimement persuadés : être *quelqu'un*, ce n'est rien d'autre qu'être *soi-même* !

Une gestion émotionnelle réussie est celle qui encourage l'amour *inconditionnel* que vous vous portez. Lui seul vous permet de développer puis de concrétiser *ce qu'il y a de meilleur et de plus noble en vous*. Et vous pouvez ensuite transmettre ce pur amour à vos enfants comme à vos proches, afin de stimuler en eux l'espoir, la confiance et la joie.

Le véritable bonheur est simple : allez au fond de vous, découvrez votre valeur, aimez vos qualités comme vous vous montrez tolérant à l'égard de vos défauts, et vous deviendrez capable d'apprécier les autres sans préjugé.

Choisissez le positif en toutes choses et vous apprendrez à vous débarrasser de ce qui est inutile ou nuisible.

N'ayez plus peur de l'avenir : vous savez maintenant que le bonheur résulte de votre seule attitude envers la vie. Il jaillit de votre intérieur !

Enfin et surtout, acceptez-vous tel que vous êtes. Acceptez les autres tels qu'ils sont. Cet amour sans condition vous guérira et pourra guérir le monde.

Il n'existe pas de recette magique pour aller à la rencontre de soi. Chacun doit trouver son chemin, le suivre à sa façon et à son rythme.

Malgré tous les obstacles et les difficultés, ce chemin vaut la peine d'être entrepris. Car à mesure de votre progression, vous ferez la connaissance d'un être extraordinaire. Vous-même !

Remerciements

À mon mari Jean-Pierre, pour son aide inestimable, pour ses nombreuses suggestions et critiques, et pour son don de raviver l'espoir en moi.

À mon père, à ma fille Yaël, à Igor, à Yvonne, Marceau, Élisa, à toute ma famille et à mes amis qui, par leur amour et leur confiance inconditionnels, m'ont aidée à entreprendre ce chemin qui sans eux aurait pu sembler très solitaire.

À Huguette, Olivier et Pascal pour leur soutien permanent et enthousiaste.

À mes formateurs, thérapeutes et amis, Raymond Dextreit, Danièle Reito, Colette Errera, Jean-Pierre Noé, Anne-Marie, Rémy et Isabelle Filliozat qui m'ont encouragée à faire la route vers moi-même.

À tous mes amis et collègues de formations, cours, séminaires et universités d'été, qui étaient au départ étonnés de ma présence et qui ont fini par m'accepter comme une étudiante, puis comme une amie.

Merci.

Bibliographie

BANDLER Richard et GRINDER John, *Les Secrets de la communication*, Éditions du Jour.

BECK Deva et James, *Les Endorphines*, Éditions du Souffle d'Or.

BENSAID Catherine, *Aime-toi, la vie t'aimera*, Robert Laffont.

BERNE Dr Éric, *Que dites-vous après avoir dit bonjour ?* Tchou.

BERREBY Jean-Jacques, *J'ai choisi de vivre*, Retz.

BORYSENKO Joan et ROTHSTEIN Larry, *Penser le corps, panser l'esprit*, Interéditions.

CARDON Alain, LENHARDT Vincent et NICOLAS Pierre, *L'Analyse transactionnelle*, Les Éditions d'Organisation.

CAYROL Alain et SAINT-PAUL Josiane de, *Derrière la magie, la programmation neuro-linguistique*, Interéditions.

CHALVIN Dominique, *L'Affirmation de soi*, ESF.

CHALVIN Marie-Joseph et Dominique, *Vivre heureux en famille*, ESF.

COLLIGNON Gérard, *Comment leur dire... La Process Communication*, Interéditions.

COUSINS Norman, *La Biologie de l'espoir*, Seuil.

DEXTREIT Raymond, *La Pause mentale*, Vivre en harmonie.

DEXTREIT Raymond, *Vivre sain*, Vivre en harmonie.

DEXTREIT Raymond, *La Méthode harmoniste*, Vivre en harmonie.
DEXTREIT Raymond, *Éléments de mieux-être* (tomes 1 et 2), Vivre en harmonie.
ENGLISH Fanita, *Qui suis-je face à toi ?* Hommes et Groupes.
FERGUSON Marilyn, *Les Enfants du Verseau*, Calmann-Lévy et Éditions J'ai lu.
FILLIOZAT Isabelle, *L'Alchimie du bonheur*, Dervy.
FILLIOZAT Isabelle et ROUBEIX Hélène, *Le Corps messager*, La Méridienne.
FRANKL Viktor, *Découvrir un sens à sa vie*, Les Éditions de l'Homme.
GAWAIN Shakti, *Techniques de visualisation créatrice*, Vivez Soleil et Éditions J'ai lu.
GINGER Serge et Anne, *La Gestalt, une thérapie du contact*, Hommes et Groupes.
HAY Louise, *L'Amour sans condition*, Vivez Soleil.
HAY Louise, *Transformez votre vie*, Vivez Soleil.
JAMPOLSKI Dr Gérard, *Aimer c'est se libérer de la peur*, Vivez Soleil.
KAHLER Taibi, *Manager en personne*, Interéditions.
KÜBLER-ROSS Elisabeth, *La mort est un nouveau soleil*, Éditions du Rocher.
KÜBLER-ROSS Elisabeth, *La Mort, dernière étape de la croissance*, Éditions du Rocher.
LABORIT Henri, *Éloge de la fuite*, Gallimard, Folio-Essais.
LAUTIE Raymond, *Vieillir jeune*, Vie et Action.
LESHAN Lawrence, *Méditer pour agir*, Seghers.
LOWEN Dr Alexander, *La Peur de vivre*, Épi.
LYNCH James, *Le Cœur et son langage*, Interéditions.
MANENT Geneviève, *L'Enfant et la relaxation*, Éditions du Souffle d'Or.
MILLER Alice, *La Connaissance interdite*, Aubier.
MUKTANANDA Swami, *Méditer*, Guy Trédaniel/Éditions de la Maisnie.

PAUL Margaret, *Renouez avec votre enfant intérieur*, Éditions du Souffle d'Or.

PAUL-CAVALLIER François, *Visualisation, des images pour des actes*, Interéditions.

PRADAL Dr Henri, *Le Marché de l'angoisse*, Seuil.

RAMOND Claudie, *Grandir*, La Méridienne.

ROBBINS Anthony, *L'Éveil de votre puissance intérieure*, Éditions du Jour.

ROTH Geneen, *Lorsque manger remplace aimer*, Les Éditions de l'Homme/Stanké.

RUSSEL Peter, *La terre s'éveille, les sauts évolutifs de Gaïa,* Éditions du Souffle d'Or.

SAMUZE Dr, *Rire, c'est la santé*, Vivez Soleil.

SCHÜTZENBERGER Anne Ancelin, *Vouloir guérir*, Érès/La Méridienne.

SIEGEL Bernie, *L'Amour, la Médecine et les Miracles*, Robert Laffont et Éditions J'ai lu.

SILVA José et MIELE Philip, *La Méthode Silva*, Gréco.

SIMONTON Dr Carl et HENSON Reid, *L'Aventure d'une guérison*, Belfond et Éditions J'ai lu.

TAL SCHALLER Dr Christian, *Deviens ton propre médecin*, Les cahiers de l'École Santé-Soleil.

THOMAS Jacques, *Les Maladies psychosomatiques*, Hachette.

VALNET Jean, *Phytothérapie, traitement des maladies par les plantes*, Maloine.

VAN LYSEBETH André, *Pranayama (La Dynamique du souffle)*, Flammarion.

ZARIFIAN Édouard, *Des paradis plein la tête*, Odile Jacob.

Revues et maisons d'édition

ACTUALITÉS EN ANALYSE TRANSACTIONNELLE
(trimestriel)
CFIP, avenue Gribaumont, 153 – 1200 Bruxelles – Belgique

LA FEUILLE VERTE (bimestriel et éditions)
Rédacteur en chef : Antoine Rogani
15, r. Nélaton – 92800 Puteaux

L'IMPATIENT (mensuel)
Rédacteurs en chef :
Pierre Dhombre et Hélène Michelini
9, r. Saulnier – 75009 Paris

MÉDECINE NATURELLE (bimestriel)
Rédactrice en chef : Michèle Laruelle
26 *bis*, r. Kléber – 93100 Montreuil

OBSERVEZ (bimestriel)
Rédacteur en chef : Régis Sauvanet
BP 311 – 47008 Agen Cedex

LE SOUFFLE D'OR (éditions)
Directeur : Yves Michel
BP 3 – 05300 Barret-le-Bas

LA VIE NATURELLE (mensuel)
Rédacteur en chef : Gérard Sakon
8, r. Darwin – 75018 Paris

ÉDITIONS VIVEZ SOLEIL (éditions)
Gérant : Christian Tal Schaller
32, av. Petit-Senn – CH 1225 Chêne-Bourg
– Suisse

VIVRE EN HARMONIE (mensuel et éditions)
Rédacteur en chef : Raymond Dextreit
BP 492 – 95005 Cergy-Pontoise

YOGA (mensuel)
Rédacteur en chef : André Van Lysebeth
Rue des Goujons, 72 – 1070 Bruxelles
– Belgique

ELIDEL (catalogue de livres « santé » ; vente par correspondance)
2, rue Godin-des-Odonnais
18200 Saint-Amand-Montrond

Associations

CEHMN (Collège européen d'hygiène et de médecine naturelles) Président : André Roux – 713, Chemin de Donicarde – 83507 La Seyne-sur-Mer Cedex

CLUB DU DOS
Fondateur : Guy Roulier
BP 1354 – 49013 Angers

FAPES (Fédération des associations pour une écologie de la santé) Président : Jean-Claude Delarue – 2, r. Chabannais – 75002 Paris

FÉDÉRATION NATIONALE DE L'HERBORISTERIE FRANÇAISE
Président : Marcel Bernadet
9, pl. Commandant-Arnaud – 69004 Lyon

FENAHMAN (Fédération nationale des associations d'hygiène et de médecine alternatives naturelles) Président : Marc Lecocq – BP 59 – 95602 Eaubonne Cedex – 3615 Fenam

FIPIAD (Fédération internationale pour l'information sur les alternatives disponibles et complémentaires) Présidente : Simone Brousse – 3, r. des Capucins – 92190 Meudon

FONDATION YOGA (stages annuels) Président : André Van Lysebeth – 72, r. des Goujons – 1070 Bruxelles – Belgique

IFAT NATIONAL (Institut français d'analyse transactionnelle) Présidente : Françoise Tachker-Brun – 31, r. Voltaire – 83640 Saint-Zacharie

NATURE, FORCE DE VIE (association pour le développement des ressources humaines, du corps et de l'esprit en harmonie avec la nature) 2 bis, av. des Tilleuls – 75016 Paris

NATURE ET PROGRÈS (association internationale d'agriculture et d'hygiène biologique) Président : Marc Durand – 3, pl. Pasteur – 84000 Avignon

OMNES (Organisation de la médecine naturelle et de l'éducation sanitaire) Président : Marc Lecocq – BP 59 – 95602 Eaubonne Cedex

PHAREE (PNL – Hypnose ericksonienne – Application – Recherche – Enseignements européens) Fondatrice : Colette Errera – 5, al. des Châteaux, Menneval – 27300 Bernay

RYE (recherche sur le yoga dans l'éducation)
Présidente : Micheline Flak
47, r. d'Hauteville – 75010 Paris

ÉCOLE SANTÉ SOLEIL (école de bien-être et d'harmonie) Dr Christian Tal Schaller et Johanne Razanamahay – 15, r. François-Jacquier – 1225 Chêne-Bourg – Suisse

SA-MA-SA (École de conseillers de santé holistique)
Anne-Marie et Rémy Filliozat
35, r. de Coulmiers – 75014 Paris

VIE & ACTION – CEREDOR (association d'enseignement privé) Président : André Passebecq – Le Roc Fleuri – 380, route de Coursegoules – 06620 Gréolières

VIVRE EN HARMONIE
Président : Raymond Dextreit
BP 492 Cergy-Pontoise Cedex

R.I.D. Composition 91400 Gometz-la-Ville
Achevé d'imprimer en Europe
par **Bussière Camedan Imprimeries** à St-Amand
le 13 novembre 1998. N° d'imp : 985335/1.
Dépôt légal novembre 1998. ISBN 2-277-07114-5
1er dépôt légal dans la collection : août 1996.

Editions J'ai lu
84, rue de Grenelle, 75007 Paris
Diffusion Flammarion (France et étranger)